新潮文庫

鎖

上巻

乃南アサ著

新潮社版

7307

目次

鎖

上巻

プロローグ

1

二人の男は、ある意味で対照的に見えた。ブラインド・カーテンを通して、春の陽《ひ》射《ざ》しが柔らかく射し込む応接間で、彼らはかなり辛抱強く沈黙を守り続けている。

向かって右側の男は、五十歳前後というところだろうか、この応接間に通されてソファーに腰を下ろしてから、その姿勢すら一度も変えていなかった。背もたれにゆったりと身体《からだ》を預けて、わずかにせり出している腹の前で手を組んだまま、彼は首だけを時折動かし、大した装飾も施されていない室内を、静かな表情で見回していた。髪の大半が白くなっている彼が顔を動かすと、午後の陽を受けて、金縁の眼鏡が微妙な光を放った。

白髪の下の面長の顔立ちと眼鏡の金のフレームとはよく調和していて、その全身から受ける印象、スーツやネクタイの趣味からも、彼がそれなりの社会的地位につき、ある程度以上の教養を身につけた男であることが察せられた。この窮屈な空間での沈黙の時さえ、男はそれなりに楽しんでいるように見えた。そういう時の過ごし方に慣れている、彼の人生のテンポそのものが、ゆったりとした大河のような流れなのかも知れないと思わせるほど、男は思索する多くのテーマを持ち、何事に関しても結論など求めていないかのようにふるまっていた。

だが、男が首をめぐらして窓の方を眺めるとき、その印象は大きく変わった。男には左耳の下から首筋にかけて、こちらがどきりとする程の、鮮やかな赤紫の痣《あざ》があったからだ。それは、真っ白いワイシャツのカラーの下に消えていたが、男の風貌《ふうぼう》とは不釣り合いな毒々しさを感じさせた。その痣は、男の肉体の、果たしてどこまで広がっているものなのか、彼の人生とは、その痣を抜きにしては語れないものなのだろうか、だとしたら、どこかに壮絶な、毒々しい部分があるのに違いない――つい、そんな想像までしたくなるほどに、それは大きく、生々しく、男に貼《は》りついていた。まるで、痣そのものが生きていて、男に寄生しているような、そんな印象を与える痣だった。男の穏やかさ、物静かな態度は、あたかもその痣を飼い慣らすために、否応《いやおう》なく身につけたものなのかも知れないとさえ思わせる。それほど、その男にとって、痣は大きな特徴になっていた。

一方、左側の男は痣の男に比べていかにも落ち着きがなく、片時としてじっとしない。ソファーに背をもたせて足を組んだかと思えば、すぐにその足をほどき、前屈《まえかが》みになって今度は両手を組み合わせ、首を左右に曲げ、次には腕組みをして背を伸ばすという具合だ。痣の男に比べると幾分若く、四十歳前後というところだろうか。鼻の下には髭《ひげ》を蓄え、長めの髪はオールバックにしていて、地味なスーツに身を包んでいるものの、どうも固いサラリーマンという雰囲気ではない。むしろ、マスコミか広告関係、または不動産、デザイン設計関係といったところだろうか。細面で目元は涼やかな、それなりに整った顔立ちをしているが、眉《まゆ》は太く濃く、ことに右側の頬に、幾つかの大きな黒子《ほくろ》が飛んでいるのが印象的だった。

彼らがどういう関係にあるのか、上司と部下か、または親戚《しんせき》筋の者なのかは判然としない。とにかく二人の雰囲気は、あまりにも違って見えた。

その一方で、男たちにはまた共通点もあった。彼らは等しく、出された茶に手をつけようともせず、そして、さっきからかなりの時間、沈黙を守り続けているのだ。この支店の次長の地位にある木下は、二人をこの部屋に案内した当初は、彼らの背景を探りたい気持ちもあって、それなりに話しかけたりもしてみたのだが、その都度、二人のうちのどちらかから返ってきた言葉はいずれも極めて短く、また曖昧《あいまい》なものばかりで、話の接《つ》ぎ穂にもなりはしなかった。結局、木下に出来ることは静寂に包まれた室内で、冷めた茶ののっているテーブルを挟み、彼らに対してかなり不躾《ぶしつけ》とも思える視線を投げかける程度のことだった。それでも男たちは、そんな視線などまるで感じていないかのように、木下のことをほとんど無視し続けている。

「すみませんね、お待たせして」

それなりに限られた空間で、こうも無視され続けることが不快でないはずがない。奇妙な緊張感にも、この長い静寂にも耐えきれなくなって、木下は小さな咳払《せき》いをした後、再び口を開いた。職業柄、人の品定めには多少なりとも長《た》けているつもりだ。オールバックはともかく、痣の男はこういう場所に、ある程度慣れているように見えた。ごく一般のサラリーマンなどだったら、銀行の個室に通されたりすれば、もう少し好奇心を露《あら》わにするか、または緊張した面もちになるものなのだ。つまり、痣の男は多額の金を扱うのに慣れているということになる。持ち金にせよ、借金にせよ、少なくとも金の話をすることに慣れているのに違いない。

「給料日前ですし、何しろ連休前なものですから、一番忙しい時期でして」

「そうでしょう」

痣の男が当然というように答えた。表情を変えず、こちらを見ようともしない。それでも木下は愛想笑いを浮かべたまま、わずかに身を乗り出した。

「連休は、何かご予定でも」

だが、返ってきた答えは「いや」という、いかにも素っ気ないものだった。結局、木下は、また口を噤《つぐ》まなければならなかった。まあ、彼らに愛想を振りまいたところで何らかのメリットがあるとも思えなかったし、その必要もないことかも知れない。第一、こうとりつく島がないのでは、どうすることもできなかった。多額の金の扱いに慣れている男であれば、今後の付き合いの可能性だって考えられないわけではないが、だからといってこちらから、何も必要以上に愛想を振りまく義務があるわけでもない。おまけに相手の素性も定かではないのだから。

「荻須《おぎす》、ですか」

ところが、木下が諦《あきら》めをつけたところで、今度は痣の男が口を開いた。

「──は」

何を言われているのか分からずに、木下は半ばぽかんとなって男を見た。相変わらず姿勢を動かさない彼は、金縁眼鏡の奥の目を木下の背後の壁に向け、小さく顎《あご》をしゃくるようにして、「あの絵は」と言う。木下は、初めて気づいたように身体を捻《ひね》って背後を振り返った。素っ気ない応接間だが、そこにはこの関東相和銀行のカレンダー と、一枚の油絵の額が掛かっている。

「この絵でございますか」

「荻須高徳《たかのり》の作品ではないですか」

「さあ――申し訳ございません。私には、ちょっと――」

不調法でして、と照れた笑いを浮かべながら、木下は何度か上体を捻って、痣の男と背後の絵とを見比べた。

それはグレーを基調とした、どこかの街の一角を描いた絵だった。石造りの古い建物が左右から迫り、その間を細い石畳が真っ直《ま》ぐ《す》に伸びている構図の風景画だ。路地の向こう、つまりキャンバスの中央辺りにも建物があって、その建物の屋根越しには微《かす》かに広がる家並みがのぞまれる。

この部屋の壁に、明らかに日本の風景ではない絵が飾られていることぐらいは、木下も気づいていた。だが木下自身は、取引先の応接間にある絵ならいざ知らず、自分の勤め先にあるたった一枚の絵などに関心を持ったことは一度もない。この支店に来てからの二年あまり、応接間は数え切れないほどに使用し、その都度、様々な客と向かい合ってきてはいるが、そんな時に頭の中を駆け巡るのは、常に相手の懐《ふところ》具合と様々な数字、そして上司の顔色くらいのものだった。

「穏やかな空の色だ。この奥行きと、構図の向こうに広がる空間、そして骨太でありながら、繊細なこの色調が、荻須ですね」

痣の男は、木下の反応などお構いなしといった様子で呟《つぶや》き続けた。隣に腰掛けているオールバックが、わずかに怪訝《けげん》そうな表情になり、そんな男を観察している。何だ、この二人は、さほど親しい間柄ではないのかと思いながら、木下は話の内容など記憶にとどめないまま、なるほど、なるほどと相づちを打った。

「お詳しいんですね」

出来るだけ愛想の良い笑みを浮かべて痣の男を見れば、だが、彼は自分が喋《しゃべ》りすぎたことを後悔しているような表情で「いいや」と答え、再び口を噤んでしまう。何ともやりにくい相手だった。自分がいかにも無粋で、無能に見える質問をしてしまった気がして、木下の中には重苦しい緊張感に加えて、不快感が広がった。そして、またもや静寂が室内を支配した。

「随分、待たせるな」

数分後、今度はオールバックの男が手元の時計に目を落としながら口を開いた。木下もつられたように自分の腕時計に目を落とした。彼らをここに通してから、既に三十五分が経過している。オールバックは背筋を伸ばし、いかにも苛立《いらだ》った様子で鼻から荒々しく息を吐き出している。痣の男が、たしなめるように隣を見た。二人の男は互いに視線を合わせると、無言のまま、再び前を向いた。

様子を見てまいりましょうかと言えないことはない。だが、木下はそれをしなかった。給料前のこの時期に、こんなアクシデントが発生すれば、職場が余計に混乱することぐらいは十分すぎるほどに承知している。何も、わざと時間をかけているわけではないのだ。

「まだ、かかるのかな」

オールバックが再び苛立ったように呟く。彼が口を動かす度に、鼻の下の髭が細かく震えた。痣の男は無言のままで、木下にわずかに非難がましい視線を寄越した。

「もう、じきだと思いますので」

根拠もない言い訳を口にしながら、木下は内心で舌打ちしたい気分だった。こんな、招かれざる客のために振りまく愛想など、持ち合わせてはいないのだ。すっかり予定を狂わされて、苛立っているのはこちらの方だ。本音を言うならば、こんな連中のことなど「知ったことか」と放り出しておきたいとさえ思う。どうせ、客になる相手ではない。木下たちにとっての上客とは、すなわち平身低頭して額に汗など滲《にじ》ませながら、融資を申し込みに来る連中に他ならない。こちらがへりくだる必要もなく、感謝されながら儲《もう》けさせてもらえるのは、血圧を二十でも三十でもつり上げながら、必死の思いですがってくる連中だ。間違っても、大口の預金を突然解約するような、そんな連中に愛想を振りまく義理はなかった。

さらに十分ほども経過した頃、ようやくノックの音が響いた。アイボリーホワイトの扉の向こうから、両手に紙袋を提げた預金課長の姿が現れて、室内の空気はようやく動いた。

「申し訳ありません、お待たせしました」

預金課長は、木下に目顔で頷《うなず》きながら、厳《おごそ》かとも思える声でそう言うと、いそいそと部屋に入ってきた。その途端、これまで見事な程に姿勢を変えなかった痣の男がソファーから背を離し、大きく身体を捻って預金課長の方を振り返った。そして、彼の動きを寸分でも見逃すまいとするかのように注意深く見つめている。

「すべて束になっておりますが、お確かめになりますか」

木下の隣に腰を下ろした預金課長は、三つの茶碗《ちゃわん》が載っているテーブルの上に二つの紙袋を載せると、一杯に詰め込まれている茶色い紙包みの一つを取り出した。

「この束の一つが、一千万です。その束が二十個。十個ずつ、入っております」

「どうする」

オールバックが、わずかに青ざめて見える表情で囁《ささや》くような声を出した。いや、喉《のど》がはりついているのかも知れない。そわそわと落ち着きがなかっただけのことはある。すっかり舞い上がっている様子がありありと見て取れた。

「束の数だけ確かめよう。中まで開いてみることは、ないだろう。こちらを信用しよう」

痣の男が静かに答えた。それを聞くと、預金課長は、十センチ程度の厚さの紙包みを袋から取り出し、テーブルの上に並べ始めた。たかだか二十個の紙包みなど、瞬《また》く間に並べ終わる。その短い間、二人の客が食い入るように彼の手元を見つめているのが分かった。嫌な感じだ。本当に。別段、自分の金というわけではないのだが、こうもごっそりと現金で持っていかれると、何となく損をした気分になる。

すべての包みを並べ終えたところで、痣の男は目だけでその包みを数え、程なくして「確かに」と頷いた。それを合図のように、オールバックが、足元に置いてあった空のボストンバッグを膝《ひざ》の上に載せ、包みを手早くしまい始める。

「一つにまとめられますか。かなり重くなりますが」

預金課長が、いかにも如才ない様子で言った。無用の笑みまで浮かべて。人が好《い》いにもほどがある。だが、オールバックは返事をするどころか顔を上げようともせず、せっせと手を動かし続けている。

「紙袋よりは安全でしょう」

代わって痣の男が答えた。木下は、年下の連れのすることを黙って見守っている男を改めて観察した。本当は何者なのか、一体どういう素性の人間なのだろうか。こんな大金を、しかも現金で持ち帰ろうとするなんて。まさか、そのまま他行に口座を開くつもりではないだろうな。または、証券会社の新しい金融商品にでも手を出すか、それとも保険に切り換えるか――だが、それを尋ねる筋合いはなかったし、聞いたところで、相手が答えるとも思えなかった。

一分もかけずにすべての紙包みをボストンバッグにしまい終えると、オールバックはバッグのファスナーを閉め、隣の男に小さく頷いた。ざっと衣擦《きぬず》れの音がして、二人は同時に腰を上げた。立ってみると、痣の男は意外に長身で、むしろ、オールバックの方が小柄だった。近くで見て初めて気づいたのだが、彼らは揃《そろ》って髪の生え際《ぎわ》に、うっすらと汗を浮かせていた。やはり、それなりに緊張していたのだろうかと、その時になって初めて木下は考えた。または、室内の気温が高いせいかも知れない。実際、来客に応対する時でなければワイシャツ一枚で仕事をしている行員だって少なくはない。省エネ省エネと口を酸《す》っぱくして言われた結果、行内の空調は、一昔前よりもずい分高い温度で調節されるようになっていた。

応接間を出ると、預金課長の先導に従って、男たちは明るい廊下を抜け、カウンターの脇《わき》にある、外側からではIDカードと暗証番号なしに通過することの出来ないドアを通り抜けた。木下は、この建物から男たちが一歩でも外に出るまでは、たとえば何らかの事故が発生した場合には、自分が責任を問われると思うから、彼らの後ろについて行った。

ドアを抜ければ、そこは一般の客が訪れるカウンター・フロアーになっている。行儀良く長椅子《ながいす》が並び、片隅には観葉植物に見せかけた偽物《にせもの》の鉢植えと、音量を最低までしぼったテレビが置かれている天井の高い空間は、終業間際の混雑でごった返していた。毎度のことながら、この混雑する時間帯で一日が終わるのであれば、どんなに楽だろうと思う。だが三時以降の、客のいなくなった店内こそが、木下たちにとっての戦いの時間だった。ことに明日は二十四日の金曜日だ。月末、週末はただでさえ忙しくなるのに、一般企業の給料日が一日繰り上がって、その忙しさに拍車をかけるということだった。

——それが、よりによってこんな日に。

迷惑なことこの上ない。お陰で、自分たちがこれからどんな思いをしなければならなくなるか、この男たちには想像もつかないに違いないのだ。木下は、店の出口に向かう二人の男の後ろから、その落ち着き払った背中を半ば睨《にら》みつけていた。

――一千万や二千万のはした金じゃないんだぞ。

二億という現金は、一万円札の束にすると、ちょうど二十キロの重さになる。それだけの札が詰め込まれたボストンバッグは、オールバックの男がストラップを使って肩から斜めにかけていた。その隣を、痣《あざ》の男はひょろりとした背を揺らして大股《おおまた》に歩いていく。やがて二人は、こちらを振り返りもせず、預金課長の挨拶《あいさつ》にも応《こた》えないまま、店の入り口のガラスのドアを通過して、外の雑踏の中へ消えていった。

「予定が狂ったな。おい、補充分は大丈夫なんだろうね」

男たちの姿が完全に見えなくなったところで、木下は我に返ったように預金課長を見た。あんな連中にまで、いかにも愛想の良い笑みを浮かべていた課長は、心底驚いたような表情になって、慌《あわ》てたように「手配しました」と答えた。

「まったく。招かれざる客っていうのは、ああいう連中のことを言うんだな」

「何せ、二億ですからね」

「そうだ。二億だ、二億」

数分後、店内にオルゴールが鳴り響き、男たちの消えていったドアにシャッターが降り始めた。柔らかい春の陽射《ひざ》しが、木下の視界から消えていった。

2

全身がすうすうと薄ら寒い。誰か、毛布でもかけてくれないだろうか。それに、何だか妙に窮屈だ。どうせなら手足を十分に伸ばして、心地良い温《ぬく》もりの中で過ごしたいのに、第一、頰に当たる感触が、ざらざらとしていて、不快というほどのものでもないが、あまり良い感じがしない——決して身に覚えがないわけではないけれど、こういう場所で眠ってしまうと——後から——そういえば、子どもの頃によく笑われた。昼寝をしてしまって、顔に畳の痕《あと》がついて——畳？

深い沼に引きずり込まれそうな感覚のまま、辛うじて覚醒《かくせい》したわずかな脳味噌《のうみそ》だけを働かせ、自分のものとも思えないほど重く感じる指先を、どうにか動かしてみた。畳だ。確かに、畳の上にいる。もう少ししっかりと確かめたくて、腕を動かそうとしたが、そこまでは脳味噌が働いてくれないのか、思ったような動き方をしてはくれなかった。

――誰か。毛布持ってきて。

指先だけを微《かす》かに動かしながら、心の中で呟いてみる。畳の部屋で寝ているということは、実家に戻ってきているのに違いないと、ごく単純に考えたからだ。だとすれば、声を出せば必ず誰かに聞こえるはずだ。母でも、妹でも――だが、いつの間に家になど帰ってきていたのだろう。

眠いというのとは違っていた。意識が勝手に肉体から抜け落ちようとする感じだ。いけない、また闇《やみ》が広がろうとしている。心地良いのか不快なのかが判然としない。

――その顔見てると、気分が悪くなるんだよ。

霞《かすみ》がかかったような頭に、ふいにそんな声が蘇《よみがえ》った。

「ちょっと。それ、どういう意味ですか」

「頭、ないのか。考えれば分かるだろうが。言ったまんま。あんたの顔を見てると、俺、気分が悪くなるんだ」

「頭くらい、あります。ですから、どういうおつもりで、そういうことを仰《おつしや》るのか、聞いてるんですけど」

「つもりもなにも、あるかよ。ほら、また。そうやって、目、つり上げてさ。何でもかんでも感情的になる」

「——そういうことを言われて感情的にならない人なんて、そうはいないと思いますが」

「そうかね。そりゃあ、あんたが脳味噌じゃなくて、どっか他の場所で物事を考えてるからなんじゃないのか？　普通、俺らの仲間だったら——」

「へえ。お仲間にも、そういうこと仰ってるんですか。道理で皆から嫌がられるわけだわ」

「何だとっ。誰が嫌がられてるっていうんだ。いくら女だからってぴーちくぱーちく、好《い》い加減なこと言うな！」

——お情けで使ってもらってるくせに！

たった今、その言葉を叩《たた》きつけられたかのような衝撃が、薄れかけていた意識を辛うじて引きずり戻す。腹の底から、ふつふつと怒りが蘇ってきた。言うに事欠いて、気分が悪くなるなんて。ぴーちくぱーちくだって。その上、お情けで使ってもらってる？　一体、どういう言い草なのだ。言って良いことと悪いことがある。いくら階級が上だからって、相手が女だからって、ああいう言い方をされて、おとなしく黙っているわけにいかない。冗談ではない。

——結構よ。だったら私は私で結果を出すから。

頭はまるで働いていないのに、蘇ってきた怒りばかりが、重くだるい体内をゆるゆると移動している感じがした。それにしても頭が重い。第一、目を開けることさえ出来ないままだ。瞼《まぶた》が重くて、とても自分一人の力では押し上げられそうにないのだ。まあ、良いではないかと、まるで他人の言葉のような思いがふと浮かんだ。実家に戻ってきたときくらい、ゆっくり休んだって罰《ばち》は当たらない。それにこのところ、本当に忙しかった。休みもなく、睡眠時間も極端に少なくて、疲れがたまりにたまっていたことは間違いがない。

——多分、寝ぼけているのだ。もしかすると深酒をして、余計に記憶が曖昧《あいまい》になっているのかも知れない。仕事は——もう終わったのだったろうか。決着がついたのか。だが、まあ、どうせ無理矢理起き出したところで、またあの男と顔を突き合わせなければならないのだとしたら、真っ平だ。この際、たっぷり休むのだって悪くはないような気がする。——もしかすると、久しぶりの休みだったかも知れない。そんな話を聞いていただろうか——まあ、せっかくこうして畳の上で休んでいられるのだから、休める時に休めば良いか——。

それにしても、やはり肌寒い。本当に誰か、毛布の一枚もかけてくれないものだろうか。耳の底には、まだあの男の声がこびりついている。抜け目のない切れ長の目が、冷ややかにこちらを見つめているのも覚えている。

——押しつけられたのは私の方だって、言ってやればよかった。

ああ、嫌になる。自分より下の年代にも、まだあんな男がいるなんて。本当に。こうなったら思い切り眠ってやる——後のことなど知ったことか——それはともかく、どうにも肌寒い。とにかく、毛布が欲しかった。半分以上、薄れていく意識の中で、何度か声を出そうとしてみたが、とてもそんな力は出なかった。

第一章

1

四人は、それぞれ布団《ふとん》の中に横たわっていた。仲良く枕《まくら》を並べ、顔の上まで布団を掛けて並んでいるその姿は、周囲の喧噪《けんそう》にも気づかないくらいに、昏々《こんこん》と眠っているのではないかと考えたくなるほど穏やかで、ひどく密《ひそ》やかにも見えた。だが、それがいかにも見せかけのものであることは、室内に立ちこめている匂《にお》いと、彼らが身を横たえている布団の色が物語っていた。掛け布団の白さに比べて、彼らの横たわる敷布団の方は、いずれもどす黒く染まっており、さらに、その色は畳にまで染《し》み出していたし、布団からはみ出ている彼らの髪さえ、束になって固まっていた。さらに、室内の至る所に血しぶきが飛んでいて、この部屋こそが凶行の現場であったことを物語っている。

「これじゃあ、下手に近づけないですね」

家具らしい家具の何も置かれていない、十畳ほどある和室の入り口に立ち尽くしたまま、音道貴子《おとみちたかこ》は大きく生唾《なまつば》を飲み込んだ。ストッキングの足が、ひんやりとした廊下を感じている。ほとんど素足に近いこんな状態で、血しぶきを避けながら畳を踏まなければならないのかと思うと、それだけで顔が歪《ゆが》むような気がした。

「心中じゃ、ないのかな」

隣に立っていた八十田《やそだ》も、うめくような声を出した。見上げると、長身の彼は手袋をした手で握ったハンカチを鼻に押し当てたまま、眉《まゆ》をひそめて横たわる人々を見下ろしている。ハンカチで鼻を押さえているのは、貴子も同様だった。腐臭とまではいかないが、それでも室内にはいかにも不吉な、人の胃袋を突き上げさせる匂いが立ちこめている。ただの生臭い血の匂いとは異なる、いわゆる死臭だ。眠っている彼らの肉体は、既に確実に崩壊が進んでいる。

この家の玄関に足を踏み入れたときから、その異様な匂いは貴子の全身にまとわりついていた。何かを考え、判断するよりも先に、ほとんど本能的に「ただごとではない」と感じさせるその匂いは、決して馴染《なじ》み深いものではない。だが、それが明らかにある終結を意味するものだということぐらいは、ある程度の経験から容易に感じられた。この仕事をしている限り、無縁ではいられない、否応《いやおう》なしに嗅《か》がされることになる匂いだ。どれほど華やかな人生を送ろうと、たとえ歴史に名を刻もうと、人は死んで肉の塊になれば、ほどなくしてこんな匂いを放ち始める。誰にも看取《みと》られなかった者、速やかに次の手だてを講じてもらえなかった者の、それは最後に待ち受けている運命だ。

「通報者は」

八十田が振り返るのと同時に、貴子も少し離れた位置に立っている地域課の警察官を見た。すっかり青ざめているらしい若い制服警察官は、かすれた声で、わずかに言葉を詰まらせながら「隣の家の主婦です」と答えた。

「第一発見者と、向こうの部屋で待ってもらってますが」

「第一発見者は」

「この家に手伝いに来ているという女性です」

「一緒にしてるのか？」

「何しろ、二人ともひどく動揺してまして、手を握りあって離れないんです。特に発見者の方がひどく泣きじゃくってますんで」

無理もない話だ。誰だって、突然こんな状況に直面したら、取り乱すに決まっている。いわゆる変死体と呼ばれる、不自然死を遂げた人の死体は、最終的に死因に事件性が認められなかったとしても——つまり病死や自殺の場合であったとしても——見る者に想像を絶する衝撃を与える。生きて、呼吸をして、その五体を自由に動かしていた一つのエネルギーが、抜け殻だけを残して消え去ったという、そのことだけでも、十分すぎるくらいに人を打ちのめす。

「この家の中は、とにかくまずいだろう。車の中か、隣の家ででも待ってもらってくれ。所轄《しょかつ》からは誰が来るって」

「係長と、それから高桑課長も来るそうです」

「課長じきじきね」

八十田を振り返り、「そりゃあ、まあ、そうでしょう」とだけ言うと、貴子は思い切って、恐る恐る畳に足を踏み出した。ここまで来て、ホトケの状況を観察しないわけにはいかない。やらなければ後でドヤされるのが落ちだ。さもなければ、意味ありげな視線と共に、やんわりと嫌味を言われるか。やっぱり、女の子には無理かね。気味、悪いもんなあ。汚いもんなんか、見たかあ、ないよな——それにしても、どうしてこういうときに限って、所轄の連中や自分のチームの他のメンバーよりも先に到着してしまったのだろう。お陰でまたしばらくの間、食欲がなくなる。

つま先立ちに近い状態でそろそろと歩き、ほんの一、二歩で、一番手前の布団に近づくと、そっと身を屈《かが》めて、貴子は足もとの布団の端をつまんだ。覚悟を決めてゆっくりとめくり上げる。案の定、外からは汚れていないように見えた掛け布団も、その裏側には大きなどす黒い染《し》みが出来ていた。布団からははみ出していた、血液のこびりついた短い髪の毛に続いて、やがて血染めの枕にのった人の横顔が現れてきた。

——これは。

一見して尋常な死体ではなかった。顔には、目と口の両方に大きな粘着テープを貼《は》られている。これではホトケの性別も年齢も分からなかった。だが、テープをはがすのは鑑識待ちだ。さらに布団をはいでいくと、やがて血に染まった頸部《けいぶ》が現れ、また、普段着姿の上半身が現れてきた。貴子は可能な限り身を屈めて、その頸部に顔を近づけた。既に固まっている血に包まれて、確かにぱっくりと皮膚が裂け、口を開けている。

「凶器は刃物、みたいですね。刺したか、切ったか——」

粘着テープは、ホトケの胸の辺りにも巡らされており、二の腕と共に、身体《からだ》を何周もしている。さらに、まるで祈るような格好で身体の前に折り曲げられている肘《ひじ》から先にも粘着テープがぐるぐる巻きになっていた。

「随分、念入りだな」

貴子の横に屈んだ八十田が、やはり布団の縁を掴《つか》んで、残りを一気に引っ張った。

下半身からは、血液はあまり流出していないようだったが、代わって排泄物《はいせつぶつ》が布団を汚していた。貴子はさらにハンカチを強く鼻に押し当てた。腰を捻《ひね》るようにして、横向きの姿勢で横たわっているホトケの下半身は、黒っぽいズボン姿だったが、やはり膝《ひざ》の辺りに粘着テープが貼られている。そこまで観察した段階で、ホトケはまずまちがいなく男性であると思われた。だが、鑑識が到着するまでは、勝手に粘着テープをはがすわけにいかない。はがしても良いと言われたって、はがしたくはなかったが。

八十田が手前から二人目の人物に掛けられている布団をはがす間、貴子は今度は部屋の奥に回り込んで、三人目、四人目も同様に観察できるようにした。二人目の人物は、パーマをかけた髪や花柄ブラウスにスカートという服装から、今度は女性と思われた。さらに三人目と四人目も同様に、全身が粘着テープでがんじがらめになっていた。だが、奥の二人は服装が違っていた。どちらも和服姿で共に袴《はかま》をつけており、特に一番奥のホトケは、長い髪を後ろで一つに結わえて、まるで巫女《みこ》のような姿で血の海に沈んでいたのだ。

「――何をしてる人たちなんですかね。今どき、こういう格好っていうのは」

貴子が呟《つぶや》く間も、八十田は相変わらずのしかめ面《つら》のままで、うめき声にしか聞こえない返事をする。そういえば、実は彼が血に弱いことを、貴子は思い出していた。ちょっとした傷害事件の現場で目にするような、少量の出血程度ならまだ何とかなるのだが、酔っ払いが頭を割られた場合の出血くらいになると、すぐに青ざめてしまうのだ。「男の面子《メンツ》」が大好きな彼のことだから、貴子と組んでいる以上、必死でこらえていることは間違いないが、それでも見ていればすぐに分かってしまうくらいに、彼は血に怯《おび》える。

「――凶器らしいもの、見あたるかい」

八十田は今や貧血寸前のような顔になって、ホトケから顔を背けている。貴子だって、八十田ほどではないにしても、血を見るのは好きではない。そうでなくとも、これだけ大量の血の海を目の前にして、平静でいられる人間などいるはずがなかった。それでも、八十田が卒倒しそうなときに、自分まで一緒になって気分を悪くしているわけにはいかないと思うから、何とか踏ん張っているだけのことだ。

「こういうときは、おっちゃんに限るな」

褒められているのか嫌味で言われているのか分からない台詞《せりふ》を聞きながら、口元をハンカチで押さえたまま、貴子はとにかくホトケの身体の周囲を見回した。

考えてみれば不思議な気がする。少なくとも数日前まで、日々の営みの中で、様々な思いを抱いて生きてきたはずの人たちが、今はただの物体と化して、こうして赤の他人の目に触れているのだ。彼らの体内では、既に確実に腐敗が始まっているのに違いないが、それでも外見からすれば、今すぐに目を開いて「誰。何してるの」などと言い出したとしたって、まるで不思議ではないような気さえする。だが、そんな甘い想像など、彼らから発せられている匂いが簡単に打ち消す。そんなことがあるはずがない、取り返しのつかないことが起きた、すべては決して戻らないのだと、無言の彼らが告げてくる。

「――この辺には、凶器らしいものは見あたりません。全員が手にまでテープを巻かれてるんですから、無理心中とも考えにくいんじゃないですか」

現場の状況を把握したら、報告、保存範囲の決定などは地域課の警察官に任せて、貴子たちは、まず目撃者や第一発見者、事件関係者などからの聞き込みに回らなければならない。貴子の所属する機動捜査隊とは、重要事件の発生、または認知の直後において、初期捜査活動に従事することを職務とする。初期捜査活動、いわゆる初動捜査とは、重要事件の発生を認知したときからおおむね現場観察終了の間までに現場で行う捜査活動のことだ。

「もう、いいや。とにかく、出よう」

八十田が、ひょろ長い背を揺らすようにしながら立ち上がった。こちらを振り返りもせず、逃げるように部屋を出ていく。貴子も慌《あわ》てて後を追った。こんな血の海に、四人のホトケと一緒に取り残されるなんて真っ平だ。こんなことなら、先に昼食を済ませておけば良かった。いや、食事前だから、まだ助かったのだろうか。

「――たまらんな」

ホトケの並んでいる部屋から真っ直《まっす》ぐ伸びている廊下を通って玄関の外に出ると、一足先に靴を引っかけて出ていた八十田が、大きく深呼吸をしていた。

「ったく、勘弁してもらいてえよ」

彼が顔を歪めながら呟くのを、貴子も深呼吸をしながら眺めていた。何度飲み下しても、胃が迫《せ》り上がってこようとする。それでも、額に滲《にじ》んでいた汗を、心地良い風が乾かし、青空にのどかな風情《ふぜい》の雲が浮かんでいるのを見上げると、少しずつ気持ちが落ち着いてきた。現実。あの死体も。この青空も。そんなものかも知れない。

「こう陽気が良くなってくると、腐敗がすすむのも早いからな。嫌だなあ、これからの季節」

「でも、ざっと見た感じじゃ、あの四体に関しては、まだ腐敗してるようには見えなかったわ」

「だが、とにかく昨日や今日って感じじゃない。あれだけの匂いがこもってるんだぜ。硬直だって、解けてただろう」

「知らない。触らなかったもの」

「何だよ、おっちゃんが触ってくれてると思ったのに」

桜の季節はとうに終わっていたが、代わって街の至る所にハナミズキやツツジの花が見られる頃だった。いよいよゴールデンウィークに突入して、民間の企業の中には最大で十一連休になるところもあるという。一年でもっとも爽《さわ》やかな、心躍る季節の、しかも週末の昼下がりだというのに、柔らかい緑の匂いを含んだ風が運んできたのは、だが、同業者のサイレンの音だった。

「じゃあ、死斑《しはん》の状態は。見たかい」

「八十田さんが、見てると思ったんだけど」

少しばかりとぼけて言うと、八十田は再び顔を歪めて唸《うな》るような声を出す。

「――まあ、いいよな。多分、地域課の誰かが見たんだろうし、もうすぐ鑑識も来るんだし」

「下手にひっくり返したり出来るような状態でも、なかったものね」

貴子は、八十田に向かって目元だけで微笑《ほほえ》んだ。まるで共犯者のような、お互いの小心さを認めあう笑み。やがて、勇んだ表情で現れた所轄署の刑事課長に続いて、貴子たちのチームの藤代《ふじしろ》主任と富田も到着した。制服の警察官は既に犯行現場となった家の周囲に現場保存用のテープを張り巡らし、水色のビニールシートを広げている。ゆらゆらと揺れる黄色いテープの外には野次馬が集まっていて、付近には物々しさと同様に、奇妙な興奮が広がり始めていた。

「いっぺんにあれだけ死んでるってのは、初めて見た。あの部屋が殺しの現場と見て、いいだろうな」

この二月から貴子のチームに異動してきた主任の藤代警部補が、家から出てくると苦々しい顔で言った。体格に比べて顔が小さく、貧相で尖《とが》った顎《あご》をしている藤代主任は、奥まった目と大きな口の持ち主だった。とにかく酒が好きで、しかもいったん酔うとしつこくなることから、貴子は密《ひそ》かに彼を「ウツボ」と名付けている。何だかんだと言いながら、狭いところで人と固まっていたいところも、何となくウツボにそっくりだからだ。

「凶器、なかったよな」

「見あたりませんでした。首の傷が、致命傷でしょうか」

貴子とウツボが話している間に、ふと見ると、富田と八十田とは揃《そろ》って道の外れまで行き、煙草《たばこ》をくわえていた。二人とも、血に酔ったのだろうと、ウツボが苦笑した。

「――マルガイにあっては、男二人、女二人の、合計四人。全員の死亡が確認されております。どうぞ」

〈警視庁了解。マルガイは合計四人、全員死亡ということ。事件性については、どうなっていますか、どうぞ〉

「ええ、機捜隊及び高桑課長が臨場した結果、マルガイ全員から大量の出血が認められ、また粘着テープで目、口、手足などをふさがれている状況であり、近くに凶器と思われるものも発見されないことから、事件性ありと思料されます。どうぞ」

〈警視庁了解。男女二人ずつのマルガイは、全員が目、口、手足を縛られ、失血死している模様。それで間違いありませんか、どうぞ〉

「その通りです。どうぞ」

〈警視庁了解。訴え人、目撃者等については、どうなっていますか、どうぞ〉

「両人とも身柄確保しています。これから機捜隊によって事情聴取の模様。どうぞ」

地域課の警察官が車載無線を使って本部に報告している声が聞こえてくる。

「現場指揮者には、高桑課長がなる。とにかく、通報者と第一発見者にあたろう」

ウツボが我に返ったように言った。周囲からは次々にサイレンの音が響いてくる。所轄署である武蔵村山《むさしむらやま》署の刑事課員のみならず、手すきの警察官たちも、半分は怖いもの見たさで集まってくるのだろう。やがて鑑識が到着して、この一帯には何十人もの制服が溢《あふ》れ、物々しさと同時に奇妙な賑《にぎ》やかさが広がる。それが、事件の現場というものだ。煙草を吸い終えた八十田と共に、貴子は警察の車両内で待機してもらっていた通報者のもとに向かった。貴子が落ち着かせ、気持ちを静めつつ、八十田がまだ混乱が続いているに違いない相手から順序立てて話を聞く。いつの間にか、そんな役割分担が、相談の必要もなく出来上がっていた。

その日の午後五時過ぎ、武蔵村山署から、警視庁刑事部長を発信者とする至急電報が、警視庁の全署に届いた。

「『武蔵村山市大南六丁目大量殺人事件』の発生と特別捜査本部の設置について」と題された電報には、貴子たちが昼間見てきた現場の概要が記され、発見の経緯、捜査要綱などが続いている。そして、特別捜査員の召集という項目には、第八方面管区内の各署及び第三機動捜査隊の各分駐所から、指定捜査員を派遣することが指示されていた。大下係長は、迷うことなく貴子を指名した。視界の隅で、八十田がわずかに表情を歪《ゆが》めたのが分かった。ほっとしている？　まさか。では、悔しがっているのだろうか。

「今回は、八十田には我慢してもらおう。あの辺は住宅地だし、自動車工場で働いてる人間も多い。亭主が夜勤だったりすりゃあ、夜更《よふ》けに聞き込みするには、音道がいた方がいいだろう」

係長の説明に、八十田は素直に頷《うなず》いている。そして貴子に、「頑張れや」と言った。笑顔で頷きながら、貴子は複雑な心境だった。

確かに、本部事件に配属されたときの高揚感と緊張感とは、その後いくら人間の暗部を見せつけられ、過酷な日々を過ごさなければならないと分かっていても魅力的だ。だが、今回に限っては、貴子はさして嬉《うれ》しいとも思えなかった。

「九時だとさ。召集時間が」

八十田が、半ば恨めしげに貴子を見る。そんな膨れ面を見るとき、貴子は、階級は自分より上の巡査部長で、身体もずっと大きな仕事仲間が、実は自分よりも年下の、ついこの間まで二十代の男だったことを思い出す。男という生き物は、いったいいつから少年でなくなるのだろう。少年どころか、青年の面影すら残さずに中年になっている男は、いつからすべてを捨てているのだろうか。たとえば富田などは、貴子と同年なのに、腹は出始め、髪の生え際《ぎわ》は後退を始め、日々、上司の機嫌をとることに汲々《きゅうきゅう》とするばかりで、酔えば女房子どもの愚痴を言う、要するに、どこから見ても、もう見事な中年男だ。

「また、目立っちゃうんだろうな。いいよなあ、新鮮で」

そんな顔しないで。私だって、出来ることなら代わってあげたい。本部捜査に駆り出されれば、また当分の間、生活は不規則になるし、明日の予定も立てられなくなり、そして、初めて組まされる相方に神経をすり減らさなければならない。その上――今日の約束もふいになるということだった。いや、召集は九時だから、無理をすれば会えないこともない。

――これから捜査会議っていうときに？

いくら何でも、それは躊躇《ためら》われた。そんな暇があったら、ストッキングや栄養補給のためのサプリメントでも買いだめしておく方がずっと賢明だ。何しろ、本部捜査が始まったら、睡眠不足は必至、疲れもストレスもたまるに決まっている。食生活だって、いつにも増して乱れることだろう。

「まだ時間、あるだろう。一杯やっていかないか」

同じ職場の仲間は、早くも一日の締めくくりに「お清め」の支度を始めていた。ただでさえ酒好きのウツボは、何かと理由をつけては結局、毎日のように宴会を開きたがる。今日はそれに、変死体発見の「お清め」という名目がついているだけのことだ。

「そうそう。一杯引っかけてから行きゃあ、いいよ」

富田もいそいそと立ち働きながら言う。腹の中ではどう思っているのか知らないが、彼はウツボに誘われる度、つまりほとんど毎晩、それは嬉しそうに甲斐甲斐《かいがい》しく酒席の世話を焼き、ウツボが喜びそうなことを喋《しゃべ》りながら、この上もなく楽しそうにしている。そんな様子を見る度に、貴子はご苦労なことだと思う。上司の引き立てが欲しい、少しでも出世の道筋を立てたいと思うと、そういうことになるらしい。

「私は、準備もありますので」

だが、貴子にはウツボに限らず、上司にゴマをする気持ちは毛頭なかった。どういう知恵を絞ったら、あんな風に背筋が寒くなるほどのお世辞やおべっかが口に出来るのかが、どうにも理解できないからだ。

「すみません。しばらく留守になりますが」

最後に、愛想笑いと共に口を出すと、今日ばかりは誰もとがめ立てする表情は見せず、口々に激励の言葉をかけてくれた。貴子は馬鹿《ばか》丁寧に頭を下げ、いそいそと帰り支度を始めた。

分駐所の入っている建物を出るなり、すぐに携帯電話を取り出す。記憶させている番号の一つを選び出し、貴子は小さな電話機を耳にあてながら歩いた。だが案の定、留守番メッセージが流れてきた。仕事中なのだろうから、当然だ。

「音道です。ごめんなさい。仕事が入ったもので、今日の約束はキャンセルさせて下さい。出来たら、自宅の方へでもメッセージを残しておいて下さい。今夜は帰りが遅くなると思うけど、こちらからも、また連絡するようにします」

早口でメッセージを入れ、電話を切る。本人が出なかったことが、残念でもあり、少し気楽なようでもあった。二週間ぶりに会えるはずだったのに、それがキャンセルになったときの相手の反応をじかに知るのが怖かったからだ。

――まさか、これくらいのことで別れたりは、しないでしょう。

お互い子どもではない。少しくらい会えないからといって、それで関係があやしくなるとは考えたくなかった。夜中でも構わなければ、帰宅してから電話すれば良い。疲れて帰宅してから、彼の声を聞けると思えば、それはそれで励みにもなるというものだった。

2

その日、午後十時半を回った頃、警視庁武蔵村山署の玄関前は、真昼のような照明に照らされた。アルミ製の脚立《きゃたつ》が円陣を組み、ライトやカメラを抱えた報道陣が一斉に取り囲む中を、仲間と共に進む。こんなとき、貴子は少しばかりくすぐったいような、半ば晴れがましい気分になる。

「現段階で、どの程度まで分かってるんですか」

「犯人の目星は、ついてるんですかっ」

「凶器は何です、凶器！」

「被害者の身元は、全員分かってるんですか」

「集団自殺の可能性は、ないんですか」

この後、記者会見を開くと言ってあるはずなのに、それを待ちきれないかのように声をかけてくるマスコミの連中を、こうして完璧《かんぺき》に無視する時ほど気持ちの良いものはなかった。あなた方には関係ない、勝手に群がってきて、辺りかまわず砂埃《すなぼこり》を舞い上げるような真似《まね》ばかりする連中に、話すことなんかありゃしないわと腹の中で呟《つぶや》きながら、貴子は真っ直ぐに顔を上げ、顎を引いて足早に目映《まばゆ》い照明から逃れ出た。途端に、ひんやりとした夜気が全身を包み、同時に一瞬のヒーロー気分は夢のように消え去って、現実が重くのしかかってくる。新しい仕事は、今始まったばかりだった。

「いくつですか」

ふいに、隣を歩く男が話しかけてきた。急な質問に思わず男を見ると、彼もちらりとこちらを見て、目元だけで微笑んでいる。そう悪い印象を与える顔ではなかった。面長で肌の色は浅黒く、目鼻立ちも整っている方だし、全体に清潔感が漂っている。七三に分けた髪も、嫌味にならない程度に、きっちりと整えられていた。

「女性に、こんな質問の仕方は失礼だったかな。じゃあ、僕は三十二です。それよりも、上？　下？」

つい数分前に、新しい相方として紹介された本庁捜査一課に所属している星野というその男は、切れ長の目をわずかに細め、意外に人なつこい様子で、なおも語りかけてくる。貴子と組むことになったとき、彼は、いかにも身軽そうな身のこなしで自分から歩み寄ってくると、その鋭い目で真っ直《ま》ぐ《す》に貴子を見つめ、「よろしく」と言った。目つきの鋭さはともかくとして、それだけでも、貴子は「悪くない」と思った。これまで、相手から歩み寄ってきて挨拶《あいさつ》されたことなど、ほとんど一度もなかったからだ。

「上です。そんなに、ものすごくではないけれど」

「へえ、そうですか。意外だな。でも、聞いておいてよかった。変に年下みたいな話し方をしたら失礼になるところだった」

星野は警部補のはずだった。つまり、階級からすれば貴子よりも上ということになる。それでも、取りあえず自分との年齢差のことまで気遣うのだから、ある程度、無神経な人間でないことは確かだ。この人とならそれなりにうまくやっていかれるかも知れない。やっていかれますように——少なくともこれから当分の間は、否《いや》も応もなく行動を共にする相手に好感を持てるということほど、ありがたいことはない。

「それにしても、こういう事件て続くものだけど、いっぺんにこれだけホトケが出ると、一度でたくさんって感じだな」

「私、現場を見てるんです。今日、最初に臨場したので」

貴子の答えに、星野は「へえ」と大きく目を見開いた。その驚いた表情に、貴子は小さくため息をついて見せた。

「それなりに、現場は見てきているつもりですが、あんなのは初めてでした」

先ほどの捜査会議で、現場の様子は写真で紹介されている。改めてスクリーンに映し出されたその写真を見ただけで、貴子は再び胃袋が迫《せ》り上がってきそうな気分になった。あの部屋の匂《にお》いが鮮明に蘇《よみがえ》り、血を吸って束になったまま固まった髪の毛などがまざまざと思い浮かんだ。あの光景を見たのは、今日の昼過ぎだった。なのに、もう遠い昔の出来事のように思える。あまりにも非日常的な光景は、まるで幻のように、普段の時間の流れに沿った記憶とは違う場所に染《し》みつくのかも知れない。

「僕も一家心中っていうのは扱ったことがありますが、こんなのは初めてだ」

「一課は、何年目ですか？」

「僕？　三年、いや、もう四年目になるのかな」

星野の所属している警視庁刑事部捜査一課の第三強行犯捜査第七係は、殺人事件を専門に担当する部署だ。警視庁捜査一課に殺人事件を担当する係は七つあり、一つの係について係長以下十人程の捜査員がいて、それぞれが警視庁管内で殺人事件が発生する度に、所轄《しよかつ》の警察署に赴いて捜査活動にあたる。

新しいヤマが発生し、新しい捜査本部が設置される度に、捜査一課の係員たちは所轄署に赴き、容疑者がすぐに逮捕されない場合は、そのまま捜査本部に加わる。そして、最初の捜査会議の段階で、普段のチームとは無関係に二人一組の班が組まれる。

今回、その相方となったのが貴子というわけだ。

「まあ、胡散臭《うさんくさ》い商売ですよね。人の弱みにつけ込んで、好《い》い加減なこと言って稼ぐんだから」

歩きながら、再び星野が話し始める。

「逆恨みされて、当然でしょう。口から出任せばっかり言って、ずい分色んな人の人生、弄《もてあそ》んできたんじゃないのかな」

だが、逆恨みの末の犯行にしては、少しばかり状況が違うような気がした。殺意を抱くほどの憎しみを抱いた人間が、果たしてあいう殺害方法をとるものかどうか、そのことを捜査会議の前から、貴子は考え始めていた。布団《ふとん》に寝かせて、祈るような格好までさせて。

「怨恨《えんこん》か、どうか——」

「音道さんは？　デカになって、何年ですか」

星野が話題を変えた。貴子は考えを中断して、急いで自分の経歴を数えた。

「刑事になってからは——」

「機捜の前は、どこだったんです」

「本庁にもいましたし——」

「刑事の前は」

「交通でした」

「ああ、ミニパトね」

「卒配の後は。でも——」

「ずっと交通にいた方が、気楽だったんじゃないんですか？　僕だって、卒配後のPBはともかく、PCは意外に気に入ってたもんな。僕、車の運転ね、嫌いじゃないんです」

いわゆるPBとは、交番のこと、PCとはパトカーのことをいう。それにしても星野という男は、少しばかりせっかちなようだ。人に質問をしておきながら、きちんと返事を聞こうとしない。話題の飛び方も唐突な部分があるようだ。あまり落ち着きのない性格なのかも知れなかった。だとしたら、彼と行動する上で、貴子はブレーキ役と舵取《かじと》り役に回る必要がある。舵取りはともかく、ブレーキ役の方にはある程度、自信があった。何しろ日頃コンビを組んでいる八十田が、普段はおっとりと見えていて、一度興奮すると手がつけられなくなるからだ。その彼と、ごく自然に行動できるようになるまでだって、貴子なりに努力してきていた。コンビを組む以上、星野とも可能な限り良好な関係を築きたい。

「まさか、自分がデカになろうとは思ってなかったよなあ」

「そうですか？」

「音道さん、思ってました？　自分がデカになるなんて」

改めて尋ねられると、貴子もつい首を傾《かし》げたくなる。実際は成り行きの部分の方が多いとも思う。警察官になることは自分で希望したが、その後、刑事になろうとは、確かに最初の頃の貴子は考えてもいなかった。

「僕はね、そりゃあ、ガキの頃から刑事ドラマなんか、見てましたからね。ちょっと格好いいかなあとは思ってましたけど、自分がやりたいとは思わなかった」

確かに、一見してデカのタイプではないと、貴子は妙に納得しながら隣を歩く星野をちらちらと観察していた。知らない人が見たら、普通のサラリーマン、それも商社とか金融とか、そんな印象を受けるかも知れない。数字で割り切れる、結果や結論の出やすい仕事を選びそうな男にも見えた。つまり、刑事とは正反対の仕事だ。

「特に今回みたいなヤマだと、本当に嫌になりますよ。まあ、音道さんなんか現場まで見ちゃったっていうんだから、それよりはましだけど」

ひょっとすると星野という男は相当なお坊ちゃんか、または出世志向の強い官僚タイプなのかも知れない。それに、初対面の相手に少し喋りすぎのような気もした。それが緊張のなせる業なのか、それとも単に話し好きなのか。とにかく当分の間は、相手の出方を見ていようと考えながら、貴子は当たり障《さわ》りのない相づちを打ち続けた。

東京の北西部に位置する武蔵村山市は、すぐ西に米軍横田基地が控え、自動車会社の工場やテストコースなどが広々とした敷地を確保している、工業地帯と住宅地、それに農地が混在している土地だった。すぐ北には狭山《さやま》丘陵が迫り、多摩湖や狭山湖があって、その辺りはもう埼玉になる。巨大な団地群があるかと思えば、小さな町工場が連なり、学校などの施設は一カ所に集められていて、茶畑なども点在しているという具合で、東京とは思えないような長閑《のどか》さも随所に残している。市内には鉄道も高速道路も通っておらず、主要な幹線道路といえば青梅《おうめ》街道と新青梅街道くらいのもので、住宅地を歩いていても、夜の闇《やみ》はことさらに深く感じられ、見上げれば、星の瞬《またた》きもはっきり見ることが出来た。

深夜に差し掛かってはいるが、土曜日ということもあるし、まだまだ町中が眠る時刻とも思えなかった。むしろ、日中は留守だった家を訪ねるには、少しばかり遅いものの、好都合ともいえる。今夜は時計の針が日曜日に突入するまで現場周辺の聞き込みを続け、深夜一時半から、二回目の捜査会議が開かれることになっていた。

事件は、特別捜査本部の設置と共に、「武蔵村山市における占い師一家皆殺し事件」とカイミョウをつけられていた。現場は市内大南六丁目の住宅地に位置する一軒家。殺害の現場と断定された一階奥の和室に横たわっていた四人は、貴子が見た通り、いずれも粘着テープで手足を拘束され、さらに目隠しもされている姿で発見されたと捜査会議で報告された。

四人は、いずれも首筋を鋭利な刃物で切りつけられた結果の失血死と見られたが、その後の司法解剖の結果から、四人のうちの一人には、重大な心臓疾患があったことが分かった。つまり、その男に関しては、病死の疑いもあるということらしい。それでも、他の三人と同様、頸部《けいぶ》を刺されていることは間違いがない。死後経過時間は三十六時間から四十八時間だという。つまり、死亡推定時刻は一昨日、二十三日木曜日の昼前後から夕方六時頃の間とみられる。

発見者の供述により、ホトケの身元はすぐに明らかになった。四人のうちの二人は、その家の住人である御子貝《みこがい》春男四十二歳と睦子《むつこ》四十六歳であり、表に看板や表札などは出していなかったものの、霊感占いや除霊などを生業《なりわい》としている夫婦だった。残る二人は、内田敏司《としじ》と郁子《いくこ》という、やはり夫婦で、御子貝家を足繁《あししげ》く訪ねていた、いわゆる信者だという。彼らを最初に発見し、隣家に駆け込んだ通報者の新見《にいみ》知美《ともみ》も、御子貝夫婦の信奉者の一人であり、毎週土日だけ家事を手伝うために通っていた。

心臓を病んでいたのは、五十四歳の内田敏司だった。親族の証言からも、彼は以前から心臓を病んでおり、夫婦はそのことで深く悩んでいたことが分かった。医者にもかかってはいたが、手術をしても完治するのは難しいと言われて、敏司よりも一歳下の郁子が、ありとあらゆる占い師などを頼るようになったらしい。御子貝家に通い始めたのは三カ月ほど前からで、事件当日も、夫を伴って御子貝家に、病気平癒《へいゆ》のための祈禱《きとう》を頼みに訪れたらしかった。夫婦には娘が一人いるが既に嫁いでおり、両親の不在に気づかないまま、日々を過ごしていたということだ。

「音道さん、占いは好きですか」

「好きでも嫌いでもありません。雑誌なんかに出ていれば目を通すけれど、すぐに忘れるっていう程度です」

星野は、ちらりとこちらを見て「珍しいですね」と目元を細める。

「女の人は皆、占いが好きなんだと思ってた」

「確かに、好きな人は多いですけれどね」

「音道さんは、そうでもない、と。じゃあ、占いに夢中になる人の気持ちは、分からないですね」

何を言わせようとしているのか、よく分からない。返答次第では、与える印象が変わるかも知れないと思うと、用心深くならざるを得なかった。どう答えようかと思案している間に、だが星野は、「僕もです」と言った。

「そんなものに夢中になるから、余計に人生が分からなくなるんです。何でもかんでも運のせいにして、他力本願になって。挙げ句の果てには自分の思うようにならないと、相手を逆恨みするようにもなる」

「――今度のホシは、占いの客だと思ってらっしゃるんですか」

「今の段階で思い込むのが危険なことくらいは分かってますが。でも、まあ、そんなところじゃないですか」

星野の横顔は落ち着いて見えた。では、どうして客まで殺害されなければならなかったのかという疑問が、再び貴子の中で頭をもたげた。それも、目と口をふさがれ、全身に粘着テープを巻かれて。それに、殺し方がホシの冷静さを物語っている気がする。全員が同様に首をかき切られているということは、あらかじめ抵抗できない状態にして、順番に殺していったと考えるのが妥当だ。

――冷酷。落ち着き。計画性。

逆恨みならば、滅多刺しにされているなどの方が可能性として高いと思うのだ。その上、きちんと布団に寝かされて、顔まで布団をかけてあることを考えあわせると、どうも単なる怨恨という感じがしない。それに、中に一人病死の疑いのある者がいることも気にかかる。彼ら四人の死亡推定時刻は、ほとんど変わりがないという。周囲の人間が殺されるのを目撃していて、もともと悪かった心臓が発作を起こしたのか。それとも、発作を起こして苦しみだし、それが煩《わずら》わしかったからひと思いに殺したのか——。

「いずれにせよ、あの犯行は一人じゃ無理でしょう。複数犯によるとすれば、それだけ目立つもんな。まあ、収穫待ちですね」

少し先を行く二人連れの後ろ姿が、小さな路地を曲がった。貴子たちと同様に、捜査本部から出てきた仲間だ。彼らは彼らで、聞き込み捜査のために、自分たちに割り振られた地域に向かって、この闇を進んでいく。まばらにしか立っていない街灯を頼りに住宅地図のコピーを眺めながら、貴子もまた、星野と並んで、数メートル先の角を右に折れた。これから何日間、通うことになるか分からない道だ。しかも、日頃は車を利用することの多い機捜の貴子にとっては、また足の疲れる毎日が始まるということでもあった。

「独身、ですよね」

また星野が唐突な質問を寄越す。貴子は、前を向いたまま「ええ」と答えた。それから少しの間、黙って歩いていたが、思い出したように「バツイチですけど」とつけ加える。普段は、あまりそんな話まではしないのだが、何となくこの相方に対しては、言っておいた方が良いような気がした。

「へえ、そうなんだ。僕もです」

ところが、隣からはそんな答えが返ってきた。ぽつぽつと離れて立っている、頼りない街灯の明かりを受けながら、貴子は何気なく星野と顔を見合わせた。そして、どちらからともなく、薄く微笑《ほほえ》んだ。

3

警視庁武蔵村山署は、新青梅街道に面して建っている。平日ならば、さほどの渋滞も見られない片側二車線の道路は奥多摩へとつながっているせいか、ゴールデンウィークに入ってからは終日混雑していた。午前中は奥多摩方面が渋滞気味だったが、今は上りの新宿方面が混雑して、数珠繫《じゅずつな》ぎになっている車の間を、時折オートバイがすり抜けていく。思い思いに一日を過ごした人たちを待ち受けているのは、後は休息と夕食、そして風呂《ふろ》くらいのものだろう。

そんな人々を、貴子は署の窓から眺めていた。やっかみ半分と分かっていながら、ご苦労なことだと思う。休みの度に、わざわざ疲れるために、ああして車に乗り込んで、渋滞に身を浸して、あの人たちは幸せなのだろうか。だが、まあ、いつ捕まるとも知れない殺人犯を追いかけている自分よりは、幸せなのかも知れない。本当は貴子だって休みたい。

「ぼけっとしちゃって」

背後から声がした。振り返るまでもなく相方の声だ。貴子は、視線の片隅で星野の姿を捉《とら》えながら、やはり外を眺めていた。

「連休も、もう終わりだなと思って」

「俺らには無縁だけどね。まあ、これで今までつかまらなかった参考人が、つかまりやすくなるかな」

「案外、こんな風に普通の休日を楽しんでるのかしら」

「誰。ホシ？」

星野の言葉に、貴子は初めて彼を振り返り、わずかに眉《まゆ》を上下させて応《こた》えた。星野は、自分も「さあ」というように肩をすくめて、貴子に歩み寄る。そして、窓ガラスに額をこすりつけるようにして外を眺めた。

「そうかも知れないな。妻子持ちなら、家族サービスに一生懸命かも知れないし、女と一緒なら、優雅に楽しんでるかも知れない。どうか捕まりませんようにって、どっかにお祈りにでも行ってるかも知れないし」

いずれにせよ、いくら何でも心底楽しい連休を過ごしてはいないはずだと呟《つぶや》く星野の横顔を眺めながら、貴子はつい昨夜のことを思い出していた。昨夜、貴子は初めて星野と二人で酒を飲んだ。捜査本部で他の仲間と飲むのが嫌だというわけではないが、たまには違う環境で息抜きもしたいではないかと言われて、つき合うことにしたのだ。その時に、星野の結婚生活が二年半で破れたこと、妻に引き取られているが、男の子が一人いることなどを聞かされた。そして彼は、貴子に子どもがいないことを知ると、「どうして」と言った。

「産んどきゃあ、よかったじゃないか。可愛《かわい》いのに」

どこかに同情的な色彩を含んだ表情で言われた瞬間、貴子は腹の底で、何を勝手なことを言っているのだと思い、鼻の一つも鳴らしたい気分になった。子どもを産んでいたら、今頃は立派な母子家庭になっていた。または、子どものためにと我慢して、愛情の冷めた家庭を形だけでも守ろうとしているか。そうなったら可哀想《かわいそう》なのは子どもではないか。第一、可愛いのなら、星野だって子どもと一緒に暮らせば良いではないか。離婚の原因は聞いていないが、別れた妻がどんな思いで子どもと暮らしているかも考えずにそんなことを言っているのだとしたら、星野という男もやはり身勝手だと思った。ところが彼は、こうも言った。

「まあ、仕方がなかったのかな。僕なりに努力はしたつもりなんだけど、普通のサラリーマンみたいなわけにはいかないし、所詮《しょせん》、僕らの仕事は理解されにくいしね。普通の女性には我慢できなかったのかも知れない。そういう点では、同じ職場に女性がいるっていうのは、気分的にも何となくほっとして、ありがたいよ。女性の中にも同じ思いをしてる人がいるって思うだけでも」

バーボンの水割りを飲みながら、口元に静かな笑みを浮かべて呟く星野を、貴子は何となく不思議な気分で眺めていた記憶がある。保守的なのか、それともガチガチの石頭というわけでもないのか。こんな風に褒められたのも初めてなら、こういう刑事もいるのかという発見も、ある意味で新鮮ではあった。

確かに、彼と組んでからというもの、貴子はまだ一度も、女だからという理由だけで不愉快な思いをしたことがない。星野は、貴子に対してごく自然に接してくれていたし、他の刑事に多い類《たぐい》の、不愉快になる言動や仕草もなかった。ある程度は覚悟していた貴子にとって、それは半ば肩透かしを食らったような気分になるものでもあった。だが、考えてみれば当然の話だ。こういう男性が出てこない方が、これまで不自然だったのに違いない。しかし、その一方で、女なら子どもを産んでおいて当然という言い草も、同じ相手の口から出たことは確かだ。

——一貫性がない。話題によっては、どういう反応が返ってくるか分からない。

つまり、まだまだ油断は出来ないということだ。ゆったりとしたジャズを聞きながら、ほの暗い店でバーボンを傾けるなんて、仕事仲間とはほとんど初めての経験かも知れないと思いながら、貴子は昨夜、さり気なく星野という男を観察し、そんなことを考えていた。

「ごくろうさん」

数分後、いつもの挨拶《あいさつ》で始まった捜査会議は、一日の報告から始まる。だが、星野と貴子の班は、今日は何の収穫もなかった。実際、四人もの人が殺害されている事件だというのに、事件発生から二週間近くたった今日に至るまで、手がかりらしい手がかりは皆無に近かった。現場に凶器も残されていなかったし、鑑識の結果からもこれといった収穫がない上、有力な手がかりも、目撃者さえも見つからないままなのだ。少しばかり怪しげな占い師が殺害された事件ということで、当初は怨恨《えんこん》の線から交友関係を調べていけば、容易に容疑者が割り出せると思っていた捜査陣にとって、手がかりとなりそうな証人一人、指紋一つも割り出せないということは、大きな誤算だった。

「じゃあ、始めるか。まずは、参考人関係から」

守島キャップの声がマイクを通して聞こえてきた。星野の直属の上司でもある捜査一課係長の守島は、捜査本部が設置された場合には、捜査員を直接指揮する役目を負う。比較的高い、よく通る声の持ち主であるキャップは、ひとたび仕事を離れれば、相当なカラオケ好きだという話だった。だが、こういうヤマに取りかかってしまうと、当分はカラオケどころの騒ぎではなくなる。

「ええ、今日、自分たちの班はまず、例の不審な男女を見かけたという、マルガイ宅のはす向かいの住人、吉野浩子《ひろこ》の話を再度聴取いたしました――」

今回のヤマに関して、特別捜査本部は設置当初からの捜査要綱として、

・発生日時(四月二十三日正午から午後六時までの間)ころ、現場付近で不審な音声を感知した者及び不審者を目撃した者の発見
・被害者方出入り者及び被害者の交遊関係者などの中から容疑者の割り出し
・現場付近に土地鑑を有する素行不良者、前歴者などの中から容疑者の割り出し
・現場鑑識活動の徹底による証拠資料(特に凶器)の収集

などを挙げていた。屋内、しかも閑静な住宅地の個人宅で起きた事件であり、その上、一般の家庭とは異なる、ある種秘密めいた商売をしていた家ということで、ただ

でさえ御子貝家と関係のあった人物をすべて割り出すのは、相当に時間がかかるものと思われた。

「――つまり、とにかく男の方が若かったことは間違いないと思うが、正確に何歳ぐらいだったか、また人相着衣《ニンチャク》などは、相変わらずはっきり思い出せない、と、そういうことだな」

守島キャップは捜査本部の設置されている講堂正面の、雛壇《ひなだん》の方を振り向きながら、確認するように言った。雛壇には、所轄《しょかつ》署の刑事課長、現場の指揮官である管理官の他に、捜査には直接関わってこないまでも、マスコミへの広報や捜査員たちの食事の部分でサポートを続けている、武蔵村山署の他の課のお偉方も数人顔を並べていた。捜査本部長である刑事部長や武蔵村山署の署長などは、そう毎日は会議に顔を出さない。

「家を出るところを目撃されているんなら、他にもその二人を目撃している人物がいても不思議じゃないんだがな。または、不審車両などに気づいた人はいないのかな」

捜査一課長が口を開いた。それを受けるようにして、守島キャップが現場の聞き込みに回っている捜査員からの報告を受け始めた。貴子は、それらの報告を自分もメモに取る一方で、キャップの脇《わき》にあるホワイトボードを眺めていた。

ホトケの司法解剖の結果や、郵便受けにたまっていた新聞の日付などから、犯行当日と断定された四月二十三日、御子貝家を訪れた人物は、これまで分かっている限りで九人が判明している。

それぞれAからIまでのアルファベットを付されており、氏名や身元の分かっている人物については、その下に説明が書かれている。A、Bは、いうまでもなく御子貝夫妻と共に死体で発見された内田敏司と郁子夫妻だった。御子貝家に残されていた占い客の予約ノートの記録や近所の目撃者の証言から、彼らが午前十一時半前後に御子貝家を訪れたことが分かっている。

次いで、CとDについては、内田夫妻よりも早い時間に御子貝家を訪れた、やはり御子貝睦子の占いの客だった。Eは宅配便の業者で、その日の午前中に荷物を届けに来た。これらの三人からそれぞれ聞いたところによれば、御子貝夫妻には、これといって変わった様子もなかったという。

F、Gも客だが、この二人はそれぞれ午後二時と三時半に御子貝家を訪ねたものの、チャイムを鳴らしても応答がなく、その上普段は施錠《せじょう》されていない玄関にも鍵《かぎ》がかかっていたため、諦《あきら》めて帰ってしまったという。これまでに、予約を受けておきながら突然留守になっていたことなどなかったのだそうで、二人ともおかしいとは思ったらしいが、それ以上は深く考えなかった。

四人の死亡推定時刻から考えても、御子貝家に予約を入れておいたF、G二人の客が、一時間半という間をあけて玄関のチャイムを鳴らしていた、ちょうどその頃に、四人は殺害されていたということになる。

そこで問題になるのが、残るHとIという二人の人物だった。この二人は、午後七時を過ぎた頃に連れだって御子貝家を出てきたところを近所の人に目撃されている。彼らは前述の客のように、御子貝家が留守だと思い、家に入れないまま引き返したというのではなく、間違いなく家から出てきたということだった。

翌々日、ホトケの第一発見者が御子貝家を訪ねたときにも、玄関は施錠されていた。元々は御子貝睦子の占いの客で、睦子の霊感に感動し、数年前から半ば弟子か信者のようになっていたという新見知美は、特に客の多い土日に限って、御子貝家に手伝いに通っていた。あの日、いくらチャイムを鳴らしても応答がないことに不審を抱いた彼女は、庭に隠してあった合い鍵の在処《ありか》を知っていたため、鍵を開けて家に入ったと証言している。つまり、HとIという二人組は、きちんと施錠をした上で御子貝家を後にしたことになる。

捜査本部では、この二人を最重要参考人として、身元の割り出しに全力を上げていた。だが、男女の二人連れだったということだけは分かっているものの、占い客の予約ノートにも名前は記されておらず、辺りが暗くなり始めていたこともあって、それ以上のことは分かっていない。

「すると、新しい目撃者は、今日のところも発見に至っていないと。そういうことだな。さらに、新たに御子貝家を訪れた人も出てきていない、と」

守島キャップは、わずかに疲れが見えてきた顔で捜査員たちを見回し、再び雛壇の方を振り返る。今日の捜査でも、それ以上のことは分からなかったという報告は、捜査本部の空気を重くした。

「鑑捜査の方は、どうなってる」

貴子の斜め前に座っていた捜査員が弾《はじ》かれたように立ち上がった。貴子も、思わず背筋を伸ばして顔を上げた。現在、星野と貴子の班が受け持っているのも、前の捜査員と同様の鑑捜査だった。

「我々は、今日も御子貝家およびその近所を定期的に通過する車両について調べました。それによりますと――」

鑑とは犯行現場を観察した場合に、その状況から、犯人と現場となった土地との間に密接な関係があったと判断されるか、あるいは、被害者や犯行場所そのものとつながりがあったと判断されるかによって、土地鑑、敷鑑のどちらかに分類し、捜査方針の一つの指標となるものをいう。

犯人が犯行地の地理事情に通じている可能性を考えて、そのつながりを捜査資料として犯人を発見する捜査方法が土地鑑捜査である。こういう作業に取りかかる場合は、犯行現場の状況や目撃者の証言などから、犯人の侵入、逃走の経路が、地元をよく知っている者が選ぶものであると判断されたり、あるいは被害者の方が、特定の場所を定期的に通行したりする場合が多い。つまり、犯人と被害者の間には、特別な因果関係といったものはなく、むしろ犯人は犯行地そのものに関係していたと判断される場合ということだ。

今回の事件の場合、御子貝家は看板などは出していなかったものの、近所の住人は、夫が勤めに出るなどしているわけでもなく、一方の妻が、さながら巫女《みこ》のような服装で過ごしていることにも気づいており、陰では彼らを「拝み屋」と呼んでいた。その噂《うわさ》は、かなりの範囲まで広がっていたことから、土地にゆかりのある何者かが、御子貝家の噂を聞きつけて、犯行場所として選んだ可能性も考えられた。

一方の敷鑑捜査とは、被害者個人と犯人との関係、相互のつながりを捜査資料として犯人を発見する捜査方法になる。この敷鑑を判断する材料としては、現場の状況から、犯人は侵入口や逃走口、鍵の特殊な開け方を知っているらしいと判断できる場合、建物の周囲をうろついた形跡がなく、建物の間取りや構造なども知っていたと思われる場合がある。そういう現場の場合は、犯人が土地というよりも、その建物や、その家の住人と密接な関係にあったと推察される。

さらに犯行の模様からも敷鑑の判断材料は浮かび上がってくる。家の中の状況や遺留品などから見えてくるものもある。つまり、敷鑑捜査の対象となる人物とは、
・親戚《しんせき》関係
・親交があって相手をよく知っている
・被害者とは直接面識はないが、その家族か同居人などと面識や交際がある
・犯人が一方的に被害者または家族の誰かを知っている
・家屋の構造、生活状況などを直接または間接に知っている
などなどといったことになる。つまり、可能性は無限に広がっていくということだ。それでも、現場に残されている指紋、掌紋を始めとする様々な証拠資料などから、徐々に間口を狭めていくのだ。

今回の場合、犯人は御子貝夫妻を標的にしているか、または内田夫妻を狙《ねら》ったか、あるいはわざわざ四人同時にいるところを狙ったかが、未《いま》だに判然としていない。ただ、死体の発見状況から、何らかの目的のために四人の手足を拘束しているところ、かねてから心臓に疾患のあった内田敏司が極度の緊張かショックのために発作を起こして、ことによるとそのまま絶命してしまい、それならばついでにと、残る三人も殺害してしまったという可能性が考えられる。

通常、被害者の手足を拘束してあるような場合は、金目的の強盗殺人が考えられる。だが、犯行現場となった御子貝家には、それほど物色されたような状況もなく、現在のところは金品なども手つかずの状態で残されていた。怨恨による犯罪ならば、大抵の犯人は興奮しており、見境もなく刃物を振り回したり、最近では銃器を使用したりするものだが、現場の雰囲気は、それとはまるで異なっていた。

「とにかく、一日も早いマルヒ逮捕を信じて、根気よく捜査を続けて欲しい」

結局、昨夜も聞いた一言で、その日の捜査会議も締めくくられた。徐々に疲労の色の濃くなってきている捜査員たちは、ゆっくりと席を立ち始める。貴子は、ちらりと相方を見た。少し飲んで帰ろうと言われるか、それとももう少し捜査を続けるかは、相方の判断次第だ。取りあえず、相手は上役、警部補だった。

「現場に、行ってみよう」

ところが星野は、ぴかぴか光る革ベルトの四角い腕時計に目を落とした後で、そう言った。

「ちょうど、ホシが家を出た頃だ」

刑事たちの間には「現場百ぺん」という言葉が言い習わされている。すべてのヒントは現場にある、捜査に行き詰まったらスタート地点へ戻れという意味だ。今回、星野は死体の発見現場を直接には見ていない。もちろん、貴子も説明しているし、会議の段階で、現場やホトケのスライド写真は見ているから、大凡《おおよそ》のことは分かっているに違いなかったが、それでも自分の目で直《じか》に現場を見るのとは、まるで印象が異なる。そのことを彼は考えているらしかった。貴子は急いで守島キャップに許可を取りに行き、御子貝家の鍵を借り受けてくると、星野と並んで署を出た。

「ホシは、相当に返り血を浴びてるはずですよね。その服を着たまま逃げたりすれば、すぐに見つかるだろうし――」

「計画的なら、着替えくらい用意してたかも知れないさ」

新青梅街道は、まだ渋滞が続いていた。郊外型レストランの前には帰宅前に空腹を満たそうとする車の列が出来ていて、心なしか、大型連休のクライマックスらしい、落ち着きのなさが感じられる。

「だとしたら、せめて、脱いだ服や凶器をどこかに捨てていてくれれば、いいんでしょうけど」

「そっちはそっちで調べてるだろうさ。だけど、期待は出来ないんじゃないかな。あれだけ証拠を残していないホシだから、洋服一枚くらい見つかったって、それがホシの手がかりになるとは考えられないかも知れないしな」

「何か、大きなことを見落としてたり、してないかしら」

現場に急行した時のことを思い出しながら小さく呟《つぶや》くと、星野は「あれ」と細い目をわずかに見開いて、皮肉っぽく眉《まゆ》を上下させた。

「もう、弱音？　まだ半月もたってないんだよ。音《ね》を上げるには、ちょっと早いんじゃないのかな」

「そんな、音なんか、上げてないですよ。ただ、ホシの動機が、まるで読めてこないから――」

「最近は、そういうの増えてきたよな。そう思うでしょう？　殺したいから殺すとか、ことによると、もっと好《い》い加減な。動機も何もなくても、殺す時代になってきてますよ。これからは検挙率だって下がるかも知れないよ」

よけいに世間の風当たりが強くなるよなと、星野はため息混じりに呟いた。街道をそれて、微《かす》かに夕暮れの気配の残っている町は、もうすっかり見慣れたものだった。

4

細く開けた窓から、初夏を思わせる夜風が忍び込み、レースのカーテンを微かに揺らす。貴子は窓辺に置いた椅子《いす》に腰掛けたまま、片手でそのカーテンの揺らぎを弄《もてあそ》んでいた。左手は電話の子機を握っている。そのコードレスの電話機を通して、昂一《こういち》のため息が聞こえてきた。

「何だ——じゃあ、当分は無理、か」

貴子はわずかに口を尖《とが》らせながら、「まだ、分からないけど」と、自分も憂鬱《ゆううつ》な声で答えた。

「急転直下、明日になったらすべて解決、なんていうことも、ないとは限らないもの。そうすれば、行かれるかな」

「本当に？」

「まあ——ないだろうけど。ホシが自首でもしてこない限りはね」

再び、何だ、という声に次いで、受話器の向こうで微かにグラスの氷が鳴る音がした。彼はバーボンを飲みながら、貴子からの電話を待っていたと言っていた。何杯目かのグラスが空こうとしているのだろう。時刻は既に午前一時を回っている。

二人で計画していたツーリングの予定は来週だった。五月の末になったら二人で少し北へ行ってみようかと話し合って、貴子の勤務予定を照らし合わせながら決めたのに、本部捜査に駆り出されて、すべてが駄目になってしまった。それどころか、事件発生以来、昴一に会うことさえ出来ない日がもう三週間以上も続いている。あの日が二週間ぶりに会えるはずの日だったのだから、都合五週間にもなる。こんなに会わずにいるのは、この半年あまりの間で初めてのことだった。

「機捜にいる方が、まだ楽なんだな。あれはあれで、きつそうだと思ってたけど」

昴一の言葉に、貴子は思わず微笑《ほほえ》んだ。組織とは無縁な彼が、貴子の影響で最近は機捜などという言葉を自然に使う。

「俺は、ニュースより新しい情報をダイレクトに聞けるんだから、ちょっとは面白いけどさ。本部に召集されてからこっち、全然、休めてないんだもんなあ」

「捜査が長引けば、そのうち一日くらいは休ませてもらえるだろうけど。とにかく被害者の数が多いし、マスコミも騒いでるじゃない？　こっちとしても必死にならざるを得ないのよ」

「まあ、そうだろうな。で、後からたっぷり休めるなんていうことは?」

「本部から外れたら、また機捜に戻るだけだもの」

「ひでえな。公務員だろう? 有給休暇とか、ちゃんとあるはずだろうが」

「あることは、あるけど。いつも、たっぷり残ったままになってる」

「上は上で、ちゃっかり、たっぷり休んでんだろうになあ」

「まあね。でも、少なくとも、今度の本部に関係してる人たちは、上も下も、今のところ必死よ」

「本当かね。だけど、まあ、下《した》っ端《ぱ》こき使ってふんぞり返ってるだけなら、疲れやしねえよな。どうせ、することっていったら記者会見程度なんだろう」

実は昴一が、あまり警察を好きでないことを、貴子はよく承知している。バイク乗りの常として、交通警察に一度ならず苦い思いをさせられていることが最大の原因に違いないが、自由を好み、束縛を嫌う彼は、警察組織のような窮屈な縦割り社会は、何よりも性に合わないものだと決めつけている節があった。その上、彼は制服が嫌いなのだそうだ。しかも四十、五十を過ぎた大の男が制服に身を固めて嬉《うれ》しそうに張り切っているのを見ると、それだけで「ぞっとする」のだと言っていたことがある。つき合い始めた当時、貴子の職業を知った上で、平気でそんなことを言い放つ相手に、貴子はしばし呆気《あっけ》に取られ、そして、思わず苦笑してしまった。少なくとも、職場では絶対に聞かれない台詞《せりふ》だと思った。

「まあ、役割分担だもの、しょうがないわ。上には上の苦労があるんでしょう」

「それが上司ってもんなんだから、当たり前さ。高い給料もらってんだ」

こういう相手だからこそ、貴子は意外にスムーズに、職場の出来事を口にすることが出来た。説教臭く、「それが社会だ」「それが大人というものだ」などと言う相手に、愚痴を聞かせるわけにはいかない。貴子が少しでも不愉快な思いをしたと口にすると、昴一は貴子以上に怒り、貴子が名前を出す誰彼となく「クソみたいな野郎だ」「脳味《のうみ》噌《そ》がスポンジなんだ」などと評するから、貴子の胸のつかえはすっかり取れてしまう。

「だから、来週は一人で行って、ね？」

「一人でなあ。つまらないな」

「前は一人で走る方が好きだって言ってたくせに」

「そりゃあ、そういう時もあったけどさ、今は別だ。それにしても、可哀想《かわいそう》だな、貴子は」

「――そう？」

「可哀想だ。毎日、毎日、夜中までこき使われて。ツーリングも行かれなくて」

「そうよね。私、結構、可哀想よね」

「でも、偉いよ。文句言わないもんな」

「褒めてくれる？」

「よしよし、いい子だ、いい子だ」

受話器の向こうからチュッと唇の音がした。本当に額にでもキスされた気分で、貴子はカーテンを弄んでいた手で思わず自分の額を撫《な》で、そして、一人で微笑んだ。

「音だけじゃ、つまんない」

つい、自分の声がひそめられ、甘えを含んだのが分かった。

「俺だって、つまんないさ。傍にいたら、マッサージでも何でもしてやるのに」

「じゃあ、これから来てくれる？」

「よし。飲酒運転でぶっ飛ばして行こうか」

「捕まらない自信があるんなら、どうぞ」

受話器を通して、氷の音と昂一の軽やかな笑い声が聞こえてくる。男の笑い声はいいものだ。二人の間のわずかな空気をふるわせ、凝り固まりそうな心をほぐす。

「本当よ。昂一にくっついて眠りたい」

「じゃあ、行くか。捕まったら、愛するデカが呼んでるんですって答えよう。俺のサービスこそ、事件解決の鍵《かぎ》なんですってさ」

昂一なら本当に言いかねないと思う。それが面白かった。白バイ隊員に捕まりながら、酒臭い息で貴子の名前を口にする昂一、おまけに呼び止めたのが別れた夫だったら、どうだろう。そんな場面を勝手に想像して、貴子は、つい笑ってしまった。

「あ、笑ってる場合か？」

「だって。捕まえた方も驚くだろうなと思って」

「それなら目をつぶってくれるかな」

「無理だと思うわ」

浴室の前の脱衣場から、ピー、ピーというアラーム音が聞こえてくる。

「やっと洗濯が終わったみたい」

「よし。じゃあ、さっさと干して、とっとと寝ろ」

「え、来てくれないの？」

「俺から免許証を奪いたいの？」

「分かった。私より免許証の方が大切なんだ。おやすみ」

電話を切る直前の、昂一の「浮気するなよ」という声が耳に残った。馬鹿《ばか》ね、と心の中で呟き、弾みをつけて立ち上がる。今夜のうちに洗濯物を干しておかなければ、下着もストッキングも、ハンカチの類《たぐい》も足りなくなりそうだったから、これでも必死で起きている。だが、昂一のお陰で気持ちはずいぶんほぐれたようだ。

——お礼言うの、忘れた。遅くまでつき合ってくれてって。

昂一は、普段から早起きだ。朝陽を受けながら仕事に取り組むのが好きなのだと言っていた。きっと明日は寝不足になるだろう。ぼんやりして、怪我《けが》などしなければ良いがと思う。

肩書きは家具デザイナーということになるらしいが、昂一は自分のことを「椅子職人」と表現している。知り合った当時、貴子は、おそらく大工のような仕事なのだろうと勝手に想像していた。ところが実際には、彼は依頼人の注文を受け、実際に使用する人や使用される空間のイメージなど聞いた上で、椅子そのもののデザインから始めて素材選びを行い、そこから作品製作にとりかかるという仕事をしていた。日頃、何気なく使っている椅子にも、そんなデザイナーが関わっていることに貴子は軽いカルチャー・ショックを受け、自分とは無縁の、まったく未知の世界に属している彼に興味を抱いた。たまたまツーリングの途中で、同じ場所で休息し、ちょっとした工具の貸し借りをしたことがきっかけで、こんな出会いになることがあるなんて、その時まで貴子は信じていなかった。

その昴一が、昨年のクリスマスに贈ってくれたのが、さっきまで腰掛けていた椅子だった。貴子のためだけに作られた、シンプルで華奢《きやしや》な印象の、それでいて意外にしっかりとした重たい椅子だ。一見、何の変哲もない木製の肘《ひじ》当てつきの椅子なのだが、座面の傾斜が良いのか、それとも背もたれの角度のお陰か、とにかくその椅子は、貴子の身体《からだ》を知り尽くしているのではないかと思うくらいに、ぴったりとよく馴染《なじ》み、座り疲れるということがなかった。

――今度、会ったときに言おう。椅子と、昴一に感謝してるって。ううん、次に話すときには。

今度の恋で、貴子は以前と違う自分をずい分発見していると思う。それは、羽場《はば》昴一という男の性格によるものかも知れないし、年齢のなせる業かも知れないが、少なくとも、二十代の頃よりもずっと素直で、ずっと自然な気がするのだ。昴一自身が、思ったことは何でも口にするタイプで、会って話していても、電話でも、さっきのように必ず貴子を慰めたり褒めたりするから――いい女だ。格好良いよ。この尻《しり》が好きだな――貴子もそれに呼応するかのように、昔なら恥ずかしくて上手に言えなかったようなことを、意外にストレートに言うようになった。あなたのお陰。傍にいて。もっと抱いて——。

別れた夫にも、そんなことを言えていたら、と思わなくもない。この頃では一人の生活もすっかり板について、その風通しの良さも満更でもないと思えるようになり、自分が結婚していた記憶さえ、かなり昔の、ちょっと大がかりな失恋のように思えるようになった。それでも離婚以来、久しぶりに訪れた恋は、逆にあの頃を思い出させることにもなった。比べるというのではない。ただ「そういえば」と思うのだ。

たとえば別れた夫とは、結婚前だって、こんな深夜に電話で長話をしたことなど一度もなかった。携帯電話などない時代で、おまけに二人とも寮生活だったから、そういうものだと思っていた。同じ組織に属していただけに、互いの仕事を理解は出来たが、その一方で好奇心を抱くということもなかった。貴子の都合に合わせて休みを調節してもらったこともなければ、髭《ひげ》の伸びた顎《あご》に触れたことも、マッサージをしてもらったことも、裸のままベッドでコーヒーを飲んだこともなかった。

そうやって考えると、単に一人の男とのつき合い方でさえ、こんなにも未経験のことが多かったのかと驚かされる。それなりの痛手も被《こうむ》り、代償も大きかったとは思うが、離婚して良かったのだという気になる。だから今、貴子は代わり映えのしない毎日でも、以前ほどのストレスをため込まずに過ごすことが出来ている。

それにしても、本当に捜査は行き詰まっていた。未《いま》だに容疑者の輪郭さえ見えてこないではないか。捜査員たちは、深夜、互いにそう旨《うま》いとも感じられない酒を酌《く》み交わしながら、この頃では、迷宮入りの可能性さえ囁《ささや》き合うようになった。事件発生から、まだ一カ月も過ぎていないのだし、無論、そんなことがあってたまるかという意味で言っているのだが、それでも徒労に終わる日々が積み重なるにつれ、刑事たちの頭の片隅に「お宮」というひと言が見え隠れし始めていることは、間違いがない。

——そんなに当たる霊感だったら、自分たちのことも感じてたんじゃないの？　せめて何かの手がかりくらい、残しておけたんじゃない。そうじゃなかったら、その霊感で、誰かの夢枕《ゆめまくら》にでも立ってみてくれればいいのに。

いつの間にか被害者である霊感占い師に語りかけている。とにかく、計画的な犯罪だったことは間違いがないのだ。鑑識の結果、現場には指紋をふき取られた形跡のある場所が、ほとんど見つかっていない。つまり、犯人は最初から手袋をはめるなどして、十分に警戒してあの家に侵入したことになる。

——犯行の目的。金銭？　でも、手つかずで残されてた。怨恨《えんこん》？　それにしては手口が冷静すぎる。痴情のもつれ？　関係のない夫婦まで巻き込むことは考えにくい。通り魔とは違うのだから、何の目的もなく他人の家に入り込んで、人を殺したりするはずがない。しかも、あのような形で。八十田と共に現場に駆けつけた日のことが思い出された。大量の血痕《けっこん》さえ除けば、いかにも静かな現場だった。明らかに他人の家、見知らぬ人のプライベートな生活の場に勝手に上がり込んでいる、そんな印象があった。

これだけ洗濯物をため込んだ場合は、小物掛けの使用法にも工夫がいる。二つしかない小物掛けの、限られたピンチの数ですべてを干し終えるための常套《じょうとう》手段として、貴子は薄手のキャミソールは二枚ずつ、ブラジャーは二つ折にして一つのピンチで留めていった。濃いブラウン系のストッキングばかりがふらふらと揺れる、もう一方の小物掛けは、まるで浜に打ち上げられた昆布でも干しているといった光景だ。

――相手は透明人間じゃないんだから。何を見落としてるの。私たちには、何が見えてないんだろう。

貴子たちに見えていなくとも、せめて指揮をとる上司たちには見えていて欲しいものだ。そうすれば、貴子たちは言われた通りに動くことが出来る。今のままでは、身動きが取れなくなるのは時間の問題。そうなれば、また同じ道をぐるぐると繰り返して歩くことになる。

やっと洗濯物を干し終えてベッドに倒れ込むまで、貴子はそんなことを考えていた。

せめて眠りにつく前くらいは昂一のことを考えたいと思ったのに、頭を切り換える間もなく、すぐに何も分からなくなった。

5

「どうなっちゃうんですかね、この家」

翌日、またもや犯行現場にやってきた貴子は、ため息をつきながら、四人の遺体が並んでいたのとは別の部屋で、何かの手がかりは摑《つか》めないものかと押入の中を覗《のぞ》き込んでいた。「さあねえ」という、星野のくぐもった返事が聞こえてくる。彼は彼で、同じ部屋に置かれている洋服ダンスを調べている。

「誰も住まないことは、確かだろうな。そのうちに取り壊されて更地になって、ほとぼりが冷めた頃に、何も知らない誰かが安値で買い取る、と。掘り出し物だとか何とか言われて、大喜びでさ」

「それも、気の毒な話ですよね」

「そんなことも、ないんじゃないか。安すぎると思ったら、調べる人は調べるだろうし、そんなの関係ないと思う人には、少しでも安く買えりゃあ、有り難いんだから」

「地鎮祭とか、ちゃんとしないと」

「意外に古くさいこと言うね。あんなのだって、気休めなんじゃないの？　結局は、ここの夫婦の商売と同じでさ」

自分が古くさいかどうかは分からないが、星野の言葉は、いかにも彼らしいと思った。貴子は、洋服ダンスを覗き込んでいる彼をちらりと振り返り、あなたなら買うのかもね、と心の中で呟《つぶや》いた。ついでに地鎮祭なしで家でも建てて、毎日、幽霊と暮らせば良い。貴子だって、心の底から幽霊など信じているとは言い難いが、あの四人の遺体を見ていたら、この土地に彼らの思いの染《し》みついていないはずがないと思う。こうして手がかりを捜しにこの家に来ることだって、出来れば避けたいくらいなのだ。だが、星野という男は、決して鈍感ではないはずなのに、そういう点については、極めてドライというか、割り切った考え方の持ち主らしかった。

死んだら終わり。煙みたいにすっと消えて、何もかもが無になるだけのこと。それが、星野の考え方だった。だから毎朝、捜査本部を後にする前に、刑事たちが四人の犠牲者に向かって黙禱《もくとう》を捧《ささ》げるのも、単なる儀礼的なものに過ぎないと、彼は考えているに違いなかった。上司たちは、「一日も早くホトケさんたちを成仏《じょうぶつ》させてやるために」などと繰り返して捜査員の気持ちを引き締めようとするが、こと星野に関しては、そんな言葉は蛙《かえる》の面《つら》に小便、彼が日々、大した文句も言わずに捜査活動に明け暮れているのは、単に「それが仕事だから」であり、正義感とか、死者の霊のためなどという考え方ではない。

——きっと、容疑者についても同じ感覚なんだわ。

この三週間ほど、毎日一緒に行動してきて、貴子なりに少しずつ星野のことが分かってきたつもりだった。彼は、事実と目に見えるもの以外は信じない。与えられた以上の仕事はしない。そして、無駄なエネルギーは消費しない。喜怒哀楽も含めて。彼は、被害者に関しても容疑者についても、その人間性については何の興味も抱いてはいないらしい。「どうして」という思いが、彼の中にはほとんど浮かぶことがないように見えた。

「あ、これなんか新品だ。値札がついたまんまになってるよ。へえ」

そんな星野と組んでいて唯一《ゆいいつ》、有り難いのは、彼が自分なりの捜査の手法に固執せず、むしろ、貴子の希望をいつもすんなりと聞き入れてくれるということだった。どこへ行きたい、誰の話をもう一度聞きたいと言えば、彼はやや薄めの眉《まゆ》をわずかに上下させるだけで、すぐに「じゃあ、行こう」と答える。今日も、現場をもう一度見たいと言ったら、彼は躊躇《ためら》う素振りも見せずに「そうしよう」と頷《うなず》いた。最初の頃こそ、貴子は自分が大切にされているのかと思ったが、それは間違いだったようだ。彼には、自分から動こうとする意欲が欠如している。それだけのエネルギーを消費することを嫌っている、そう見えてならない。

——それでも、試験に受かれば警部補。

貴子にしてみれば、窮屈な思いもせずにいられるのだから有り難いには違いないのだが、深く考えると不愉快になりそうな気もする。だったら深く考えないこと。こういう人もいる。

「家を壊したり更地にするのって、誰の手によって、ですかね」

貴子の呟きに、星野の「さあ」という声が返ってくる。まめなことは、まめなのだ。決して貴子を無視するようなことはない。

「最終的には、春男の息子たちがやることになるんじゃないのかな。税金払って、ここを更地にする費用くらい出したって、まだ遺産は余るはずだろう？」

この家の主であった御子貝夫妻は、互いに再婚同士だったが、二人の間には子どもがない。だが、春男には前妻との間に息子が三人いた。彼らはいずれも幼い頃に自分たちを捨てていった実父の死を知っても、涙を流すこともせず、遺体を引き取ることには揃《そろ》って難色を示したという。一方、睦子の方には前夫との間にも子どもはおらず、親戚《しんせき》らしい親戚もいないらしいことから、やはり遺体の引き取り手は見つからなかった。結局、遺体の第一発見者であり、彼らの熱心な信奉者でもあった新見知美を始めとする信者の数人が、彼らの遺体を引き取り、荼毘《だび》に付した。同時に殺害されていた内田敏司夫妻が、娘の号泣と共に引き取られていったのと、それは、いかにも対照的な結末だった。最後に救われたのは、果たしてどちらの夫婦だったのか。

「遺体の引き取りは断って、遺産は相続するんですか」

「そりゃあ、そうだよ。今の世の中、どこに相続を断る人間がいると思う？　彼らが放棄なんかしたら、国庫に納まるだけなんだし、何もしてくれなかった親父《おやじ》だからこそ、それくらいもらったって当然だと思うんじゃないかな」

確かに、御子貝夫妻には複数の銀行にある程度の預金があって、その合計額は三千五百万を越えていた。

「兄弟三人で山分けしたとしても、手取りで一人一千万にはなるんだし、それだけもらえるんなら、家の解体費くらい出すさ」

ズボンの折り目もきっちり入っている濃紺のスーツを着こなして、まるで乱れることのない七三分けの髪の彼が、こんな畳敷の薄暗い部屋で洋服ダンスを覗き込む姿は、どこか滑稽《こっけい》にさえ見えた。だが彼は、あくまでも冷静に言葉を続けた。

「その他に多少の証券類もあったわけだし、叩《たた》き売りしたとしたって、外のベンツとか、この土地の代金も入るわけだろう？　宝石とか時計とか、こういう家財道具だって、殺人現場にあったなんて言わなきゃ分かりゃしないんだから、結構な値段で売れるかも知れないし、第一、負債はまったくないんだから、相続放棄なんてあり得ないよ。まあ、たとえば向こうの部屋のタンスなんかは、血が飛んでるけど、でも総桐《そうぎり》だから、削れば一番高く売れるかも知れない。こういう、新品同様の衣類だって売れるだろうしさ」

何も知らずに売りつけられる人が気の毒だと言いかけて、貴子はつい口を噤《つぐ》んだ。星野がタンスからハンガーに掛かったままのスーツを取り出して、値踏みするように熱心に眺めていたからだ。サイズさえ合えば、彼が欲しいと言い出しそうな気がした。別に、殺された時に着ていたわけではないのだから構わないではないかと、そんなことを言う姿さえ容易に想像することが出来る。

——変な男。

共に行動していて不快になることはないのに、どうにもしっくりと来ない。何を考えているのか分からない。

「なかなか、いいセンスしてると思わないか？　スーツなんか滅多に着ることもなかったんだろうに、どうして買ったのかな」

返答のしようがなかった。少しの間、黙って星野を眺めていたが、彼の洋服の好みなど知っても仕方がないと、貴子は静かに押入の襖《ふすま》を閉め、自分は他の部屋に移動することにした。

確かに、御子貝夫妻の生活が、かなり豊かなものであったらしいことは、どの部屋を見ても容易に察することが出来た。家具や調度の類《たぐい》も、夫妻が身につけていたらしい時計や装身具なども、すべて高級な、それどころか少しばかり嫌味なほどに成金趣味の物ばかりだったし、庭先のガレージには星野の言葉通り、最高級のベンツが納まっている。だが、家屋敷そのものは敷地も四十坪弱、少しばかり古びた二階建てで、ところどころ壊れかけている垣根に囲まれて手入れのされていない狭い庭が望めるという具合で、ガレージのベンツに目が留まったとしても、来客か、または一点豪華主義の家なのかと思う程度の印象しか受けない。中に、これほど贅沢《ぜいたく》な品物が溢《あふ》れているとは想像できない家だと思う。

さらに、御子貝夫妻の日頃の暮らしぶりといえば、近所の住人の話を聞いても、さほど華やかな印象もなく、むしろこの家の中を知らない人々から見れば、夫も定職に就いていなかったし、妻が何だか怪しげな霊感占いなどで細々と生活を支えているばかりの、何とも頼りない暮らしぶりの家だという印象を抱いていたらしい。

事実、彼らは日頃から滅多に外出することもなく、旅行などで長期に家を空けたことも一度もない、ただひたすら悩みを抱える客を待ち受けるばかりの毎日だったという。ことに巫女《みこ》役だった睦子の方は、近所づき合いなども一切せず、昼日中から薄暗い部屋に閉じこもって、客とは御簾《みす》を隔てた祭壇に向かい、祈禱まがいの祝詞《のりと》をあげる日々だったから、この数年は買い物に出る姿さえ、誰に見られることもなかった。

そのため、御子貝睦子に対する印象は、隣近所では非常に稀薄《きはく》で、ただ服装で覚えられているという程度だった。一方、家事の類はすべて請け負っていたらしい御子貝春男については、もう少し多くの印象を聞くことが出来たけれど——無口な方でしたね。お出かけになるときには、いつも御主人がベンツを運転なさって。ゴミ出しも、洗濯物を干したりなさるのも御主人でしたもの——それでも近所づき合いそのものはほとんどないに等しかったから、大きな収穫は得られていない。彼らがどんな性格で、どんな生活をしており、日頃どういう人たちとつき合いがあったかということなどは、すべて、新見知美を始めとする、信者たちから聞き出すより他にないほどだった。

貴子は、四人の遺体が発見された部屋よりもさらに奥にある八畳間に足を踏み入れた。御子貝睦子が祈禱に使っていた部屋だ。

この部屋だけは、他に比べてやはりある種異様な雰囲気があった。寺の本堂のような印象もあるのだが、壁も天井も、全体が煤《すす》で黒ずみ、片隅に祭壇らしきものが設けられている以外は、家具らしいものは一切置かれていない。そして、祭壇のある畳一畳分ほどのスペースだけが一段、高くなっていて、日頃、睦子が座っていたと思われる場所には、相撲取りが使うような厚くて大きな座布団《ざぶとん》が敷かれ、ちょうど、その座布団の後ろの辺りに、二枚の御簾が下がっていた。

白木で出来ている祭壇の上は、とにかく雑然としていた。まず中央に大きな御幣《ごへい》が立てられている。その両脇《りようわき》に活《い》けられていた榊《さかき》は、今やすっかり乾いて完璧《かんぺき》なドライフラワー状態になっている。祭壇の奥正面には鏡に剣、水晶玉があるのだが、手前には、数珠《じゆず》や木魚が置かれている。端には蠟燭《ろうそく》、線香、香炉も並んでいて、さらに、それらの隙間《すきま》を埋めるように、太鼓、錫杖《しやくじよう》に三鈷《さんこ》、五鈷鈴《ごこれい》といったものまでが、極めて雑然と置かれている。宗教のことはほとんど分からない貴子の目から見ても、どうにも無節操な印象は否《いな》めない。この祭壇に向かって、睦子は巫女姿で何ごとかの呪文《じゆもん》を唱え、祈禱を行っていたというのだから、胡散臭《うさんくさ》いこと、この上もないと思う。それでも、そんな睦子を有り難がっていた人が後を絶たなかったというのだから、分からないものだ。

睦子がここに座って霊感を得ようとするとき、夫の春男は御簾脇に恭《うやうや》しく座っていたという。そして、睦子がご託宣を行うときには、「まいられましょう」という、これもまた意味の分からない声をかけた。信者の多くは、その声と同時にその場にひれ伏し、頭上から睦子の言葉を聞いた。睦子の声は、時には睦子自身のものであり、時には、まるで別人のものに聞こえた。明らかに別人格が乗り移っているとしか思えないことも少なくなかったというのだ。時には、睦子はのたうち回るように苦しみ出し、また別の時にはこの世のものとも思えない声で泣き、笑い、叫ぶこともあった。そんな時には、春男が睦子に駆け寄って、「あなたはどなたです」などと尋ね、暴れようとするときには取り押さえていたという。時には断末魔のような叫び声を上げることもあったため、声が隣近所に聞こえることを憚《はばか》ってか、部屋は多くの場合、昼間でも雨戸を閉め切っていた。

考えてみれば、疲れる仕事だ。たとえ詐欺《さぎ》まがいの商売だったとしても、客の求めに応じて、それなりの演技を求められる。毎回、同じ手は通用しないだろうし、現に、睦子が知るはずもない人間の声を、この場で睦子の口から聞いたという客もいるのだから、あながち単なる詐欺とばかりは言えなかったのかも知れない。人の悩みや苦しみを来る日も来る日も聞かされて、それなりに相手を安心させた上で帰さなければならない仕事。ストレスもたまるに違いないし、気鬱《きうつ》にもなるだろう。貴子なら一週間と耐えられない日々だったと思う。だが、彼らは、そんな生活を、少なくとも十五年このかた続けていたという。旅に出ることもなく、家具や調度の類には多少の贅沢をしたとしても、あとはひたすら、この家にこもって。

——そこまでして貯《た》めたお金が三千五百万。

顧客たちから聞き出したところでは、御子貝睦子による除霊や占いの料金システムは、明確には決まっていなかった。いわゆる「お布施《ふせ》」のような形で、客の方が金額を決め、それを支払っていたのだそうだ。

聞き込みの結果では、下は一万円から、上は一回の占いで五十万、百万と支払っている客もいた。つまり、それだけの効果を期待して、または期待した効果が得られたからこそ、多額の「お布施」を支払っていたということになる。まず、祈禱を頼み、金を払う。願い事がかなった場合には、嬉《うれ》しさのあまり、再び礼をする客もいた。病気が治った、仕事が成功した、縁談がまとまった——中には、殺したいほど恨んでいた相手を病死させたなどというものさえあるそうだ。つまり、睦子に念じ殺してもらったということらしい。少なくとも、ある客の一人は声をひそめてその事実を打ち明けたとき、はっきりと祈禱の成果だと言ったのだという。そういう場合は事件として立件出来ないものなのかと、貴子たちは捜査会議後に酒を飲みながら話し合ったものだ——などといった類だが、それらの報酬として支払われた額は、客の懐《ふところ》具合と、あとは得られた成果への感謝の度合いによって、様々だった。ちなみに、恨んでいた相手を念じ殺してもらったという客は二十代の女性で、謝礼は五十万だったという。五十万で殺してもらえるのなら、証拠も残らない分、殺し屋よりも安全だ。

このような家を訪れる人間、しかも一度でも望むような結果、またはせめて何らかの変化が得られた人間は、以降、何かあると必ず再び、睦子を頼って来ていたに違いない。正確なことを知る者はいないが、看板を掲げての商売ではないから、最初はごく少数から、やがて人づてに信者を増やしていったに違いない彼らは、これまでの十五年あまり、延べにすれば一体どれほどの人に貼《は》りついている様々なものを拭《ぬぐ》い取ってきたのだろうか。

御子貝家には、過去五年分の顧客名簿と、この二年ほどの予約ノートが残されていた。それ以前のものが見つかっていないのは、信者の数が少なかったせいか、または意図的に処分したものと思われる。さらに、「お布施」による収支に関する資料は、一切残されていないところを見ると、税務対策のために、それなりの工夫を凝らしていたとも考えられた。何しろ、宗教法人等の認可は一切受けていない、単なる町の

「拝み屋」なのだ。誰かが不審を抱き、税務署に一報すれば簡単に調べられてしまうだろう。その辺りのことは、十分に警戒していたはずだった。

名簿には、優に二千人以上の氏名が書き込まれていた。現在、他の班がそのすべての人間に聞き込みを行っている最中だから、まだ正確な数字は把握出来ていないものの、彼らの多くは二度、三度と繰り返して御子貝夫妻の力を借りに、この家を訪ねている。飛び抜けて高い「お布施」を支払っていた少数の顧客を除いて、一人平均二、三万円程度を支払っていたと仮定しても、五、六千万円の二倍から三倍の金額が、この五年の間に御子貝家に入っていた計算になる。それだけで二億近い金額だ。その上、五十万、百万という「お布施」をぽんと支払う人間もいれば、毎週のように通ってきていた熱心な信者もいるのだから、やはり、三千五百万という預金は少ないのではないかという意見が、捜査会議でも再三にわたって出されていた。だが、かなりの時間をかけて現場検証しても、この家から、多額の現金や金の地金などの、いわゆる隠し資産は発見されていなかった。

6

現在のところ捜査本部では、共に殺されていた内田夫妻は単なる巻き添えを食っただけで、御子貝夫妻、主に睦子への怨恨《えんこん》の線と、金品目的の線の両方から容疑者特定のための捜査をすすめている。内田夫妻に関しては、簡単に身辺捜査をした段階でも、彼らに恨みを抱くような人間は見つからなかったし、第一、彼らが「拝み屋」のようなところに通っていることを知る人もいなかった。つまり、やはり標的は御子貝夫妻ということになる。だが、貴子を始め多くの捜査員たちは、断定は危険だと承知していながらも、怨恨の線は薄いのではないかと考えている。あの、発見時の死体の状況が、そう思わせた。犯人は、あくまでも冷静に、そして首に致命傷を負わせることで、手早く確実に犯行を成し遂げているのだ。

——目的を絞っていた。この家にあった、何か一つのものだけを狙《ねら》っていた。

犯人は、おそらく御子貝家の事情にある程度通じており、事前に盗み出すものを絞り込んでいた。そして、その目的だけを狙って、この家に入り込んだのではないか。内田夫妻がいたことは予想外だったかも知れないが、結果としては犯人には有利に働いた。つまり、まず無関係の内田夫妻を目の前で殺害して見せ、自分たちの脅しが冗談などではないことを十分に思い知らせた上で、御子貝夫妻から、その「何か」の在《あり》処《か》を聞き出したのではないかと、貴子は想像している。

——畳を無理にひっくり返した形跡もなければ、天井板を動かした形跡もない。もちろん、祭壇にも。

つまり、夫婦が自分たちから、その「何か」の在処を白状したのだ。それにしても、何故《なぜ》、こんなにも手がかりがないのか、それが不思議だった。

いや、むしろ手がかりだらけだと言う方が良い。日頃から、人の出入りの多い家だったことが災いした。家の中には正体不明の指紋が溢れかえっていたし、衣服の繊維や埃《ほこり》、毛髪の類なども、かなりの数が採取されている。煙草《たばこ》の吸い殻だけでも数種類、折れた割り箸《ばし》や、この家にはいないはずの動物の毛も何種類か発見されたし、何かの金属片や、草などまでが採取されている。御子貝夫妻は、商売の忙しさも手伝ったのか、または週末には新見知美がやってくることを見越してか、明らかにしばらくの間、部屋の掃除をしていなかった。だが、肝心の死体を巻いていた粘着テープなどには、何の指紋も残ってはいないのだ。結局、溢れるばかりの資料を分類し、一つ一つを根気よく当たっていくより仕方がない。そちらの担当に回された捜査員たちは、今も必死で顧客名簿を当たり、採取された指紋を照らし合わせているに違いない。

――その気になれば、時計だって宝石だって盗めたはずなのに。それらには目もくれないほどの、何か。誰かの重大な秘密にまつわるものか、または、大粒のダイヤモンドでもあったのだろうか。一体、誰がそんな情報を持っていたのだろう。結局、何度訪れても、ヒントの一つも見つからない。この分では、今日も収穫はゼロだろうかと考えながら、貴子は最後に台所に行ってみた。

六畳ほどの台所は、薄暗く、ひんやりとしていた。夫婦二人の生活には大きすぎると思われる食器棚が壁の一面を天井近くまで埋め尽くしており、食事に利用することもあったのか、六人掛けのテーブルには、事件発生当日の朝刊がそのままに置かれている。使いかけの調味料、栓抜き、散らばった菜箸に、洗われていない食器――それらを何気なく眺め、それから流し台の横にある大型冷蔵庫に目をとめた。子どもの頃からの癖だろうか、冷蔵庫を見ると、つい開けたくなる。よその家の冷蔵庫は、なおさらだ。見とがめる人もいない今、別に構わないだろうと思いながらアイボリーホワイトのドアを開けたその途端、思わず顔をしかめたくなる悪臭が噴き出してきた。庫内が暗く見える程に詰め込まれた食品が、腐り始めているのだ。現在、警察関係者がやってくる以外は、まったくの無人になるこの家は、万一の場合を考えて、捜査員が家を出る際には電気のブレーカーを落としている。そのために、冷蔵庫もただの箱になり果てたということだろう。

——一体、これを誰が処分するんだろう。

冷蔵庫は粗大ゴミ。だが、中身のほとんどは生ゴミだ。誰かがきちんと分別するのか、それとも、業者が一緒くたにして運び出してしまうのか——。

自分たち以外にも、嫌な役回りになる人間がいるのだ、などと考えながら、ついでに引き出し式のフリーザーも開けてみた。やはり、こちらからも悪臭がする。作られていたはずの氷はすべて溶けて、氷がストックされていたはずの容器は水浸しだし、他の冷凍食品の類《たぐい》も、溶け出した水分に浮かんでいるような状態だ。

貴子も、自宅の冷蔵庫の中で正体の分からなくなった食品を発見することがある。だが、ここまでひどい状態になったことは、さすがになかった。一体、どれほどの贅《ぜい》沢《たく》な食材がゴミになったのだろうか。

——食い意地の張った人だったら、これだけで成仏《じょうぶつ》できないかも知れない。

中には作り置きをしておいた料理もあるようだ。誰の手によるものか。夫の春男か、信者か、または手伝いに来ていた新見知美だろうか。そんなことを考えながら、何気なく冷凍保存容器のいくつかを眺めるうち、そのうちの一つを見て、「おや」と思った。見覚えがある。確か、貴子の実家でも使っていた容器だ。我が家にあったものと同じ品が、こんな家にもあったかと思うと、何となく奇妙な気持ちになった。ありふれた白い無地の容器ではないのだ。水玉模様が飛んでいて、チョウチョの絵まで入っている、幼い子どもがお弁当箱にも使えそうな――。

突然、頭の中で何かが閃《ひらめ》いた。改めて腰を屈《かが》め、もう一度、その容器をじっくりと見てから、貴子は大急ぎでバッグから刑事手帳を取り出した。警察手帳とは別に支給されている、新書本大の手帳をぱらぱらとめくっている間に、背後から足音が近づいてきた。

「いないと思ったら、こんなとこに――ひどい匂《にお》いだな。何、してるの」

「この家の夫婦が口座を開いていた銀行って――ああ、ありました」

事件発生から間もなく、御子貝夫妻がどちらかの名義で開いている銀行口座に関しては、既に調べがついている。貴子は、その一つ一つを眺め、改めて冷蔵庫のフリーザーを覗《のぞ》き込んだ。

「臭っせえ！　閉めろよ！」

「ねえ、星野さん。このマークって」

手袋の手をフリーザーに伸ばしかけ、その前に、流しの脇《わき》に干されたままになっている布巾《ふきん》の一枚を引っ張って、貴子は水浸しの冷凍保存容器を、その布巾で挟んでから持ち上げた。星野も、手袋をしたままの手の甲で鼻を押さえながら近づいてくる。

「これ、関東相和銀行の粗品です」

「何で、分かるの」

「私の実家にも同じ容器があって——ああ、ほら、ここにマークが入ってます」

可愛《かわい》い絵柄の邪魔にならないように、そこには確かに関東相和銀行のシンボルマークが入っていた。すぐ耳元で、星野の「本当だ」という声が聞こえた。

「御子貝夫妻は、あそこの銀行には口座は開いてないはずなんです。今、確かめました。普通、取引していない銀行の粗品があると思います？　ポケットティッシュならともかく、こんな容器」

言いながら、自分が少しずつ興奮してくるのが分かった。二人で鼻を押さえながら、薄暗い台所で向き合っている、この奇妙な図にさえ、笑い出したいような気分になってくる。星野の目がいつになく真剣そうになったのは、貴子にも見て取れた。思った通り、彼は馬鹿《ばか》ではない。鼻を押さえたままの声で、「分かった」と答えると、貴子を見て目顔で頷《うなず》く。

「取引の可能性、だな。他にもあるかも知れない。捜そう」

言うが早いか、星野はもう流しの上の戸棚を開け始めた。貴子も一緒になって、食器棚の引き出しなどを調べることにした。一つでも十分だと思うが、他にも関東相和銀行の粗品が見つかれば確信は深まる。または、他の銀行からの粗品だって見つかる可能性があった。つまり、御子貝夫妻はその銀行にも口座を作っていた可能性があるということだ。やはり、見落としがあった。そして今、それを発見したかも知れないと思うと、急に血の巡りが良くなったような気さえする。今夜の捜査会議が楽しみだ。久しぶりに、重苦しい会議から解放されるかも知れない。

台所をくまなく捜した結果、関東相和銀行のマークの入った粗品は、ラップが二本に湯飲み茶碗《ちゃわん》、小鉢、さらに未使用の「お掃除セット」なるものに、「靴磨きセット」までも見つかった。間違いない。この家の主は確実に、関東相和銀行にも口座を持っていたはずだ。それも、上得意だった可能性が高い。だが、その通帳が発見されていないということは、つまり、それが殺人犯の目的だったとも考えられるということだ。

「報告しましょう。それで、その足で――」

貴子は勇んで星野を見た。ところが、さっきは一瞬、貴子と同様の興奮に見舞われたように見えた彼は、その細い目をすっと外して、「いや」と答えた。

「報告は、しない」

「――どうしてですか？　だって、こんな手がかりだって、馬鹿に出来ないじゃないですか」

「勿論《もちろん》、馬鹿になんか出来ないさ。それどころか、大発見かも知れない」

星野は澄ました表情のまま、廊下にあるブレーカーを落とし、そのまま玄関に向かう。雨戸を閉め切っているから、家の中は夜のような闇《やみ》に沈んだ。わずかに取り戻したかに見えた家そのものの息吹《いぶき》が再び封じ込められ、既に形を失ったものたちの気配だけが、ここぞとばかり漂い始める気がしてくる。貴子は、自分も慌《あわ》てて星野の後を追った。彼は靴を履いたところで、くるりと振り返った。

「空振りだったら、皆をがっかりさせるだけだ。だけど、本当に大きな手がかりだったら――」

背後から覆《おお》い被《かぶ》さってきそうな重苦しい空気を振り払いたい思いと闘いながら、貴子は自分の視線よりも低い位置にある星野の目を見つめた。

「他人に分けてやることはない」

彼は、貴子の視線をすんなりと受け止めて、さらりと言った。そして、「さあ、行こう」と言うなり背中を向ける。へえ、そういうこと。やっぱりね。そういうタイプ。貴子は、パンプスに足を滑り込ませながら、一足先に午後の陽射《ひざ》しの中に出た相方の後ろ姿を見つめていた。

「やっぱり、女性は違うね」

戸締まりを済ませて歩き始めるなり、星野はいかにも明るい口調で話し始めた。

「冷蔵庫の中に目をつけるなんて、さすがだよ」

彼が、笑いながらこちらを向いているのが分かる。貴子はうつむいたまま、取りあえず笑顔を作り、それから顔を上げた。あからさまに不快な顔は出来ない。批判できる立場でもない。

「音道さんと組んで、ラッキーだったな」

「そうですか？」

そうとも、と笑う星野は、いつになく機嫌が良さそうだ。

「もともとね、僕は子どもの頃から、割と運の強いたちなんだ。だから、神頼みなんか必要ないって思ってきたのかも知れないくらいにね」

彼は、何を思ってそんなに表情を輝かせているのだろうか。ホシの尻尾《しっぽ》が摑《つか》めそうだから？　いや、違う。目と鼻の先に手柄がぶら下がっていると思うから。胸の底で、複雑な思いが混ざり合った。勿論、大きな手がかりであって欲しいのだ。現在の膠着《こうちゃく》状態が、少しでも動き出してくれれば嬉《うれ》しいと思う。だが同時に、それが隣を歩くこの男の手柄になると思うと、面白くない。

「音道さんにだって、プラスの評価につながることだ。それに何も、ずっと秘密主義でいこうなんていうんじゃない。結果をきちんと報告すればいいだけのことだ」

空振りだったら知らん顔、ビンゴだったら他の捜査員たちが入り込む余地のないところまで調べた上で会議に上げる。その時には、貴子はこの男の、いわば同類になる。そんなことにつき合わされるのは嫌だった。機捜で仕事をしている時も、八十田が時折、自分たちの手柄は自分たちで大切にするべきだなどと言うことがあるが、そんなとき貴子は、決まって今と似た心持ちになった。誰の手柄だって良いではないか、何故、そんなことにこだわるのだと言いたかった。

「女の人には、そういう感覚が稀薄《きはく》なのかも知れないけどさ」

無言で歩く貴子に向かって、星野はいつになく感情のこもらない声で言った。

「こういう部分が、大切なんだ」

「——何のために、ですか」

出来るだけ、棘《とげ》のない口調で言ったつもりだった。星野は、細い目をさらに細めて、貴子を試すような表情のまま「もちろん」と眉《まゆ》を動かす。男の眉毛がこんなに動くものだとは思わなかった。

「組織で生きていくために」

だったら、お好きなように。こういう相方と組むことになったのだから、仕方がない。せめて、貴子まで出し抜かずにいてくれることを祈るより他に出来ることもなさそうだ。貴子は、自分も真似《まね》をして、軽く眉を上下させただけで、星野から視線を外してしまった。不愉快になりそうなことは、考えないこと。今はとにかく、自分の見つけた小さなヒントが、事件解決の手がかりにさえなってくれれば、後はどうでも良いと思うことにした。

7

関東相和銀行立川支店に着いたのは、午後四時過ぎだった。建物の横手にある鉄製の通用口の前に立ち、インターホンを押して警備員を呼ぶ星野は、自信に満ちて見えた。

警備員は星野の提示した警察手帳を認めると、すぐに緊張した面もちで中に引っ込み、一分とたたない間に、今度はいかにも銀行マンらしい、白いワイシャツ姿の男が現れた。星野と良い勝負の七三分け。違うところといったら、面長と丸顔という点くらいだ。

「預金課長を呼んでまいりますので、こちらで少々、お待ちいただけますか」

星野が顧客の情報について訊《き》きたいことがあるとだけ言うと、丸顔の銀行マンは貴子たちを扉の内側に招き入れただけで、そそくさと去っていく。貴子と星野とは、およそ銀行というイメージとはかけ離れた、古びて薄暗い狭い廊下で待たされることになった。本来なら、利用者で混雑しているはずの空間は、既にシャッターで遮られている。

「預金課長の箕口《みのくち》でございますが」

やがて、小太りで血色の良い四十代くらいの男が、上着の襟を直しながらやってきた。いかにも誠意を売りものにしている表情で、彼はもういそいそと上着の内ポケットから名刺入れを出している。

「当行のお客様について、何か」

人の通らない階段の下まで移動すると、揉《も》み手でもしそうな勢いの箕口に、星野は四月下旬に起こった殺人事件の話をした。途端に箕口は、脂《あぶら》ぎった額の下の太い眉をひそめて「ああ、ああ」と大きく頷いた。

「あの事件のことですか。四人も亡《な》くなられたっていう。へえ、あれですか。何だか宗教か何かやっていらしたとかいう、あれですよね」

「その被害者の預金口座が、こちらに開かれていることが分かったんですが、今現在、どうなってるかを教えていただきたいんです」

星野の言葉に、箕口は、今度は心持ち顎《あご》を引き、大袈裟《おおげさ》なくらいに口を開けて驚いた表情になった。

「預金口座、で、ございますか？　あの、当行に？」

箕口の視線が数秒間、宙をさまよう。そんなに驚くことだろうか、と貴子は不審を抱いた。関東相和銀行ともあろうものが、どういう顧客を抱えていたからといって、そう驚くにはあたらないという気がする。それに、殺人事件に関わることは滅多になくとも、口座名義人が死亡することは、別に珍しいことでも何でもない。

「氏名は御子貝春男、または御子貝睦子。口座を開いているのがこちらの支店かどうかは分かりません」

「それは、お調べしてみませんと——」

「ですから、調べて下さい」

箕口は一瞬、口を噤《つぐ》み、思い出したように頰の肉だけを引きつらせて営業的な笑みを浮かべると、「少々お待ち下さい」と言うなり、くるりときびすを返した。それから急に思い直したように、再び振り返る。

「ここでは何ですから、あの、こちらへ」

髪の生え際《ぎわ》が大分後退してきている預金課長は明らかに慌てた様子で、広い額を光らせながら貴子たちを案内し始める。この銀行のイメージカラーは爽《さわ》やかなグリーンの濃淡で、街で見かける看板の文字もシンボルマークも、その色彩で統一されている。店内にもその色を効果的に取り入れていたと記憶しているが、客が足を踏み入れない従業員用のスペースは、単なる古びたビルの色合いでしかなかった。貴子たちは案内されるままに灰色の階段を上り、二階にもあった鉄の扉を抜けた。そこには、見慣れた銀行の風景が広がっていた。やはりアクセントとしてグリーンを配している空間は、低めのカウンターがあって椅子《いす》も置かれているから、定期預金などのカウンター・フロアーに違いない。貴子たちが案内されたのは、メインの照明を落とされ、ひっそりと静まり返ったフロアーの片隅、アイボリーホワイトの簡単な仕切りで作られた場所だった。やはりグリーンの椅子が四脚、白くて低いテーブルを挟んでいる。テーブルの上には、ガラスの小さな灰皿がのっていた。

「こちらで、お待ち下さい」

立ち去る箕口を見送り、貴子は星野と並んで、そのグリーンの椅子に腰を下ろした。

スチールパイプで骨が組まれ、座面と背もたれには多少のクッションのきいている布が張られた椅子だ。

――平凡だけど、事務的すぎない。

つい、昴一のことを思い出す。彼ならば、こういう場所にはどんな椅子を置きたいと思うのだろうか。

「営業時間が過ぎてもエアコンが効いてるんだな」

星野が辺りを見回しながら小声で呟《つぶや》いた。

「まだ、従業員は働いてますから」

貴子は手帳を用意しながら、自分も狭い空間を見回す。天井の片隅から蜘蛛《くも》の巣が下がっていた。意外に手入れが行き届いていないらしい。それにしても、自分たちがこんな場所に来ているということを、捜査本部の誰も知らないと思うと、どうにも後ろめたい気がしてならない。必要なら、いつでも携帯電話で連絡できる状態にありながら、敢《あ》えてそれをしないというのが、どうにも居心地が悪い。

「ガイシャの生年月日、教えませんでしたけど」

「珍しい名字だから、すぐに分かるさ」

少し離れたカウンターの内側には、働いている行員たちの姿があった。女子行員は淡い色の制服を着て、男子行員たちはダークスーツ姿で、それぞれが机に向かっている。時折、電話が鳴った。さらに、はっきりとした声で誰かの名前を呼び、離れた場所から用件を伝えているところなどは、客のいる営業時間中には見られない光景だ。

五分が過ぎ、十分が過ぎた。整理券をとって順番を待っているわけでもなく、オンラインで調べれば何秒もかからない作業のはずなのに、待たせ過ぎなのではないかという気がしてくる。まさか、貴子たちの身元を確かめているのではないだろうか、本当に例の事件に関わっているのか、確認をとっているのではないかと、頭の中を様々な考えがよぎった。だから嫌なのだ。三十そこそこで商社マンタイプの若造と、見た目は彼より若く見えるかも知れない貴子とでは、刑事らしい迫力にはやや欠ける。それを訝《いぶか》った銀行員の口から、自分たちの身内が勝手に行動していると知らされたら、本部ではどう思うことだろう。面白くないに決まっている。よほどの収穫が得られない限りは、きつい言葉を浴びせかけられる可能性だってある。責任は星野にあるにしても。

我ながら小心なことだと思う。だが、こういう秘密めいた行動自体が、貴子は嫌いだった。思わずため息を洩《も》らすと、隣から「苛《いら》つくなよ」という声をかけられた。

「慌てたって、しょうがない。役所と銀行は待たされることになってるんだから」

「そうですけど——」

「音道さんて、意外と短気だね」

つい隣を見ると、星野は例の細い目で、じっとこちらを見ている。貴子は黙ってそのまま視線を逸《そ》らしてしまった。そう思うなら、どうぞ。あなたにどう思われたって、興味なんかないから。

——どうでもいいけど、好きにはなれそうにない。

結論は急ぐまいと思ってきたが、もう大分前から、心の底で見え隠れしていた思いが、かなり明確な形を持って浮かび上がってきた。どうでもいいけど。本当に。早く、機捜に戻りたい。

「お待たせいたしました」

十五、六分も待たされた挙げ句、今度は違う男が現れた。体つきは貧相だが、やたらと頭が大きい。上半分が黒いフレームの眼鏡をかけて、濃いひげ剃《そ》りあとの中に色の悪い薄い唇がある男は、中腰の姿勢のまま名刺を取り出し、星野と貴子とに一枚ずつ差し出した。関東相和銀行立川支店次長、木下和己。隣から星野が素早く自分の名刺を差し出す。

「例の、占い師の一家ですか、あの事件のことでお調べと伺いましたんですが、実は、あちら様と当行とは、これまで一度も、お取引いただいたという記録は残っておりませんのですが」

向かいの椅子に浅く腰を下ろし、木下という男はさっそく話し始めた。貴子たちから受け取った名刺をババぬきで最後に残ったトランプのように両手で持ち、名刺と貴子たちとを見比べるような風情《ふぜい》だ。

「そんなはずがないんです」

星野の横顔は落ち着いていた。半分ははったりだ。だが、そんなことは、おくびにも出していないと思う。

「捜査の結果、お宅の銀行の名前が浮上してきているわけですからね」

「そう仰《おつしや》られましても、御子貝春男様でも、ええ、睦子様ですか、どちらのお名前でも、当行で口座を開かれた記録はございません。こう申しては失礼かと思いますが、何かのお間違えではないかと思うんですが」

物腰は柔らかいが、譲らない口調だ。だが、貴子の中には確信があった。銀行の粗品については、母などがよくぼやいていたことを覚えていたからだ。本当に、しっかりしてる。どれだけ長い付き合いだって、ちょっと定期を解約でもしようものなら、それっきり知らん顔して、こっちから言わない限りは粗品一つ出しやしないんだもの。

「口座番号ですとか、口座をお持ちの支店名ですとか、そういうものでも分かっていれば、お調べのしようもあるんですが」

「それが分からないから伺っているんです」

「お分かりにならないで、どうして当行に口座を開かれておいでだと？　お身内かどなたかが、そう仰られたんでしょうか」

口ぶりはあくまでも馬鹿《ばか》丁寧だし、物腰も柔らかい。だが、それは絵に描いたような慇懃《いんぎん》無礼というものだ。隣から大袈裟なため息が聞こえた。

「捜査上の秘密ですから、他言されては困るんですが」

星野が一瞬、背筋を伸ばし、それから身を乗り出した。つられたように、貴子の正面にいる木下も、わずかに身を乗り出してくる。

「ご存じの通り、かなり悲惨な事件だったわけですがね、検証の結果、通帳が盗まれている可能性があるんです」

「盗まれて、ですか。当行の？」

木下の表情がわずかに動いた。

「いいですか、事件が起きたのは先月の二十三日です。それは、確かなんです。ですから先月二十三日の——特に午後以降、彼らの口座から現金が引き出されていたら、それは間違いなく、名義人本人ではなく、彼らから通帳を奪った、ひょっとすると殺人犯によるものと考えられるんですよ」

一瞬の沈黙の後、木下は、強張《こわば》りかけた顔に、無理に笑みを浮かべたように見えた。彼は無言のまま、背広の内ポケットから煙草《たばこ》を取り出して、近頃は滅多に見かけない、使い捨てではないライターで火をつける。こういう時、煙草は恰好《かっこう》の小道具になる。時間稼ぎ。その場しのぎ。気分転換。だが、星野は畳みかけるように再び口を開いた。

「いいですか、御子貝さんの家には、お宅の粗品があったんです。大事に大事にね、とってありましたよ。私は、銀行のことには詳しくないんですが、関東相銀さんでは、口座を開いてもいない客にも粗品を配るんですか」

「そんなことを仰られても——粗品ですか、さあ、それは——」

「それも、ポケットティッシュなんかじゃない。冷凍食品を保存する容器に、それからラップもあったし、布巾《ふきん》もあったな。湯飲み茶碗《ちゃわん》も」

木下がせわしなく煙草をふかす。何故《なぜ》、積極的に協力しようとしないのか、貴子にはそれが理解できなかった。普通に考えれば、すぐにでも改めて調べ直してくれそうなものではないか。そう出来ない、何か理由でもあるのだろうか。

「確かに、そういう粗品もお配りはしておりますですよ。ですが、どなたに何を、という記録などございませんし、さて、困りましたですね。本当に、そういうお名前様での口座は、過去に一度も開かれていないんです」

星野が明らかに苛立ち始めているのが伝わってきた。貴子は、何とか違う方向から、相手の話を引き出せないものかと考え始めた。相手は銀行だ。イメージダウンにつながることや、自分の不利益になりそうなことには、絶対に口を噤んでいると思った方が良い。

「何しろ、当行のコンピューターにデータが残っておりませんのでね。お客様のプライバシーの問題がありますので、直接、お見せすることは出来ませんが、これはもう、正真正銘の、本当のことなんです」

「生年月日を言いますから、もう一度、調べ直してください」

だが木下は、いかにも気の毒そうな、それでいて、まったく誠意の伝わってこない表情で、再び頭を下げる。

「間違い、ございません。何も警察の方に嘘《うそ》なんかつくわけがないじゃないですか。とにかく何度お調べしましても、出てこないんです。現に、お待ちいただいております間に、私どもの方でも二度、確認いたしましたのでね」

「捜査にご協力いただけないわけですか」

「とんでもない、とんでもございません。ですから何度も申します通り、本当に普通預金でも、それ以外でも、まったく見つかりませんのです。いや、困りましたね。お役に立ちたいのは山々なんですが」

このまま引き下がるのは、何とも不本意だと思った。この男からは、どう見ても、本当のことを言っているという雰囲気が伝わってこない。嘘臭い笑顔が、さらに胡散《うさん》臭《くさ》さをまき散らしている。第一、「本当に」という言葉を繰り返しすぎるという気がした。そんなに念を押さなければならないなんて、本当ではないのではないかと勘繰りたくもなる。貴子は思い切って、初めて「では」と口を開いた。木下が、まるで植木が口を開いたかのように驚いた顔になった。

「たとえば、架空名義で口座を開いていたかどうか、ということになると、いかがですか」

木下は、こちらが表情から何かを読み取るよりも早く「と、申しますと」と言葉を被《かぶ》せてくる。

「架空名義などというものは、ご存じの通り、認められておりません。当行は――」

「それは、今現在の話ですね。以前は確かに、あったんじゃないですか？　そういう口座が、今、まったく残っていないと言えますか？」

うろ覚えだが、そういう話を以前、聞いたことがあるような気がする。マル優制度が一般に適用されていた頃まで、架空名義や無記名で銀行口座を開いていた人間が数多くいるというような話だ。いわば裏の預金になるわけだが、それを増やすことが、銀行員の成績評価につながる時代があったという。

「仰る通りです」

木下は初めて、大袈裟な表情を拭《ぬぐ》い去った。

「確かに、そういう時代もございました。ですが、そんなことがまかり通っておりましたのは昭和五十年代頃までですしね、そちらになりますと、正直なところ、うちのような支店では、お調べのしようがないんです」

「では、本店に伺えばいいですか？　本店の、どの部署でしょう。総務で分かりますか？」

「それなら、お調べのしようもあるかも知れません。ですが、いわゆる架空名義と申しますのは、住民票のないお名前ということですから。せめて、その架空の方のお名前でも分かりませんと、そう簡単には——」

「本店でも、ですか？」

必要以上に驚いて見せる。木下も初めて困惑した表情を見せた。そして、これ以上は支店レベルでは分からないという意味の言葉ばかりを繰り返す。さっきまでの慇懃無礼さはかなぐり捨てて、彼は、まるで腹を割って本音を語るように、身体《からだ》の前で両手を組み合わせ、困惑した笑みを浮かべた。

「正直に申しますとね、当行といたしましても——万に一つの話ではございますが——現在もそのような口座があったといたしましたら、早急にご解約いただきたいくらいの、いわば、お荷物なんです。ご存じの通り最近は以前にも増して、大蔵省などからのお達しも厳しくなっておりますのでね。いくらお客様のご希望とは申しましても、お叱《しか》りを受けますのは当行になりますので」

「では、やはり万に一つの話ですが、もしも、その架空名義の口座から、口座を開いた本人ではない人間が預金を引き出していたとしたら、どうなりますか」

木下はエラの張った大きな顔をわずかに傾《かし》げて見せ、「さて」と言う。

「もともと銀行には、預金を引き出されるお客様の身元を確認する義務はございませんので。その上、架空名義ということになりますと、最初からそんなお名前の御本人様がおいでにならないわけですから、確認しようにも、しようがないということになりますし——」

「つまり、引き出しに来た人間には、誰でもお金を渡してしまうわけですか？」

「まあ、誰でもということは——。最近では多額のお取引の場合は、御本人様かどうか確認させていただく場合も、確かにございますですよ。トラブルはなるべく避けたいという点では変わりませんので」

「ですが、架空名義の口座の場合は、そちらにとってもお荷物になるわけですよね？　でしたら、意外にあっさりと、引き出させることもあるんじゃないんですか？　通帳とか口座番号を見ただけで、それが架空名義かどうか分かるようなシステムがありますか？」

木下は相変わらず首を傾げたままで「さあ」と言っている。そして、自分がこの支店にきてからは、一度も架空名義に関する話は聞いていないのだと、いかにも言い訳としかとれない言葉を続けた。支店のことなど、聞いてはいない。昨日今日、銀行マンになったわけでもないだろうに、都合が悪くなると「さあ」なのかと、貴子の中で苛立ちが膨らんだ。

「本当に、分からないんです。これ以上、お調べになりたいんでしたら、本店の方にお問い合わせいただけませんでしょうかねえ」

年の頃は五十前後か。田舎臭い顔立ちに、白いワイシャツはどうにも不釣り合いだ。だが彼は、長年、銀行という世界だけを歩んできた人間に違いなかった。これ以上、立ち向かうには、貴子たちには知識がなさ過ぎた。相手は一歩も譲る気配がないではないか。

「たとえば、ここの支店のことで結構なんですが、先月の二十三日以降、大口の預金を下ろしに来た人物を洗い出すことは可能ですか」

今度は星野が口を開いた。

「大口と申しますと、どの程度の金額になりますか」

「――一千万以上ということになると、どうです」

「その程度の金額を移動させるお客様は数え切れませんですねえ」

「個人でもですか」

「せめて、どこの支店でお作りになった口座か分かれば、多少なりともお調べのしようがあるかと思いますが。一千万程度のお金は、常に激しく移動しておりますので」

「では、五千万ではどうです」

食い下がる星野を横目で眺めながら、貴子は、心の中で舌打ちをした。意外に間の抜けた質問をする。そんな絞り込み方は時間の無駄だ。要は、相手がこちらに協力するつもりがないということだ。攻め方を変えなければ、無理だ。だが、星野は言葉を続けた。

「個人の口座から、それだけの金額をぽんと引き下ろす人なんて、そうはいないんじゃないですか」

「ですが、たとえいらしたとしましても、プライバシーの問題になりますので」

一瞬の誠実さはすでになりをひそめ、木下という男の表情には、再び営業用の愛想笑いが貼《は》りついていた。「申し訳ございませんが」と頭を下げながら、腹の中ではまったく別の言葉を呟《つぶや》いている、そんな男に見えた。その後もしばらく押し問答を試みたが、結局、引き下がらなければならなかったのは貴子たちだった。

「お力になれませんで。また、ご用がございましたら何なりと」

嫌味としか受け取れない挨拶《あいさつ》をされて、しおしおと引き下がるのは屈辱だった。再び人気のないフロアーを抜け、鉄の扉を通って階段を下りる。その背後には、いつの間にかぴたりと警備員がついていた。馬鹿じゃないの。刑事がこんな場所で何をすると思ってるの。腹立ち紛れに、真面目《まじめ》くさった顔つきの、まるで警察官もどきの制服を睨《にら》みつけてから、貴子は星野に続いて外に出た。振り返る間もなく、扉はすぐに閉じられ、木下の姿はとうに消えていた。

「すごいな、音道さん、結構、食い下がるじゃない」

歩き出すなり、星野が話しかけてくる。貴子は小さくため息をつき、肩をすくめた。

「結果が出せなきゃ、仕方がありません」

ここはやはり本部に報告して、他の捜査方法を考えるべきだと言おうとしたのに、その前に星野は、軽い口調で「見込み違いだったね」と言った。貴子は目をむいて星野を見つめた。

「まだ分からないと思います。さっきの次長が正直に言っているとは限らないし、もしも架空名義の口座があったとしたら——」

「ないさ」

「——どうして、分かるんですか」

思わず立ち止まりそうだった。涼しい顔で歩いていく星野に追いつくことさえ忘れそうになっている貴子に、星野は、架空名義の口座など、彼らは開いていないはずだと言った。苛立《いらだ》ちが募る。どうして、そんなに簡単に決めつけることが出来るのだろうか。確かめてみなければ、分からないではないか。

「聞いただろう？　銀行が架空名義を認めてたのは昭和五十年代までだったって。つまり、もう二十年以上も昔の話なんだ。その頃には、ガイシャたちは今の商売なんて始めてもいなかった。それどころか、結婚もしていなかったはずじゃないか」

「でも、だったら、粗品はどう解釈すればいいんですか。さっきの次長が言う通り、一度も取引していないとしたら――」

「そう気にすることでも、ないんじゃないか？　あそこの家に出入りしてる誰かが持ってきたのかも知れないしさ、まあ、下手に報告なんか入れなくて、よかったよ」

力が抜けそうになる。何なのよ、この男。どうしてそんなに簡単に、結論を下すことが出来るの？　馬鹿《ばか》みたいに、さっきの慇懃無礼な男の言葉を鵜《う》呑《の》みにするつもりなのだろうか。そんなに単純で、刑事が務まるものか。同時に、猛烈な腹立たしさがこみ上げてきた。こんな相方でも、見限れないのが貴子の立場だった。おまけに相手は警部補だ。立場が逆なら、とにかく動けと言えるのだが、貴子に逆らうことは出来ない。

「でも私は――」

「焦《あせ》ることとないって。また他でポイント稼げばいいからさ。とにかく、音道さんの目のつけ所は悪くない。頑張ったよ」

冗談ではなかった。何も手柄が立てたくて言っているわけではない。頑張る前から引き下がっているのではないか。納得できない。頭が悪い男ではないのに、星野は何故、こんなにもあっさりと引き下がれてしまうのだろうか。本当に昭和五十年代以降、架空名義口座を開かせていないと、あんなに簡単な説明で納得してしまってるのだろうか、相手は銀行ではないか、一筋縄でいかない相手だということくらい、百も承知のはずではないのか。馬鹿じゃないの。やる気はあるの。だが貴子は、その言葉をすべて、喉元《のどもと》で呑み込んだ。年下の気にくわない相手とはいえ、相手は警部補だった。いまいましい。

――今度は、まともな相手と組めたと思ったのに。

刑事は誰も仲間意識が強い。たとえ、貴子が独断で捜査本部に報告を入れ、結果としてそれが正しい選択だったとしても、相方を裏切ったことが分かれば、周囲が貴子を見る目は一層、厳しいものになることは必定だ。また、いつ顔を合わせるかも知れない男たちは、決して貴子と組みたがらなくなるだろう。ただでさえ目立つ上に、「裏切り者」などというレッテルを貼られたのではたまらなかった。

――それで、事件の解決が遅れたとしても。

何とも理屈に合わない話だと思う。やっと見つけられたと思った細い手がかりの糸は、手繰り寄せる以前に、もう指先からすり抜けていこうとしていた。

第二章

1

　捜査本部には重苦しい空気が澱《よど》んでいた。白々とした蛍光灯の明かりが、身じろぎ一つしない男たちの疲れた姿を照らし出し、雛壇《ひなだん》に並ぶ管理職たちの渋面も、青白く浮かび上がらせている。彼らは揃《そろ》いも揃って、紺色の制服の前で腕組みをし、眉間《みけん》に皺《しわ》を寄せていた。

「結果を出そうよ、結果を！」

　水を打ったような静寂をうち破ったのは、マイクを通して聞こえてきた守島キャップの声だった。高く張りのある声は苛立《いらだ》ちを隠そうともせず、荒々しいため息までもマイクにのせて、それは四角い部屋全体に響きわたった。

「四人もの人間が殺されてるんだぞ。首を切られて！　まさか、かまいたちでもあるまいし、誰かがやらなけりゃ、そんなことになるわけがない、これは、どこから見ても正真正銘の殺人事件なんだ！　凶器はないから心中の可能性はない、盗《と》られたものはないから物盗りの線はない、評判の悪い連中じゃないから怨恨《えんこん》の線はない、じゃあ、何なんだ！　物証がないから殺しじゃないのか？　目撃者がいないから、人間の仕業じゃないのか！」

マイクがキーンと鳴った。三週間あまりも捜査本部に詰めっぱなしの状態で、疲労と苛立ちがピークに達していることは確かだ。だが、それはキャップだけではない。毎日、方々を歩き回っている捜査員だって同じ気持ちのはずだった。再び重苦しい静寂。捜査は完璧《かんぺき》に泥沼にはまっていた。膠着《こうちゃく》状態などといえるものでさえない。明らかに方向性自体を失っている。

「柳沼主任」

たっぷりと間を置いた後、再びキャップの声が響いた。がたん、と椅子《いす》を移動させる音がして、捜査員たちの頭の隙間《すきま》から猫背気味の大きな背中が立ち上がった。うつむきがちの頭はかなり白髪が混ざっている。

「なあ、どうなんだい」

守島キャップは、幾分、冷静さを取り戻した声で、それでもマイクを通して名指しした主任に語りかけている。

「あんた、まさか、完全犯罪なんてものをホシにプレゼントするつもりじゃ、ないんだろう？」

耳を澄ませていたが、名指しされた主任の声は、何も聞こえてこなかった。まるで授業中に指された子どものように、ごま塩頭はただうなだれている。

「これだけの犠牲者が出てて、これだけの日数を費やして、それで手がかり一つ摑《つか》めないなんていうことが、あるとは思えんだろうが、ええ？」

貴子は、自分が立たされているような気分になり、思わず固唾《かたず》を呑んでうつむきがちに、柳沼と呼ばれた主任の後ろ姿ばかりを見つめていた。ベテラン刑事のはずなのに、こんな風に百人以上の捜査員の前で立たされるなんて、何という屈辱だろうか。

「あんたほどのベテランがいて、こういうことがあるかい」

「――申し訳、ありません」

「詰めが甘いんじゃないのか！　毎日毎日、何を追いかけて歩いてるんだっ！」

「――はい」

「あんたが先頭に立って、見本を示してくれなきゃ、困るじゃないかっ」

守島キャップの声は、重苦しく張りつめた空気を震わせた。最後に、低い声で「頼みますよ」と言われ、柳沼主任の背中は再び人の頭の中に埋もれた。

「何度も言うが、もっと執念を燃やしてくれよ！　誰かが何か捜してくるだろうじゃなくて、自分たちで道筋を作り出せよ。ナメクジみたいに、同じところをなぞって歩いてるだけじゃ駄目なんだよ。何のために動いてるか、何を見落としてるか、頭を使って結果を出せよ！」

返事の代わりに、室内の空気がわずかに動いた。それは、捜査員たちのうめきのようでもあり、苛立ちのため息のようでもあった。

険悪な雰囲気に終始した捜査会議が終わっても、室内に人の声は広がらなかった。がたがたと椅子の音ばかりが響いて、暗く硬い表情の捜査員たちは、書きかけの報告書に向かい、または数人ずつ連れだって、無言のまま出口に向かう。時刻は午後十時半過ぎ。貴子のすぐ傍を通った刑事たちが「厳しいなあ」と囁《ささや》きあう声が耳に届いた。

こんな時間まで働いて、最後に雷を落とされるなんて。本当に、今度の本部は嫌だった。こんなことなら、わがままを言ってでも八十田に任せていれば良かったと思う。

「一杯やっていかないか」

のろのろと帰り支度をしていると、星野が話しかけてきた。

「ここで、ですか？」

それなら、少しくらいつき合おうかと思ったのだが、星野は、ちらりと周囲を見回して、いや、と言うように肩をすくめた。

「今夜ここに残っていたい奴《やつ》なんて、そういないさ。それに、たまには手の込んだものも食べたいじゃないか」

だったらやめておくと断りたい気持ちが働いたが、空腹なことは間違いがなかったし、貴子も星野に尋ねたいことがあった。なぜ未《いま》だに関東相和銀行の件を報告しないのか、報告しないのなら、なぜもっと突っ込んだ捜査をしないのか。ここまで手がかりが見つからない現在、どんな些細《ささい》なことにもこだわるべきではないのかと言いたかった。小さく頷《うなず》くと、星野は満足そうな表情で貴子の肩に手を置いてくる。

「お、いい雰囲気だねえ」

その時、ちょうどすれ違った、刑事の一人が声をかけてきた。

「飲みに行くの？　俺も行こうかな」

「いや、ちょっと二人で話があるんで」

ところが星野は躊躇《ためら》うこともなくそう答えた。

「何、会議の後も二人でミーティングってか」

「まあ、そんなところです。また今度」

星野が快活な声で応じる。三十代の後半に見える刑事は、半ば胡散臭《うさんくさ》そうな顔つきになって、改めてこちらを見ている。貴子は、妙な誤解を受けたくない思いと、申し訳なさとで、精一杯、困った笑みを浮かべて見せた。すると、その刑事は、口の端をにやりと歪《ゆが》めて、「気をつけなよ」と言った。

「何せ、こいつは手が早いんだから。仕事は大してやらねえけど、そっちは一生懸命だもんな。お陰でカミさんにも逃げられたくらいでさ」

それは、単なる冷やかしとは思えない、明らかに軽蔑《けいべつ》を含んだ口調だった。ちょうど、その背後を通り過ぎる刑事もまた、興味半分の視線を送ってきた。彼は、一度も貴子は見なかった。その冷ややかな視線は、確かに星野を捉《とら》えていたと思う。

歩み去る刑事を見送りながら、貴子は、またもや「なるほど」と思っていた。星野という男は、そういう評価を受けているわけか。道理で以前、本部事件に関わったときとは周囲の雰囲気が違うと思っていた。捜査員たちは、貴子が警戒していたほどには、冷ややかに無視するような態度を示さない代わりに、何となく遠巻きに様子を窺《うかが》っているような気配があったのだ。それは、単に貴子が女だからというわけではなく、星野の方に問題があるということなのかも知れなかった。

「一緒に飲んでもよかったんじゃないですか?」

以前にも二人で来たことのあるバーに入ると、貴子はおしぼりで顔を拭《ふ》いている星野に尋ねた。

「冗談じゃないよ。あの人と飲んだって、何の得にもなりゃしない。第一、飲むのは日本酒か酎《ちゅう》ハイだしね、こんな店は似合わないの」

彼は、おしぼりを放り出しながら、椅子に背をもたせかけ、いかにもうんざりした様子でため息をついて見せる。

「余計なことばっかりぺらぺら喋《しゃべ》るし。音道さんは女でよかったよ。見ただろう？　自分が断られたからって憎まれ口を叩《たた》く。男同士の嫉妬《しっと》って奴は、本当に始末に負えないんだから」

おしぼりで思い切り顔を拭けるだけ、男の方が得だわと思いながら、貴子は、じっくりと星野を観察するつもりになっていた。仕事帰りに一杯やるのに、損得などを考える男。

「まいるよな。足の引っ張り合いでさ」

彼は、貴子に相談もせずに適当に料理を注文し、運ばれてきた生ビールで乾杯の真《ま》似事《ねごと》をすると、いつもの切れ長の視線を周囲に投げかけて、いかにも「やれやれ」といった様子を見せる。

「だから関東相銀の件も、報告しないままなんですか」

　貴子が聞いても、彼は表情一つ変えるでもなく、また眉《まゆ》を動かす。

「あいつらだって同じさ。皆、手持ちの札は出したがらない。頭一つ、抜きん出ようと思ったら、当然だろう」

「私は、事件の早期解決の方が大切なんじゃないかと思うんですが」

　星野はビールを一口飲み、初めて貴子の方を見た。貴子はその小さな瞳《ひとみ》をじっと覗《のぞ》き込んだ。

「皆がそんなことをやってたら、犯人の検挙なんておぼつかなくなる気がするんです。これだけ行き詰まっている以上、どんな手がかりだって大切にした方がいいんじゃないかと」

　出来るだけ、穏和な口調で話しているつもりだった。貴子だって、相方と険悪な雰囲気になど、なりたくはない。

「一課はプロ中のプロの集団だと思っていました。それが、皆で手持ちの札は出さないなんて言ってたら——」

「プロ中のプロさ。だから、札の出し方も心得てるんだ。音道さんの言うことは間違ってないけど、何ていうか——青臭いよ」

「そうでしょうか」

「いいかい？　さっきの柳沼って主任を見たろう？　いくらこの仕事が好きで、使命感に燃えてたとしたって、身を粉にして、馬鹿《ばか》正直に働いたってだ、下《した》っ端《ぱ》のままで終われば、いずれああいう目に遭うんだよ。俺らみたいな若い連中の見てる前で、あんな風に立たされて罵倒《ばとう》されてみろよ、面目丸つぶれ、いい笑いものじゃないか」

「あれは、みんなの気持ちを引き締めるために、わざと、じゃないですか」

「何で、あの人がそんな目に遭わなきゃならないわけさ。長いつき合いだから、上の方の気持ちも汲《く》める人だから？　冗談じゃない。捜査方針を立てて、俺らを配置につけてる連中は、自分たちのことは棚に上げて、八つ当たりしてるだけだ」

そうは思わなかった。苛立ちが募っていることは確かだ。だが、こうも収穫のない毎日を送っていて、捜査本部全体が緊張感を失いかけていることも間違いがないと思う。その緊張感を取り戻し、もう一度、気持ちを引き締めさせるために、守島キャップはベテラン中のベテランに、ある意味で恥をかいてもらったのではないだろうか。

「所詮《しょせん》、使われる一方の人生に待ち受けてるものっていうのが、あれなんだって。音道さんは、いいよ。女性だし、いざとなればこれからだって、まったく違う人生を選択する余地は、男よりはあるもんな。だけど、俺たちは組織で勝ち残っていかなきゃならないんだ。この不景気な世の中で、そうそう今よりもいい職場なんて、見つかるとも思えないしね」

貴子だって、違う人生を選択するつもりは、今のところはない。そんなことよりも、この男は、事件を早期に解決するつもりなど、ありはしないのだろうか。貴子は、自信満々の表情で、運ばれてきた料理を食べ始めた相方を見つめていた。

「じゃあ、関東相銀の件は――」

「あれは、見込み薄だって言ったろう」

「どうして、そう言い切れるんですか?」

「だって――」

言いかけて星野は、料理に手をつけていない貴子に「食べないの」と促す。いけない。ムキにならないようにしなくては。貴子は、素直に料理を取り皿に移した。空腹な上にビールを飲んだから、猛然と食欲が湧《わ》いている。こんな長丁場を乗り切るには、とにかく食べられるときに食べて、寝られるときに寝ることだけだ。

「頼もしいね」

少しの間、無言で料理を頬張っていると、星野が言った。食べっぷりのことを言われたのかと、思わず握っていたフォークを宙に浮かせたまま前を見ると、彼はまた、薄い笑みを浮かべている。

「そういう、ムキになるところもあるんだね」

「私は別に——」

「最初から思ってたことだけど、音道さんて、魅力的だよね。離婚した奴の気が知れない」

一瞬、どんな顔をすれば良いのか分からなかった。チーズと何かのソースにまみれたソーセージをゆっくりと噛《か》みしめながら、貴子は、こういう言葉を聞いただけで、本当に鳥肌が立つこともあるのだと、不思議なことに感心していた。帰ったら、絶対に昂一に電話をして、たとえ彼を叩き起こしてでも、この男の話を聞いてもらおう。そうでなければ気が済まないと思った。

2

右腕に何かの感触が当たった。その瞬間に目覚めたが、甘い眠りの誘惑が、気づかなかったふりをさせようとする。

「お父さん、電話」

だが、その誘惑に身を任せる寸前に、今度は小さな囁きが聞こえた。我ながら呆《あき》れるほどの潔《いさぎよ》さで目を開き、同時に身体《からだ》を起こす。すぐ脇《わき》に娘がいることは分かっていながら、もう、滝沢の目は半分ほど開けられた襖《ふすま》を見つめていた。畜生、まだ酔いが残っていやがる。立ち上がろうとして、足下がふらついているのに気がついた。

「電話、持ってきてるから」

ところが、腰を浮かしかけたところで、また娘が言った。そうだった。子機って奴があるんだ。滝沢は布団《ふとん》の上に座り直し、娘から電話の子機を受け取る。

「お休みのところ、すみませんが、自由が丘署まで急行願います」

「自由が丘って、目黒区の」

我ながらぞっとするようながらがら声だった。だが、滝沢のそんな声は聞き慣れているに違いない電話の主は「はい」と、極めて事務的に答える。

「七歳になる女の子の行方が分からなくなっています」

子ども、か。滝沢は手短に電話を切ると、眠るときも外したことのない腕時計を覗き込んだ。午前一時四十分。二時間程度しか眠れなかった。慌《あわ》ただしく洗面所に向かい、勢い良く水を流して顔を洗う。洗いっぱなしで脂気《あぶらけ》のない髪を息子の整髪料で整えて、準備完了。

「お父さん、お酒臭いよ」

「しょうがないよ」

「いつ電話がかかってくるか分からないんだから、そんなにお酒なんか飲まなきゃいいのに」

靴下とワイシャツを差し出しながら、娘がわずかに唇を尖《とが》らせた顔で言った。「まあな」と気のない返事をしつつ、滝沢は、そんなことを気にしていたら、ずっと飲めないではないかと、腹の中で呟《つぶや》く。そんなことになったら、あっという間にストレスでパンクしちまう。

「今度は、何？」

「子ども」

「いくつ」

「七歳」

「誘拐かな」

ワイシャツの裾《すそ》をズボンにたくしこみながら、滝沢はしかめ面《つら》になって娘を見た。娘も、ちらりと肩をすくめて見せる。冗談でも、そんなことは言われたくない。

「お前、まだ起きてたのか」

「そろそろ寝ようかと思ってたところ」

「謙は」

「もう寝てる」

「お前も、早く寝なさい。もう、いいから」

「ハンカチは？　綺麗《きれい》なのに替えていってよ。お財布。定期。鍵《かぎ》。手帳」

「ああ、ああ、持ってる」

高校生の娘に、女房か母親のようなことを言われながら、滝沢は素直に背広のポケットを確認する。姉娘が親父《おやじ》の反対を押し切って結婚して以来、この次女が、今や家のことをすべて取り仕切っている。

「ああ、紺のスーツな、クリーニングから返ってきてるかな」

「一人で返ってきたりしやしないわよ。取りにいかなきゃ」

「じゃあ明日、行ってきてくれよ」

「嫌だなあ」

横目で見ると、すっかり背が伸びて娘らしくなった次女は、唇を突き出したまま「分かったわよ」と言う。口では文句ばかり言うが、なかなかよくやってくれている。口に出したことはなかったが、長女がいなくなってからというもの、滝沢はこの末娘の存在がことさらに有り難く思えていた。手早く身支度を整えて玄関に向かう途中、背後から「携帯、携帯」という声が追いかけてくる。

「充電するのを忘れなくなったと思ったら、今度は持ってくの忘れるんだから」

「戸締まり、ちゃんとな」

「分かってるって。いってらっしゃい」

背後で扉の閉じられる音を聞き、滝沢は闇《やみ》に沈む町を歩き始めた。大あくびをすると、自分でも酒臭いのが分かる。まったく、やってられねえ。こんな風に、真夜中に突然呼び出しを食らう毎日が続くようでは、そのうち身体をこわすに違いない。電話の心配などせずに、朝まで死んだように眠りたいものだ。だが、仕方がなかった。滝沢が現在の部署に所属している限り、こういう日々が続くのだ。

町はひっそりと静まり返っていたが、ひとたび幹線道路まで出れば、真夜中だというのに、意外に車の往来が激しかった。それも、トラックやタクシーだけでなく、ごく普通の乗用車も多く見受けられる。都市生活者のリズムに合わせて、終夜営業の店が増えてきたから、時間に関係なく、人々は食事や買い物に動き回っている。夜くらい、ちゃんと家で寝ていろよと思う。暗い時間に動き回るなんて、泥棒と警察官くらいのものだったのに。何も好き好んでお天道様から目をそむけるな。都心に向かう車の列には、タクシーの空車が目立った。その一つを停めて乗り込むときには、思わず「うんしょ」と声が出た。

「福田世偉羅《せいら》ちゃん、七歳。母親が午前零時過ぎに帰宅したところ、自宅からいなくなっていることに気づいたということです。認知は一一〇番通報によるもので、方面内には手配済みです」

自由が丘署に着いたのは午前二時半過ぎだった。吉村管理官を始めとして、既にチームの半数近くの人間が集まっていた。そのうちの三人とは、ついさっきまで一緒に飲んでいた。酔いが残っているのは、滝沢だけではないはずだ。その三人と、それぞれに労《いたわ》りあうような視線を交わしながら、滝沢は狭い会議室で、所轄《しょかつ》署の刑事からの説明を聞いた。

「世偉羅ちゃんは身長一メートル二十二センチ、体重二十七・五キロ。髪は多少茶色がかっており、肩までの長さ。母親が外出する前の服装は、グリーンの地に白い横文字の入ったトレーナーとジーパン」

自宅からいなくなっているということは、侵入者が連れ去ったか、または子どもが自分の意志で出ていったかのどちらかだ。

「現場には、柴田係長と安江くんに行ってもらった。報告は随時入るはずだが、これまでのところ、母親に思い当たるところはないらしい。ただし、その母親はかなり酒に酔っていて、さらに興奮もし、取り乱してもいるとかで、何を聞き出そうにも、なかなか進展していないそうだ。今現在、脅迫電話などはかかってきていない」

「父親は、いないんですか」

捜査員の一人が尋ねた。少女の父親は、コンピューターソフトの会社に勤めているが、現在はアメリカに出張中だそうだと管理官は答える。

七歳の子どもを一人残して、母親は一体、何をしていたのかと思う。亭主の留守を良いことに、羽根を伸ばしていたのかも知れないが、これで万が一のことでもあれば、それこそ取り返しがつかない。

「自宅はオートロックのマンションだから、我々が建物自体に入るのは、さほど困難とは思えんが、時間が時間だけに、特に目立つ。その辺にも十分に注意して欲しい」

つまり、子どもが何ものかによって連れ去られた場合には、犯人がどこかから警察の動きを見張っている可能性があるということだ。特に子どもの行方が分からなくなった場合、滝沢たちは常に最悪の事態である誘拐を想定し、人質になった子どもの生命をもっとも重視して行動しなければならない。

昨年の異動で、滝沢は警視庁刑事部捜査一課の、この特殊班に転属を命じられた。

特殊班とは、凶悪事件を捜査する捜査一課の中でも、とくに人質立てこもり事件や誘拐、企業恐喝、爆発、ハイジャック、列車事故や航空機事故などを取り扱う部署である。この歳《とし》になって、やっと警部補試験に合格して、やれやれと喜んでいた矢先の、それは手放しでは喜べない異動だった。

ことの発端は一年半ほど前、当時、滝沢のいた所轄署管内で、別れた亭主が女房の住むアパートに押し掛けた上に刃物を振り回すという、騒ぎを起こしたことにある。そのような事件の場合も、当然のことながら人質立てこもり事件になるわけだから、特殊班が対処に当たるのだが、たまたま、それまでのつなぎとして現場に急行した滝沢は、ふいにアパートの窓から顔を出した男と目が合ってしまった。「何だ、てめえは！」と言われ、その場でおめおめと身を隠すわけにもいかなくなって、結局、滝沢は「よう」などと言いながら、男の説得に当たることになった。とにかく、男が興奮の極みにいることは一目で分かったし、片方の手は包丁を振り回し、もう片方の手では別れた女房の首を羽交い締めにしているという具合で、一刻の猶予《ゆうよ》もならないと判断したからだ。

結論から言えば、所詮《しょせん》は肝っ玉の小さな男の、自棄《やけ》が招いた陳腐なドラマだった。滝沢は男を懸命になだめ、落ち着かせ、やれ楽しい時代もあったんだろうとか、子どもに今の姿を見られたらどうするとか、どこかで聞いたような台詞《せりふ》を繰り返したに過ぎない。だが、そんな台詞の何が男の琴線に触れたのか、または単に勢いをつけるために飲んできた酒が切れたせいか、男は急に肩を落とし、がっくりとうなだれた。その隙《すき》を狙《ねら》って、羽交い締めにされていた女は男を突き飛ばし、自力でアパートから逃げ出してきた。

――あんたが、そんなだから、ついていかれなくなったんじゃないのっ！

数分後、連行される男に向かって、女が吐いた捨て台詞は、今も滝沢の耳の底に残っている。あの言葉は、まるで滝沢自身が女房から叩《たた》きつけられたかのように、胸に響いた。

滝沢の女房も三人もの子どもを残して、家を出ていった。いつも自分の帰りを待っているとばかり思っていた女房が、いつの間にか滝沢のまったく知らないところで、他の男に心を奪われ、これまで築き上げてきた何もかも、子どもたちまでも捨て去ることがあろうとは、露ほども考えていなかった。表情を強張《こわば》らせ、涙を浮かべている子どもたちから、女房が残していった置き手紙を差し出されたときの衝撃は、何年が過ぎても容易に薄れていくというものではない。

下手をすれば、自分もこんなことになっていたかも知れない、刑事などでなかったら、女房が逃げた先に乗り込んでいって、何をしていたか分からない。あの事件を通して感じたことといえば、それだった。とにかく、ものの一時間程度で、あっさりと解決できたことで、半ば拍子抜けする思いもしたし、ほっと安心もした。そのことが、後々になって特殊班に呼ばれるきっかけになろうとは、考えてもみなかった。

警視庁の特殊班は昭和三十八年三月に発生し、四十年に容疑者が逮捕された「吉展《よしのぶ》ちゃん誘拐事件」を機に、昭和四十一年に設置された。ことに営利誘拐事件の場合は、犯人が人質を殺害する危険性が高いことから、一分一秒でも早く捜査を立ち上げ、隠《おん》密裡《みつり》に、しかも迅速に動く必要がある。そのための機動力と必要な設備を有している、それが特殊班である。

実は滝沢は、刑事になって間もない頃にも、この特殊班にいたことがある。だが、ある人質立てこもり事件が解決した際に、新聞に容疑者と共に写真が載ってしまった。人混みに紛れて小さく写っていただけだが、何かの犯罪を企てているものが、どこでチェックしているか分からないとの配慮から、いわゆる「面が割れた」捜査員は、特殊班から外れることが多い。あくまでも極秘で動かなければならない必要性の高い職場である以上、細心の注意を払っての配慮である。

特殊班の仕事は、通常の捜査とは異なり、独特の勘と経験を要するものだ。ノウハウは教えられて学ぶことも出来るが、たとえば立てこもり事件などの場合には、犯人との間合いのはかり方、説得の方法によって、人の生命を左右する。度胸がなければ、犯人との間合いも詰められない。それだけに、一度は経験があるとはいえ、二十数年ぶりに特殊班に呼び戻されるなどということは、まさしく異例だった。

「夜明けを待って、一斉に聞き込み開始だな」

無線車両や資機材、変装用具などの手配を済ませ、その一方では子どもが住んでいたマンション付近の地理を把握して、母親から心当たりのあると思われる住所や氏名などの資料を提出してもらう。脅迫電話がかかってきた場合に備えて、逆探知のセットも行い、また、通話記録を残すための手続きも行う。五月の夜明けは早い。ばたばたと動いている間に、東の空はすぐに白み、どこかでカラスの声が聞こえた。その夜明けを待って、あるいはジョギング中を装《よそお》い、あるいは新聞配達員の格好で現場に向かう準備をしていた時、子どもが発見されたという連絡が入った。

「父方の実家にいるそうです」

滝沢たちは一斉に手を休め、互いに顔を見合わせた。実家くらいなら、いのいちばんに問い合わせていたはずではないか。

「それが、母親とは犬猿の仲だとかで、日頃からあまりつき合いもないもので、まさか、そんなところに行っているとは思いもしなかったとかいうんですがね」

電話で連絡を受けた仲間も、半ば拍子抜けしたような、何ともいえない表情になっている。

「まあ、よかったじゃないか。無事だったんだから」

寝不足の目を血走らせて現場の指揮に当たっていた吉村管理官が、初めて大きなため息をついた。そう。怒ることじゃあ、ない。何しろ、子どもは無事だった。俺らの仕事は無駄足で結構なんだから。

午前七時過ぎ、すべての資機材を撤収して、滝沢たちは自由が丘を後にした。いつの間にか朝の渋滞が始まろうとしている。人騒がせな母親は今頃、警察署からも姑《しゅうとめ》からも、こっぴどくやられていることだろう。こっちは、どこかで朝定食でもかき込んで、本庁で仮眠を取らせてもらおう。自宅で眠るより、その方がまだ気が楽だった。

3

西の空に、見事な色の夕焼け雲が浮かんでいる。緑の匂《にお》いを含んだ風は心地良く、いつか経験した同じ季節のことを思い出させる。

——どこか広いところに行きたい。仕事のことなんか忘れて。

思わずため息混じりに空を仰ぐ。夕暮れと共に家に帰れたのは、いつの頃までだったろう。お腹《なか》を空《す》かせて、夕御飯のことだけを考えて——。こんなことを考えるようになったら、相当にストレスがたまってきている証拠だった。

今日も、徒労に終わった一日だった。御子貝家に残されていた宅配便などの伝票から、同家に荷物を届けたことのある業者とドライバーを割り出し、可能な限りの人数に聞き込みに回ってみたのだが、収穫はなし。唯一《ゆいいつ》、御子貝夫妻が通信販売に凝っていたことが分かった程度だ。米、味噌《みそ》、醬油《しょうゆ》の類《たぐい》から、家庭雑貨、洗剤、はては観葉植物に至るまで、彼らは実に様々な注文をしていた。それが、ほとんど家から出ることもなかった睦子の、唯一の気晴らしだったのかも知れない。

「大体さあ、業者を装って家に侵入しようとするっていうんなら分かるけど、宅配便のドライバーが強盗目的の殺人を犯すなんて、考えられないって。荷物を渡して判子を押してもらうだけなんだから、その家の事情なんて、そんなに分かるわけがないんだし」

隣を歩く星野が、また文句を言い始めた。このところの彼は、前にも増して口数が増え、その上、仕事の文句や上司への批判ばかりが多くなっている。大きな手がかりが見つからなければ、それだけ捜査は細かい資料を引っくり返し、最終的には埃《ほこり》一つでも見逃すまいとし始める。結果としてますます地味になり、空振りも増えていく。それが事件捜査だ。そして、そんな作業に無駄がつき物なことくらい、昨日や今日刑事になったひよっ子でない限り、百も承知しているはずではないか。

「何で、うちの係が引き受けることになったのかなあ。ちょっと見は派手だから、もうちょっと大きく動けると思ったのに、とんだ貧乏くじだよな」

そんなことを言ったって、仕方がないではないか。貴子だって、まさか自分がこの捜査本部に駆り出されるとは思っていなかったのだし、もっと遡《さかのぼ》れば、あの四人の死体を最初に検分することになろうとも考えてはいなかった。そういう巡り合わせなのだから、文句を言ってどうなるものでもない。

——それに、あんたと組まされたのも。

真正面から喧嘩《けんか》になるのは賢明ではないと思うからこそ、何を言われても適当に聞き流している。だが星野は、それを自分が受け容《い》れられた証拠と誤解している節があった。

——警察の未来も暗いなあ。

数日前、昂一に電話したときの会話が思い出された。星野に誘われて、旨《うま》くもない酒を飲んで帰った晩のことだ。もう眠っていたらしい彼は、最初の数分間ほどは寝ぼけた声を出していたが、それでも貴子の話を辛抱強く聞いてくれた後で、そんなことを言った。

「それで、奴《やつ》が報告したがらないことって、何なんだ」

「言えないわよ、そんなこと。捜査上の秘密だもの」

「へえ、俺のことも信じられないんだ」

「また。そういう言い方しないでったら」

「冗談だよ。だけどさ、何となく貴子らしくないな。自分が正しいと思ったら、それを通せばいいじゃないか」

「だって、相手は警部補なのよ。階級社会なんだから、下が逆らうことなんて、出来ないの」

「そんなの関係ねえだろうが。貴子の言ってることの方が正しいんだから、他の誰かに判断してもらえよ」

「つくづく、男同士って変よね。仲間内では足の引っ張り合いをしてたとしても、外に対してはがっちりスクラム組むわけよ。警察の外部に対してなら、私も仲間に入れてもらえるんだけど、そうじゃない時は、私は女っていうことで一線を引かれるわけ。

つまり、私が必死で主張したって、連中は、星野さんを気の毒がるか、私を裏切り者扱いする程度なのよ。それこそスタンドプレーだとか何だとか言われて、余計に敬遠されるのが落ち」

「スタンドプレーで結構じゃないかよ。そんな連中と団子になってるより」

「そうは、いかないんだったら。仕事をする上ではチームワークは欠かせないし、古参の刑事の中にはそんな人もいるけど、さすがにこの歳《とし》で、しかも女がやったら、居場所がなくなる」

面倒臭えなと、ため息かあくびか分からない息と共に、昂一は呆《あき》れたように言った。それなら、星野を説得するより仕方がないだろう、何とか自分の思った通りに行動できるように、操縦法を考えるより他にないという彼の言葉に、今度は貴子がため息をついた。

「向こうは貴子を気に入ってるみたいなんだからさ、色仕掛けにでもしてみろよ。いつもパンツスーツじゃなくて、こう、スリットの入ったミニのタイトかなんかはいてって、濃い色の口紅でもつけて。テレビドラマに出てくる女刑事みたいに」

「何てこと言うのよ」

怒った口調で言いながら、思わず笑ってしまった。最後に昂一は、相方が嫌な男で良かったと言った。あまりに貴子と気の合う男だったら、たとえ仕事と分かっていても、四六時中一緒にいると思えば、気になってならなかっただろうからと。冗談でも、色仕掛けにしてみろなどとは言えなかっただろうとも。

「そういう点では、心配いらないから、いいけど、身体《からだ》は大丈夫か」

「身体はね。でも、ストレスはすごいみたい」

「だろうなあ。早いとこガス抜き、しないとなあ」

「当分、無理だもの」

「ふてくされたら、駄目だぞ。やる気が失《う》せたら、見えるものも見えなくなる」

それはどんな仕事でも同じことだと昴一は言っていた。本部事件の捜査が難航するにつれ、彼は確かに、貴子の大切な精神安定剤の役割を果たしてくれていた。頼りになると思う。安心して寄りかかれるような気がする。今のところは。

――並べてみれば、外見じゃ完全に負けてるんだけど。

自由業の気安さもあるのだろう。貴子は、昴一がネクタイを締めている姿など、かつて見たことがない。いつもTシャツにジーパンという出《い》で立《た》ちだし、髪はぼさぼさ、体格は星野よりも良いと思うが、その分、腹が出ているし、顔立ちという点では、比較は難しい。善《よ》し悪《あ》しの問題ではなく、面長に細目、薄い眉《まゆ》の星野とは、あまりに対照的なのだ。大きくて四角い顔に眉は太くて濃く、目はぎょろりとしている。鼻筋から口元にかけては意外に繊細そうに見えないこともないのだが、少しでも放っておけばすぐに顔の下半分が髭《ひげ》だらけになる。およそ清潔感という表現からはかけ離れた、ひと言で言えばむさくるしい男だった。しかも、もう四十近いと来ている。よく見れば、髪にもちらほらと白いものが見え隠れし始めている中年男だ。

あれこれと考えていると、しみじみと、あのむさくるしい顔に逢《あ》いたいという気持ちが募ってくる。彼の笑顔を見たい。あの大きな手の温もりを感じたい。馬鹿《ばか》笑いしながら、薄着で行儀悪く過ごしたい――。

「あの店、もう行くのやめような」

ふいに星野が口を開いた。例によって、また話題が飛んでいる。

「この前、行った店さ。雰囲気はまあまあだと思ったんだけど、料理はまずかったもんね」

だったら、あんなに山ほど注文しなければ良かったのだ。お陰で貴子は、翌日一杯、胸焼けしていた。

「せっかく、こっち方面に通ってるんだから、今度はどこか他を開拓しよう。音道さんて、食べ物はどんなものが好きなの」

「好き嫌い、ないんです」

「へえ、何でも食べるの。すごいね」

何もすごいことではない。それよりも星野の好き嫌いの激しさの方がすごいのだと腹の中で毒づきながら、曖昧《あいまい》に頷《うなず》いて見せる。こんなに苛々《いらいら》するのは、もしかすると八つ当たりなのだろうか。悪いのは自分の方なのだろうかという思いが頭をよぎった。

一昨日《おととい》、貴子は昴一の進言通り、極めて愛想の良い友好的な態度で、星野に向かって、関東相和銀行の本店に行ってみたいと申し出た。気になって気になって仕方がないんです。取りあえず、話を聞きに行くことさえ出来れば、それで気が済むと思いますから。

星野は、不思議そうな顔をしていたが、貴子が、「これも勉強ですから」などと哀願する口調で続けると、意外なほどあっさりと、「じゃあ、行こうか」と答えた。それほどまでに気になることならば、「捜査の本筋に集中するためにも」心配事は早く解決した方が良いだろうから、というのが星野の意見だった。

その時は「しめた」と思い、ほくそ笑みたくなるのをこらえるのに必死なほどだった。だが、結果は星野の思惑通り、銀行を出た途端に貴子に向けられた言葉は、「これで気が済んだかい」という程度のものだった。

一般市民としてではなく、警察手帳を提示した上で話を訊《き》きに行っているのに、関東相和銀行の本店では、立川支店と同様に、御子貝春男・睦子の氏名では、取引の記録は一切、残されていないと答えるばかりだった。架空名義口座についても質問をぶつけてはみたのだが、平成二年の大蔵省通達を受け、特に平成四年の「麻薬特例法」施行以降は、本人確認の出来ない場合、口座を開設することは一切出来なくなっているという。それ以前に作られていた可能性のある架空名義口座についても、定期預金などの場合は満期日がきた段階で、すべて解約または名義変更の手続きをとるように各支店に通達を出しており、その結果、この十年近くの間に、大半の架空名義口座は整理されているはずだというのだ。

「その、まだ残っている口座の中に、御子貝夫妻の名前はないんでしょうか」

「それは、お調べいたしかねます。と、申しますよりも、お調べする手だてがないんです。当行といたしましては、架空名義でのお取引はゼロにするようにと通達を出しておりますので、万に一つもどこかの支店に口座が残っていたといたしましても、支店から本店まで、そういう報告は上ってはまいりませんので」

応対していた総務の人間は、あくまでも穏やかな口調で、そう答えるばかりだった。さらに銀行は、あくまでも顧客の財産利益を守る立場にあるから、大蔵省の監察や、国税庁の取り調べでも入ったのでない限りは、それ以上のことは言えないという。たとえ警察が相手であっても、その態度を崩すことは出来ないというのが、銀行の姿勢らしかった。完全に、貴子の負けだった。

「考えようによっちゃあ、頼りになるっていうことだよね。僕らが調べに行っても、絶対に明かさないっていうんだから。悪いことして儲《もう》けてる連中にとっちゃあ、ありがたい銀行だな」

星野は感心したようなことを言っていたが、これで本当に手がかりが途切れたことを考えると、貴子は敗北感を噛《か》みしめると同時に、憂鬱《ゆううつ》になるばかりだった。一体、いつになったら解放されるのだろう。通常、機捜にいるときには、貴子は主に凶悪事件の初動捜査にばかりあたっている。次から次へと新しい事件に向かっていかなければならない慌《あわ》ただしさや、ことの成り行きを最後まで見届けることができないという心残りはあるものの、その毎日は変化に富み、動きも大きい。どんなに憂鬱な事件に対したとしても、すぐに新しく起こる事件が、その気持ちを払拭《ふっしょく》してくれるし、途中でもうやめたと投げ出したくなるようなこともない。だが、同じ刑事でも、一つの事件を追い続けなければならない、しかも何の手がかりも得られず、捜査に進展も見られない状況というものが、こんなに辛《つら》いとは思わなかった。

――誰か、何とかしてくれないだろうか。

他力本願こそ忌《い》むべきものであるということは、警察官になった当時から、ことあるごとに聞かされてきた。誰かが何とかしてくれるのを待つのではなく、常に積極性を忘れずに、使命感を抱き続けて――分かっていたって、出来ないこともある。鼻先にニンジンでもぶら下げてもらわなければ、そうそう走り続けてなど、いられない。

「有力な情報と言えるかどうかは分かりませんが」

ところがその夜の捜査会議で、先日、守島キャップに活を入れられた柳沼主任が報告に立ち上がった。

「四月の上旬、立川競輪場でうまい儲け話があると持ちかけてきた男がいるという話を聞きました。度胸さえあれば、五千万は堅いという話だったそうです。話を持ちかけられた男は、いくら何でもそんなにうまい話があるはずがないと考えて断ったのだそうですが、その後、同じ男が他の人間にも話しかけているのを見かけたということでした」

すっかり澱《よど》んでいた捜査本部の空気が、一瞬のざわめきと共にわずかに動いた。全員が、柳沼主任のごま塩頭に注目している。ずんぐりとした背中を丸めて、普段はかけていない老眼鏡をかけた柳沼主任は、「ええ」と手帳のページをめくって小さく咳《せき》払《ばら》いをした。

「その男は個人タクシーの運転手でして、まあ、仕事よりも競輪の方が好きという、四十八歳ですが、開催地に合わせて立川だけでなく、西武園、京王閣、大宮――ええ、宇都宮、松戸、千葉、花月園に川崎と、ありとあらゆるところまで行っておるそうで、常連というか、自分と同じように方々の競輪場に足を運んでおる人間の顔は、大体は覚えているということでしたが、その話を持ってきた男は、初めて見る顔だったということです。一見、サラリーマン風の三十代後半の男で丸顔、背は低いが、こざっぱりとした印象の、そんな儲け話などを持ちかけてくるようには見えない男だったと」

「背が低いっていうのは、どのくらいだい」

「おおよそですが、百六十センチから六十五センチの間くらい、ということですな。ええ、縁なしの眼鏡をかけて、髪は今どき珍しいほどに後ろを刈り上げていた、と」

柳沼の話を素早くメモに取る。それにしても、という思いが頭に浮かんだとき、守島キャップの声が、「だが」と聞こえた。

「その件と今回の事件とが、どこで、どうつながるんだい」

貴子の思いを、そのまま口にしたような言葉だ。いや、正確に言うなら、どうつなげてくれるのだという思いだった。柳沼主任は老眼鏡を外し、背筋を伸ばして前を向いた。

「今のところ確信はありませんが、何というか、可能性として考えられるのではないか、ということです。ええ、それといいますのも、実は、御子貝春男宅を隈無《くまな》く捜査したところ、台所、居間、その他から、関東相和銀行の粗品が多数、発見されております。ええ、この銀行には、夫婦はどちらの名義でも表向きの口座は開いておらないはずであります。ですが、親戚《しんせき》がおるわけでもなし、銀行の粗品を他人の家に、しかもあのように多数、持ち込む知人がいるとも考えにくいわけでして、事実、新見知美などにも確かめてみましたが、あの家に銀行の粗品などを持ってくる者は、おらんはずだというんですな。もともと、貰《もら》い物の多い家ではあったようで、まあ、商売柄とでもいいますか、それだけに食べ物にしろ何にしろ、地方の名産品であったり、一流の品物であったりという具合で、粗品なんぞという、そんなものを持ってくるような者は、まずおらんかったはずだと。と、いうことは、御子貝夫妻と関東相和銀との間に取り引きがあったと考えるのが妥当かと思われますが、現在のところ、彼ら名義の口座も見つかっておらんわけです。果たしてどれくらいの金が預けられていたか分からん口座が」

胃袋を捻りあげられた気分だった。それにつられるように思わず背中をよじりそうになる。ほら、見たことか。ああ、先を越された。やっぱり目のつけ所は間違っていなかったのだ——様々な思いが一気に噴き出しそうになり、貴子は思わず隣の星野を見た。その視線に気づいたのか、彼はちらりとこちらを見て、例の薄い眉を上下させて見せている。何を涼しい顔をしているのだ、手柄を独り占めしたいと言いながら、きちんと捜査しようともしない、お前のせいではないか。プロ中のプロのくせに。本庁の一課のくせに。はらわたが煮えくり返るとはこういうことを言うのだろう。

——こんな奴《やつ》と組んだんじゃなかったら。あのベテランと組めていれば。

悔しさと苛立《いらだ》ちとで、気がつけば手が固い拳《こぶし》になっていた。頭に血が上って、こめかみの辺りが熱かった。

4

翌日から、捜査員たちは新たに二チームに分かれて捜査活動に入った。一方は、御子貝夫妻の財産、預金などを改めて洗い直し、もう片方は、柳沼主任の報告をもとに、競輪場から手がかりを捜し出す。折しも、立川競輪では今日から三日間が、五月最後の開催日に当たっていた。本部では、その幸運を「風向きが変わってきた」と喜んだ。

この機会を逃したら、他の競輪場を当たるか、または次の開催日まで待たなければならなくなる。畢竟《ひっきょう》、競輪場の捜査の方に、多くの捜査員が投入されることになった。貴子もまた星野と共に、五月晴れの中を立川競輪場へ向かった。

「残念だったね。銀行の方、調べたかっただろう？」

多摩都市モノレールで立川に向かう途中、星野が陽気な声で言う。

「でも、あれかな。かえってよかったかな。また立川支店に行くことになって、前に会った連中と顔を合わせるなんて、ちょっと格好悪いもんな」

しつこいのが刑事だ。一度、駄目だったからといって、そんなにあっさりと引っ込んでいられる場合ばかりではない。

「今日、行ってる奴ら、何か言われるんじゃないかな。『あれ、また来たんですか』とかさ」

いけないと思いながら、ただ相づちをうつ仕草だけでも冷淡になる。貴子は、一人で喋《しゃべ》っている星野の隣で、過去に組んだ相方の誰彼のことを思い出していた。これまでにも、ずい分癖のある刑事と仕事をしてきたが、後から思い出せば、それなりに味わいのある人たちだったと思う。歯ぎしりしたいほどの悔しさを味わわされた相手のことも、今は笑いながら語ることが出来るほどだ。この星野のことも、いつかは笑い話に出来るのだろうか。だったら早く、そうなって欲しい。

もともと機捜の立川分駐所に配属されている貴子にとって、立川競輪場は、いわば縄張りだった。モノレールを立川北で降り、迷うことなく歩き始める。何を話しかけられても貴子が聞き流すばかりだから、さすがの星野も、やがておとなしくなった。

JR立川駅の北東に位置する立川競輪場までは、駅前からバスや乗り合いタクシーも出ているが、歩いても一キロ程度の道のりだから、開催日には人の流れが出来ている。その流れに乗って歩いていけば、やがて小さな遊園地の入り口のような印象のゲート前にたどり着く。今日、貴子はジーパンに薄手の黒いブルゾンという格好をしていた。星野の方も同様にカジュアルな服装だ。どちらも目立たないようにするための工夫だったが、スーツを脱ぎ、ネクタイを締めていないとはいえ、星野の格好は、むしろ学校の先生のような印象を与えた。どちらにしても、きっちり分けた七三の髪が硬い印象を与えることに変わりはない。

途中で競輪新聞を買い、それを片手に丸めて持ちながら、貴子は星野と共に競輪場に入った。今頃は、他の仲間も到着しているはずだったが、紺やベージュのブルゾンなどを羽織って人混みに紛れている仲間たちを識別することは容易ではないようだった。日曜日ということもあって、特別に大きなレースが開催されるわけでもないのに、競輪場はかなり混雑していた。

「思ったほど、臭くないな」

星野がくんくんと鼻を鳴らす。彼の言う「臭さ」というものを、貴子も何となく想像することが出来た。酒と垢《あか》、小便の匂《にお》いが混じり合い、湿った新聞紙などと共に日陰の片隅に降り積もっているような、そんな匂いのことだ。路上で暮らす人々から発せられている匂いとも似通っている。確かに昔のレース場には、競輪場に限らず、そんな匂いがついて回った。一攫千金《いっかくせんきん》を夢見つつ、結局はなけなしの金まで失って、疲労しきったような男たちの、吹き溜《だ》まりのような印象だった。

トラックを音もなく数台の自転車が駆け抜けていく。場内は意外なほど静かだった。競輪場の観客は、まだまだ競馬場に集まる人々とは雰囲気を異にしていて、家族連れやカップルなどはほとんど見かけない。やがてジャンが鳴った。その途端、遠目にも自転車のスピードが上がったのが分かる。観客席の方々から歓声とかけ声が上がり始めた。最後の一周半に賭《か》けて、男たちの濁声《だみごえ》が響く。つい興味をそそられるような熱気が観客席一杯に盛り上がってきたかと思うと、だが次の瞬間、その声はすぐにため息に取って代わり、辺りには小さなざわめきだけが残った。音もなく駆け抜ける自転車のレースは、競馬や、ましてやエンジン音の響くオートレース、競艇などとは異なり、いかにも静かに、粛々と進行していく印象がある。

捜すのは三十代後半の小柄な男。丸顔、眼鏡、刈り上げ頭。全体の印象としてはこざっぱりしており、一見サラリーマン風ということだ。それ以上の特徴も分からず、しかもこれだけの人混みの中で、いるかどうかも分からない男を捜し出すのは至難の業に思われる。だが、そんな微《かす》かな手がかりでさえ、今は何としてでも手繰り寄せたい時だった。

それに、疲れた、または弛《し》緩《かん》した表情の、服も何もくたびれた印象の男たちが溢《あふ》れる中で、小柄でもこざっぱりしてキビキビと動く男がいれば、それはそれで目立つかも知れない。

貴子たちを含めて捜査員たちは、予め《あらかじ》配置される場所を決められていた。一般席は勿論《もちろん》、車券を発売する窓口のところどころや払い戻し窓口、食堂からロイヤルシートまで、くまなく目を光らせる。貴子も星野と二人で、二階にある食堂を見張ることになっていた。

「取りあえず、何か食う？　僕、朝飯まだなんだ」

「私、ここにいます」

食堂の入り口近くにはベンチが並び、レースの模様を映し出すモニターの置かれた空間があった。貴子はそこで立ち止まり、首を振った。

「私は朝食、済ませてきていますから。ここで、人の出入りを見ています」

本当は嘘《うそ》だった。今朝も寝坊をして、野菜ジュースさえ飲んでいない。カジュアルな服装で出勤出来た分、身支度に時間をかけずに済んだので、危うく遅刻を免れたくらいだ。だが星野に、貴子の嘘など見抜けるはずがない。彼はあっさりと納得し、すたすたと食堂に入っていった。

女性の姿は少なかった。男性の、しかも中高年が目につく。モニター前に集まっている人々の集団を眺めていると、ちょうど病院の待合室のような風情《ふぜい》ですらある。競輪ファンの男たちは、誰もが背中を丸め気味にして、互いに言葉を交わすこともなく、静かに、淡々とモニターを眺めている。疲れ。諦《あきら》め。はかない望み。そんなものを、それぞれが自分のうちに溜めながら、ひっそりと同じ方向を眺めている男たちの集団は、いかにも物哀《ものがな》しく見える。

半ばぼんやりとしているようでも、身長の低さを肝に銘じていれば、頭の位置が人よりも低い人間にだけ、目がとまる。五十代。七十代。駄目。違う。白髪頭。聞いていない。人の流れは絶えることがなく、ひっきりなしに出入りを繰り返していた。時折、食堂の奥の星野の様子を窺《うかが》いながら、貴子は読み方も分からない競輪新聞を片手に、人待ち顔を装《よそお》って、瞳《ひとみ》だけを忙しく動かしていた。

大半の人間よりもかなり低い位置に黒々した髪が見えた。一瞬どきりとして、目を凝らす。ゆらゆらと、人混みの中を漂うように見える髪を見失うまいと、貴子は立ち位置を移動した。ところが、前をふさいでいた人がいなくなったと思ったら、スカート姿が目に入った。

——女。

やはり競輪場に来る女性もいるのだ。自分が好きだからか、または男に誘われてか。ちょうど、貴子が立っている場所を横切るように行き過ぎるその女性を、貴子は何気なく眺めていた。チェックの地味なスカート。グレーとピンクの中間のような色合いの、やはり地味なニットを着ている。肩から臙脂色《えんじいろ》のショルダーバッグを提げて、両手に一つずつ紙コップを持って。やはり、連れがいるらしい。こんな場所でデートする人もいるのかと思いながら、ふと昴一のことを思う。

彼は、貴子に休みがないお陰で、最近は仕事がはかどって仕方がないと言っていた。自分一人が休んでいるのも、何となく気がひけてなと、電話口で笑っていた。そういえば、彼はギャンブルはやらないのだろうか。聞いたことがない。まだまだ、知らないことがたくさんある。彼の存在を大切にしたいと思えば思うほど、ある意味で臆病《おくびよう》にもなっているのだ。急いで何でも知りたがり、理解したつもりになるのが怖かった。

——気が長くなった。

少し前なら、結論を急ぎたがったと思うのに。こと昂一に関しては、貴子は自分でも驚くほどに気が長くなった。時間をかけて、ゆっくりと二人の関係を築いていきたいと思っている。

つい、そんなことを考えていたとき、貴子の前を通り過ぎようとしていた女性が、連れを探すような様子で辺りを見回した。その顔を見て、貴子はおや、と思った。どこかで見たことがある。年齢は三十代の後半から四十歳くらい。身長は一メートル五十五センチ前後。記憶の中のファイルが猛然と心当たりを探し始める。間違いない、絶対にどこかで会っている。会って、言葉を交わしたことがある。

——誰。どこで会った。

思い出せないと気持ちが悪い。焦《あせ》りと苛立ちのようなものを感じながら、懸命に記憶をたぐっている間に、その女性は貴子の視界から消えようとしていた。首を巡らしてやっとその後ろ姿を見つめていると、彼女は、また一度立ち止まって、振り返った。両手に紙コップを持ったまま、口元をわずかに開いて、いかにも頼りなげに周囲を見回している。ひそめられた細い眉《まゆ》。少し眠たげに見える一重瞼《まぶた》。卵形の、目立たない輪郭。

——何で、私ばっかり。

耳の奥の方で、鼻をすりながら呟《つぶや》く声が蘇《よみがえ》った。その声と、人混みの中に見える顔とを見比べて、貴子はようやく胸のつかえが降りるのを感じた。思い出した。あの時の。

「お待ちどう。どうだい、それらしいのは」

ふいに隣から星野の声がした。貴子はわずかに振り返り、小さく首を振って見せた。それでも、目線は視界から消えようとしている女を追っている。妙な懐《なつ》かしさが、胸の底から湧《わ》き起こっていた。

「何、誰見てるの」

「知ってる人が、いたんです」

「知り合い？　どこ」

星野は貴子の隣に立って、貴子と同じ方向を見ようとする。貴子は、女性の服装を説明した。

「中田加恵子って言って」

自分でも意外なほどにすらすらと名前が出た。そう、中田加恵子。何年前だったか、貴子が機捜に配属されてすぐに出会った、事件の被害者だ。初めて会ったとき、彼女のあの顔は大きく腫《は》れて、痣《あざ》が出来ていた。歯は折られ、いくらハンカチで押さえても、口元から血が流れていた。

「看護婦さんなんです。色々、苦労しているみたいで、可哀想《かわいそう》な人でした」

彼女の姿が人混みに紛れた段階で、貴子の視線は再び他の男たちに向けられた。星野も貴子の隣に立ち、さり気なく競輪新聞を開く。

「気になってたんです、結構、長い間」

　せっかく蘇った記憶の断片を、そのまま意識の外に追いやるのが惜しい気がして、貴子は、目では小柄な三十代の男を捜し求めながら、口を動かし続けた。

「お父さんは病気で寝たきりだし、御主人は仕事に失敗して借金を抱えて、一人で家族の生活を支えてる人でした」

「で、事件は何だったの」

「ひったくりです。看護婦以外にアルバイトもしていて、夜中、その帰りに」

　通報を受けて真っ先に駆けつけたのが貴子たちだった。当時、貴子は毎日が緊張の連続で、目まぐるしく起こる事件の数々は未消化なまま自分の中に残るばかり、自分が何をやっているのかもよく分からないような日々を送っていた。興奮を抑えきれずに感情をぶつけてくる人々のエネルギーは恐ろしく感じられるばかりだったし、欲望に流され、一時の激情に翻弄《ほんろう》されて、いとも容易《たやす》く道を踏み外してしまう人の多さにも驚き、そして、絶望的な気分にさせられた。

事件が起きる。加害者がいる。その一方には、必ず被害者が存在した。酔った勢いなどで、加害者にならなかった代わりに被害者になる者も少なくはない。よくよく事情を聞いてみれば、なるべくしてなったという被害者だって、いなかったわけではない。だが、多くの被害者は、自分の身に起きたことを怒り、嘆く気力さえ失うほど無防備な、ただ平凡な日々を歩んでいた人たちばかりだ。ことにレイプや通り魔、ひったくりなどの事件の被害者は、まさしくいわれのない犯罪に、明確な理由もなく巻き込まれた、犠牲者以外の何ものでもなかった。あの中田加恵子という女性は、そんな被害者の一人だった。

「結構、面倒見たりしたんだ」

「面倒なんて。ただ、怪我《けが》もしていましたし、とにかく気の毒で」

盗まれたのは三万円ほどだった。それだけでも、当時の彼女にとっては大変な金額だったのだ。その上、ひったくられたバッグには、他にも大切な物が入っていたのだと、確か、彼女はそんなことを言っていたと思う。一枚の写真だという話だったが、何の写真かは、彼女は語ろうとしなかった。

「顔をこんなに腫らして、泣いてました。自分ばっかりが、どうしてこんな目に遭うんだろうって」

「いるんだよな、何だかついてない人って」

そのひと言を聞いて、相手が星野だったことを思い出した。貴子は自分が喋りすぎたことに気づき、内心で後悔の舌打ちでもしたい気分になりながら、人の波を眺めていた。夏を思わせるような空の下で、音もなく走る自転車に夢を賭ける人々の群は、どこかひんやりと、はかなく見える。

――でも、こんなところに来られるくらいなんだもの。多少は余裕が出来たのかも知れない。

頭の片隅では、まだ中田加恵子のことを考えていた。今日は仕事は休みなのだろうか。曜日に関係なく、頼まれれば同僚と交代してまで働き続けていると言っていた人だった。その上、明け番の日にはコンビニエンスストアーでもアルバイトをしていた。本当はスナックなどで働いた方が実入りが良いのだが、夫が許してくれないのだと言っていたと思う。休日に、こうして競輪に来られるくらいなら結構な話だ。すると、連れは彼女の夫だろうか。

「おい、あれは」

ふいに星野に腕を突っつかれた。貴子は素早く周囲を見渡し、人混みの中に際《きわ》だって小柄な男を見つけた。確かに三十代には見える。だが、あまり手入れしている感じのしない頭髪はかなり薄いし、全体にくたびれた感じの、小太りの男だ。

「ちょっと、違う感じですね」

だぶだぶのズボンにアイボリーのブルゾン姿の男は、弛緩した顔つきでオッズの出ている電光掲示板を眺めている。眼鏡はかけていなかった。

「ちょっと、話しかけてみるか。口調で分かるかも知れない」

星野は歩き出したところでくるりとこちらを振り返る。そして、貴子には「ここにいて」と言った。

「アベックだと、向こうは面白くないかも知れないからさ」

そうだろうか。アベックに見えた方が警戒されないのではないかと思う。だが星野は、にっこりと笑いながら頷《うなず》いてみせる。

「あんなヤツに、僕らのことを見せつけることもないだろう？」

それだけ言うと、星野は身軽な様子で行ってしまった。僕ら？　貴子は、その後ろ姿を眺めながら、心の中に、奇妙にざらつく違和感が広がっていくのを感じていた。

5

ドアを開けるなり、陽気な笑い声が響いてきた。滝沢は思わず立ち止まり、顎《あご》を引いて笑いの主を見つめた。ブラインド越しに、昼下がりの陽が射《さ》し込んでくる部屋だった。日頃は所轄《しょかつ》署員が小さな会議や仕事の後のちょっとした宴会に使用する部屋でもある。取調室を使っていないのは、こちらの温情だ。

「何が、おかしい」

押し殺した声を出した途端、上着の袖《そで》が引っ張られた。振り返ると、背後からついてきた女刑事が小さく首を振っている。どういう意味だ。うるせえ女だ。滝沢は知らん顔をして、部屋に足を踏み入れた。

相手は明るい陽を背中に受けながら、会議用のテーブルに向かって座っている。顔が暗く見えるのは、決して逆光のせいではない。最初から真夏の浜辺で昼寝でもしたかのように黒いのだ。目の縁と唇は、浜辺で転んで砂でもついたかのように白く、髪の毛もまた、りんご箱の詰め物のように、白茶けてぱさついている。詰め物というのが悪けりゃあ、庭に放置して雨ざらしになった箒《ほうき》のようだ。

少女は、パイプ椅子《いす》に浅く腰掛け、その箒頭を指先で撫《な》でている。真っ黄色い地に白い水玉模様という長い爪《つめ》が、ひらひらと動いた。テーブルの下には、パンツまで見えそうな短い丈のスカートからにょっきりとした足が投げ出されていて、冬でもないのにブーツを履いている。花魁《おいらん》道中のような、ぽっくり型の厚底ブーツだ。

「何が、おかしいんだ、ああ？」

パイプ椅子の一つを引きずり、滝沢はテーブルを挟んで少女のはす向かいに腰を下ろした。後ろからついてきた女刑事も、滝沢たちと三角形になるような位置に陣取っている。確か平嶋といったと思う。長い髪を後ろで一つにひっつめていて、縁なしの眼鏡をかけた、いかにも女史といった雰囲気の刑事だ。

「べつに」

少女の白い唇が動いた。

「べつにってこたあ、ねえだろう。おかしくもないのに、笑うのかい」

テーブルに片肘《かたひじ》をつき、わずかに顔を傾けて、滝沢は改めて少女を見つめた。黒、水色、白。それに何だか光ってる色。こんなに塗りたくられていては、本当の表情など分かりようがない。

「べつに——また違う人がきたのかと思っただけ」

少女は白い唇をわずかに尖《とが》らせて、何だか重たそうに見える目を伏せる。

「そうさ。また違う人がきたんだ。さっきの刑事さんに、お姉ちゃんがちゃんと喋《しゃべ》らないからさ、頭が痛くなっちまったんだと」

少女は上目遣いにこちらを見て、また笑った。大きな前歯を見せて、いかにも楽しげに手を叩《たた》いている。何がそんなに楽しいのか、滝沢の発言のどこがおかしいのか、まるで分からなかった。これでは、柴田係長が頭を抱えるわけだ。

——滝さん、頼むわ。あんた、同じような年頃の娘さん、いただろう？ 俺には、もうさっぱりだわ。埒《らち》が明かねえや。

ついさっきまで少女の相手をしていた係長は、寝不足も手伝っているのだろうが、心底疲れ果てた、げんなりした表情で言った。

小田えりか。十七歳。高校中退後、現在はフリーターだという。少女は五日前から行方不明になっていた。家族によって警察に届け出があったのは二日前のことだ。それまでの三日間はどうしていたのかと尋ねると、少女の両親は、娘の外泊は珍しいことではなかったので、別段、心配はしていなかったと答えた。その状況が変わったのは二日前、一本の電話がかかってきたことによる。男の声で娘を預かっていると言い、身代金として五百万円を用意しろというものだった。さもなければ娘の生命《いのち》はないと言われて、少女の両親は初めて慌《あわ》てふためき、警察に通報した。

蓋《ふた》を開けてみれば、どうということはない。少女が男友達——とはいっても一週間ほど前に渋谷で知り合ったばかりの男だ——と結託して、自分の親から一儲《ひともう》けしようと企《たくら》んでいたのだった。身代金の受け渡し場所に現れた二十一歳の男を問いつめると、その男はあっさりと仲間の名前を口にし、また別の男のアパートにひそんでいた少女と主犯格の男はあっという間に身柄を確保された。

「それで話の続きだがね」

「ええ、またあ？」

「またあ、だ。こっちだって、とっとと済ませちまいたいんだよ」

「じゃあ、済ませりゃ、いいじゃんよ」

何という口のきき方をするのだろうか。自分の立場というものが、まったく分かっていない。

「ねえ、もう帰っちゃ駄目なわけ？　私、別に何もしてないじゃん」

「してないこたあ、ないだろう。あの、北畠《きたばたけ》って男と一緒になって、誘拐事件をでっちあげようとしたんだぞ」

「でも、やったのはあいつじゃん。脅迫電話だって、あいつが勝手にかけたんじゃんか」

　えりかは細い眉《まゆ》を寄せ、白い唇を尖らせて、身を乗り出してくる。薄手のニット地の洋服は胸元が大きくくれていて、胸の谷間がはっきりと見えた。十七歳、か。立派なものだ。

「私は、被害者なんだよ。それが、どうしてこんなに何時間も話を聞かれなきゃなんないわけよ」

「被害者だ？　冗談言ってるんじゃ、ねえ！」

　思わずテーブルを拳《こぶし》で叩いた。えりかは目張りだらけの瞳《ひとみ》を大きく見開いて、「怖え」と呟《つぶや》いている。

「超ビビるじゃんよ。怒鳴ること、ないじゃん」

　苛々《いらいら》が募ってくる。こんな小娘のために、ほとんど一睡もせずに過ごした二日間を思うと、馬鹿馬鹿《ばかばか》しさにその辺の物でも蹴散《けち》らしたい気分だ。大の大人が何人も、こんなクソガキに振り回された。無駄足を喜ぶべきだと分かっていても、どうにも腹の虫がおさまりそうにない。その時、隣の平嶋が「あのね」と口を開いた。

「怖がらせるつもりは、ないから。よく聞いて。いい？　私たちが聞きたいのは、どうして、こんなことをしたのっていうことなの」

「だから、何度も言ってんじゃん。私は別に、どっちでもよかったって」

「でも、あなた、北畠っていう人が電話するの、黙って見てたんでしょう？　自分のご両親に脅迫電話をかけるところを」

「見てたっていうか、まあ、目の前でかけたから」

「どうして、とめなかったの？」

「だって、電話するのはあっちの勝手じゃん」

「どう思って見てたの」

「へえ、私って五百万程度の値打ちかって」

えりかは、心持ち顎をあげ、つまらなそうな声を出す。

「そんな電話をもらって、ご両親がどういう気持ちになられたか、考えないの？」

「まあ、困るだろうね。そんな金、うちにはないもん」

「そういう問題じゃなくて、娘が誘拐されたなんて聞いて、平気でいられる親がいると思うのかって聞いてるの」

「知らない。あの人たちに聞けば」

まさしく取りつく島がない。平嶋刑事は硬い表情をますます厳しくして「あなたね」と言った。

「だいたい、知り合って一週間しかたたない男性と、そんなことを計画するなんて、どういう神経？」

「時間なんて、関係ないじゃん」

「ないこと、ないでしょう。どうやって知り合ったの」

「だから言ったじゃん、ナンパ」

「ナンパされて、ついていって――」

「違うって、こっちがナンパしたの。ちょっと美味《おい》しそうなヤツだなと思ったから。こりゃ、うつっきゃないかなと思ってさ」

「うつ？」

「ヤるってこと」

平嶋刑事の唇から「信じられない」という呟きが洩《も》れた。

「いい？　あなた、女の子なのよ。それが、うつだのヤるだのって。それに、あなた方が隠れ場所にしていたマンションだって、よく知りもしない人の部屋なんでしょう？　どうして、そんな人のところにすぐに行くの。もしも危険なことになったら、どうするつもり？　本当に取り返しのつかないことになることだって、あるのよ」

少女の唇に、微《かす》かな冷笑が浮かんだ。滝沢は、ムキになっているらしい女刑事を冷ややかな思いで眺めていた。同じ女とはいえ、まったく別の生き物みたいだ。こういう刑事に、こんな娘っこの心情など、理解できるはずがない。そして、自分を真っ向から否定するような相手に、少女が心を打ち明けるはずもなかった。

「なあ、ちょっと聞いてもいいかい。これまでに、何人くらいの男とやってる」

話の方向を変えてみた。少女は平然とした表情で、五、六十人と答えた。滝沢は、いかにも面白そうに、少女の日頃の生活を尋ねていった。どんな基準で、そういう男たちを選ぶのか。知り合ってどの程度で関係を結ぶのか。親は知っているのか。初体験はいつか。

「おじさんも、結構、好き者?」

「俺か? まあ、お姉ちゃんみてえなのは、勘弁だな。その化粧を見ちまったら、立つもんも立たねえ」

また少女の笑い声が響いた。両手を叩きながら身体《からだ》を前後に揺らして、小田えりかは心から楽しそうに笑った。そして、自分の方でも、滝沢のような「親父《おやじ》」と寝る気はないと言った。滝沢はなるほど、なるほどと頷いて見せ、「うっきゃない」と思われる男のタイプを聞いたり、性行為の上手下手を尋ねたりしてみた。こんな話を自分の娘と同い年の少女とするとは思わなかった。だが、あっけらかんと喋る少女を見ていると、呆《あき》れるよりも先に、徐々に哀れさがこみ上げてくる。こんな少女にだって、赤いランドセルを揺らして学校に通った時代があったはずだ。七五三のときには可愛《かわい》い服も着せてもらったに違いない。それが、いつ、どういうきっかけで、こんな風になってしまったのだろうか。

「え、じゃあ、じゃあ、おじさんの好みってどんなの」

「俺かい。そうだなあ、色が白くてな、和服が似合って」

少女は楽しそうに笑っている。滝沢も一緒に笑って見せた。

「でも、やっぱ、若い方がいいでしょう？」

「そうでもないさ。自分のガキみたいな娘とヤる気には、なれんからな。俺はやっぱり熟女の方がいいかなあ。おっぱいも多少垂れ気味のな」

そんな雑談を二十分ほども続けた後で、滝沢は「でなあ」とえりかを見た。平嶋が隣で苛立っている。いい気味だ。

「もしも五百万、本当に手に入ったら、どうするつもりだったんだい」

少女は「ええ？」と言いながら、また箒頭をいじりまわし、男と山分けにするつもりだったと言った。

「山分けなあ。てこたあ、なあ、お姉ちゃんも共犯者ってことになるんだぞ。分かるか？」

「だから、なんでそうなるのよ。何度も言うけどさ、あいつが勝手にやったことじゃん。ただ、あいつが手に入れた金をどう使おうと、それはあいつの勝手なんだから、私に半分くれるって言えば、もらって何が悪いわけ？　それが犯罪？」

分かったような分からないような理屈だ。柴田係長でなくとも頭を抱えたくなる。この少女から欠落しているものとは、一体何なのだろうか。知識か、情緒か、何か他のものか——。

「じゃあ、だ。さしあたって、な、たとえば本当に金が入ったとして、何に使うつもりだった」

「そりゃあ、色々だけどさ——」

「今、フリーターなんだよな。うちから小遣いももらってないんだろう？　そういう格好するのにも、あれこれ金がかかんの、どうしてる」

「まあね、バイトとかさ」

「それだけで、足りてるのかい。売春でも、してるのか」

「してないよ！　そんなダサいこと、するわけないじゃん。私らみたいなのはね、援交とか、しないの。売りなんてやってるのは、髪の毛黒くて、顔も白くて、一見可愛い感じの子なんだって」

へえ、と頷《うなず》きながら、思わず次女の顔が思い浮かんでいた。篝頭にも、照り焼きみたいな顔色にもなっていないが、もしかして、そういう娘に限って、女を売り物にしている可能性もあるということなのだろうか。まさかとは思う。思うが、にわかに不安になってきた。

「普通に見える子が、援助交際すんのか」

「そうだよ。私らは、金なんかもらわないの。うちたいヤツとうつってだけ」

「避妊とか、してんだろうな」

「するわけ、ないじゃん。気持ちよくないもん」

「妊娠しちまうじゃないか」

その途端、少女の表情がわずかに硬くなった。口を噤《つぐ》み、つまらなそうな膨れ面《つら》になってうつむいてしまう。

「してんのか、今」

篝頭が前後に小さく揺れた。隣で平嶋がため息をついたのが分かった。

「北畠の子ってわきゃ、ねえやな。知り合って一週間じゃなあ。相手は」

今度は嫌々をするように首を振る。父親が誰かは分からない。彼氏かも知れないし、他の男かも知れない。少女は、さっきまでよりは元気のない様子で、これが二度目の妊娠なのだとも言った。

「で、堕《お》ろす金が欲しかった、か。それにしちゃあ、山分けしても二百五十万てえのは、ちょっと欲張り過ぎなんじゃ、ねえか？」

「——他にも、色々かかるしさ」

「他に？　あと、なんだい」

小田えりかは、またにっこりと笑って、性病にかかっているのだと言った。クラミジアの治療をしている。一度、治したつもりだったのだが、またどこかで移されてしまったのだそうだ。隣の平嶋の顔に、露骨な嫌悪《けんお》の表情が浮かんだ。あからさまに不潔なものを見ている顔つきになっている。そういう顔、するなっていうんだ。やっと正直に話し始めたのに。

「病気しながら、妊娠か、忙しいこったな」

少女は「本当だよね」とまた笑う。笑っていなければ、やっていられないのかも知れない。泣く代わり、怒る代わりにただ笑う。それでもバレそうだから、顔を焼き、色々な色で塗りたくる——そんなところなのではないだろうか。

「まあ、しょうがないよね。自分のせいだから」

「可哀想《かわいそう》になあ。身体、ボロボロじゃねえか」

一瞬、少女の顔から表情が消えた。

「お姉ちゃんが、おじさんの娘だったらな、一発くらいひっぱたいて、その後、縛りつけてでも、その化粧を落とさせて、病院に引きずってってくけどな」

つけまつげの目を伏せて、少女はまた白い唇を尖《とが》らせている。

「親としちゃあさ、特に父親ってもんはな、自分の娘は嫁に行くまで処女だと思い込みたいもんなんだよ。それで、ちゃんとした年頃になったら、内心では面白くなくてもな、可愛い嫁さんになってもらいたいと思うもんなんだ。で、皆に喜ばれる赤ん坊を無事に生んでもらってさ、なあ。それが、お姉ちゃんくらいの年で何十人もの男と寝てて、妊娠して、性病にかかって、なんて知ったら、血圧が上がってひっくりかえっちまう。大事な娘が、そんなにボロボロになってるなんて知ったら、哀《かな》しくて、娘が可哀想で、どうしようもなくなる。だからちょっとぐらい痛い思いさせてでもな、それくらいのことは、するなあ」

「――おじさんの子、幸せだね」

少女が小さく呟いた。同時に、真っ黒い目張りの隙間《すきま》から、透明の滴《しずく》がぽとりとテーブルに落ちた。滝沢は、半ば恐る恐る、少女の箒頭に手を伸ばした。ばりばり、かさかさの乾いた感触。その頭を揺らしながら、「よその子だって、心配なんだぞ」と言ってみる。我ながら、少しばかり芝居がかっていると思う。だが、さほど嘘《うそ》というわけでもない。こんな馬鹿娘でも、死体で見つかるよりはましだった。

「やっぱり、ちょっとは親を困らせてやろうって気が、あったんじゃねえかなあ。心配して欲しかったんだよな」

言葉を続けるうち、少女の肩が小刻みに震え始めた。それからしばらくして、少女は自分から偽装誘拐の話を持ち出したこと、彼氏は面倒には巻き込みたくなかったので、行きずりのような相手を選んだことなどを、ぽつり、ぽつりと話し始めた。

「あんたなあ」

長時間にわたる聴取を終えて、ようやく部屋を出ると、滝沢は自分も疲れた表情で首を回している女刑事を睨《にら》みつけた。

「教師みたいな説教して、どうすんだよ」

ひっつめ頭の平嶋は、気の強そうな顔で怪訝《けげん》そうにこちらを見る。一皮むいたら、さっきの娘っこの方がよほど扱いやすいかも知れない。

「あんな連中は、説教なら耳にタコが出来るくらい、聞いてきてるんだよ。腹を割って話させたいと思ったら、偉そうなこと言ったって、駄目なんだよ」

一瞬、冷水でも浴びせかけられたように、平嶋の顔が色を失った。眼鏡の向こうの一重瞼《まぶた》の目が大きく見開かれ、唇が「でも」と動きかける。

「おまけに、あんな、クソでも見るみたいな顔つきして。あんな格好してても、相手は人間だぞ」

女性の取り調べの場合、万一に備えて女性の警察官が同席しなければならないのは分かっている。だが、もう少し気の利《き》いた女を寄越してもらわなければ、何の役にも立ちはしないではないか。

――まだ、あいつの方がよかったな。

ふと以前、本部事件で相方になった女刑事のことを思い出した。音道貴子。何を考えているか分からない、妙に頑張り屋の女だった。鼻っ柱が強そうで、おまけに滝沢よりも背が高くて。だが、あいつはあいつで、良いところもあった。

「私は正論を言ったまでで――」

歩き始めた滝沢を追いかけてきて、平嶋が食い下がってくる。正論を言うのが刑事の仕事かよ、と腹の中で毒づきながら、滝沢は思い切りあくびをしていた。

6

その日は日曜日ということもあって、銀行を捜査する班はほとんど身動きがとれなかったし、競輪場担当の班の方も、それらしい人物を捜し出すことは出来なかったから、本部設置以来初めてといって良いほど早く、午後七時過ぎには捜査会議も切り上げられた。

「明日からは新しい一週間が始まる。これまでの毎日を無駄にせず、さらに、必ずや新しい局面を迎えることを誓って、今日は一つ、日頃の憂《う》さを晴らしてもらって、それが済んだら早めに帰るとしよう。本当に休めるのは、容疑者を逮捕してからだ。一日も早く、その日を迎えられるようにな」

守島キャップの締めくくりの言葉に、ほっとした雰囲気が捜査員たちの間に広がった。武蔵村山署長名や刑事部長名、管理官の名前などでビールや日本酒が差し入れされ、武蔵村山署員からは、大鍋《おおなべ》いっぱいの自家製モツ煮込みが届けられた。捜査本部を抱えた場合、所轄《しょかつ》署も色々と苦労が多い。捜査員たちの弁当や寝具の手配もしなければならないし、マスコミ対策も講じなければならない。署内に独特の活気が生まれることは確かだが、出来ることなら一日も早く事件を解決して、お引き取り願いたいというのが正直なところのはずだ。

捜査本部は素早くにわか宴会場へと様相を変える。椅子《いす》とテーブルを移動させて、甲斐甲斐《かいがい》しく立ち働く捜査員たちを尻目《しりめ》に、貴子は外の廊下に出ると、人気のない片隅から昂一に電話を入れた。お願いだから電波の届く場所にいて欲しい、電源を切っていないでと心の中で呟《つぶや》いている間に、いつもの野太い声が聞こえてきた。貴子が「もしもし」と言っただけで、「よう、どうした」と快活な返事が返ってくる。

「珍しく早く終わったの。あと二十分くらいで出られるんだけど」

周囲に気を配りながら、わずかに声をひそめて言うと、だが、昂一の返事は「今日か」というものだった。

「これからクライアントと会わなきゃいけないんだ。今、向かってるところでさ」

「その後で、きっと飲むことになるだろうから」

「時間、かかるの？」

「――そうなんだ。じゃあ、無理ね」

「ごめんな。分かってたら仕事なんか入れなかったんだけどなあ。何だ、解決？」

「とんでもない。中休みっていうところ」

「畜生、まいったな。今さら、キャンセルも出来ないし」

「いいのよ。しょうがないもの」

これまでだって、昂一は常に、貴子の都合に合わせてくれてきた。職種が違うのだから仕方がないにしても、貴子から昂一の都合に合わせたことはまったくといって良いほどない。だが、彼にだって都合がある。突然、会いたいと言い出したところで、こんなことがあっても仕方がない。

「じゃあ、諦《あきら》めるとするか」

「だな。それより、疲れてるんだろう？　せっかく早く帰れるんなら、少しはゆっくり休めよ」

「これから、カイシャで少し飲んでから」

「例によって、か。飲み過ぎるなよ」

「分からない。自棄《やけ》酒、飲んでやる。会えると思ったのに」

携帯電話同士の会話は、電波が不安定なのか、時折、昂一の声が途切れて聞こえる。その途切れ途切れの声で、彼は自分も残念だという意味のことを言った。

「俺も、あんまり遅くないようだったら電話するからさ」

最後の言葉を聞き、出来るだけ快活な声で「分かった」と答えてから、貴子はのろのろと電話を切った。ため息。身勝手と分かっていても落胆は大きい。リフレッシュするなら、彼に会うのが一番だと思っていたのに。

「用は済んだ?」

ふいに背後から話しかけられた。ぎょっとなって振り向くと、星野がズボンのポケットに片手を突っ込んだ格好で、小首を傾《かし》げて立っている。急いで取り繕う笑みを浮かべ、貴子は携帯電話をバッグにしまった。

「何、友だちと待ち合わせでもしてたの」

小さな目が自分を見据えている。そんなこと、どうだって良いじゃないの、あなたには関係ないと言えないのが悔しい。「まさか」と答えるのがせいぜいだ。

「この仕事してて、約束なんか出来ません」

星野は薄く微笑《ほほえ》みながら「本当だよな」と頷く。そして、すっと一歩近づいて来ると、本部室での宴会は早く切り上げて、どこか落ち着く店で飲まないかと言った。またか。嫌悪感が顔に出てしまう前に、貴子は「でも」と口を開いた。

「下手に目立っても困りますし」

「下手に目立つって?」

怪訝そうに首を傾げる星野を見上げて、貴子は、自分たちがどういうつもりでも、周囲は男同士のつき合いのようには見てくれないだろうからと答えた。その途端、星野は必要以上に快活な声を上げて笑った。

「そんなこと、気にするんだ。へえ」

「勿論《もちろん》です。変に誤解を受けて、星野さんにご迷惑をおかけするのも嫌ですし」

「こそこそ出て行くから、かえって目立つんだよ。適当なところで僕が芝居うつから、それに合わせてよ、ね。折り入って話したいことがあるんだ」

「でも、たまには早く帰ろうかなと――」

「そうだな、三、四十分。雰囲気がほぐれてきた頃、声かけるよ。いいね」

それだけ言って、星野は離れていった。勝手な奴《やつ》。どうしていつも、人の話を最後まで聞かないのだろうか。

――折り入って話したいこと？

一体、何の用なのだろうかと、貴子はその後ろ姿を眺めながら思いを巡らせた。今日は一日中、競輪場で過ごしただけなのだから、特に検証すべきことはなかったと思う。すると、明日以降のことについてだろうか。また、捜査会議に上げないような「手持ちの札」についての話だろうか。

――面倒臭い。

ひたすら手がかりを求めて、犯人までたどり着くだけで精一杯だと思うのに、どうして余計なことまで考えて、物事を複雑にするのだろう。そんな腹芸ばかりを覚えるから、世の中はますます分かりにくくなる。

「ああ、忘れてた。音道さん、ちょっと」

予定通り、星野が貴子を呼んだのは、それからきっちり四十分後のことだ。他の捜査員たちの雑談の輪に加わっていた貴子は、いくら酒を飲んでも顔に出ない体質らしい星野を振り返って、わざとその場から「何でしょう」と答えた。二人の距離は二、三メートル。周囲の人たちにも会話は聞こえる。

「ちょっと、忘れてたことがあるんだ。いいかな」

それでも貴子は動かなかった。他の仲間たちと飲んでいたいという態度を強調するためだ。

「星野、今夜はもう、やめとけよ」

案の定、先輩刑事の一人が声をかけてくれる。貴子は、にっこりと微笑んで声の主を見た。そうよねえ。用があるんなら、ここで言えばいいじゃないねえ。

「それも、そうなんですけど。とにかく音道さん」

だが星野は、先輩の言葉に耳を貸すつもりなど毛頭ないらしく、頑《かたく》なに貴子を手招きする。子どもでもあるまいし、ここで「いや」と言うわけにはいかなかった。貴子は必要以上に仕方がないという表情を作ってから、人の輪から離れた。わざと深刻そうな顔をしている星野は、「そろそろ、出るよ」と、囁《ささや》きかけてくる。

「本当に、今日じゃないとまずいんですか」

貴子は片手にグラスを持ったまま、うつむきがちに呟いた。星野の顔を見たくないということもあったが、密談をしている風を装《よそお》ってもいる。ああ、いつも嫌なことの片棒を担《かつ》がされる。

「言ったろう？　折り入って話があるって。だから、行こう」

頷《うなず》くしかなかった。貴子は仕方なく帰り支度をし、先輩たちに、先に帰る非礼を詫《わ》びて回った。

「何だよ、まだ頑張るの」

「あ、分かった。お前ら何か摑《つか》んでるな」

先輩たちは、決して不快そうな顔はしなかった代わり、半ば冷やかすような表情で貴子を見る。

「私にも、よく分からないんです。でも、星野警部補がそう仰《おつしや》るものですから」

「手柄を独り占めなんて、やめてくれよ。もしかして、もうホシの目星はついてますとかさ」

四十前後の刑事が、試すような目つきで言った。貴子は大袈裟《おおげさ》に驚いて見せ、「当たり前です」と大きく頷いた。

「私、こそこそするの嫌いですから」

刑事たちの笑顔と「お疲れ」の声に送られて部屋を出ると、一足先に外に出ていた星野が、にやりと笑ってから歩き始める。

「なかなか上手じゃない」

「何が、ですか」

「芝居。いかにも仕方なさそうに見えたよ。嫌々っていう感じに」

芝居ではなくて、本心だ。まったく。星野は、取りあえずタクシーで立川まで出ようと言った。立川ならば、貴子も多少は知っている店があるし、中央線一本で帰ることも出来る。その点では、異論はなかった。

ビールの酔いが、緩やかに広がっている。ああ、このまま帰って眠りたい。ゆっくりと風呂《ふろ》に浸かって、素肌にTシャツ一枚で。タクシーには、ラジオのナイター中継が流されていた。観客の応援の声、太鼓やラッパの音、早口の実況――今日は日曜日だった。当たり前にナイターを楽しんで、のんびりと過ごしている人たちが、この国には溢《あふ》れている。ああ、このまま吉祥寺《きちじょうじ》の自宅まで帰りたい。それなのに、また立川で降りて、星野の相手をしなければならないなんて。

「お話って、何ですか」

ラジオに耳を澄ませていたらしい星野に話しかけてみた。立川に着くまでの間に済む話なら、済ませてしまいたい。だが星野は、「落ち着いてから」としか答えない。運転手に聞かれるとまずい話なのだろうか。すると、やはり仕事に関係する話か。仕方がなかった。

「乾杯しようか」

立川の適当な店に落ち着くと、運ばれてきた生ビールのジョッキを差し出して、星野はまず言った。各テーブルに小さなオイルランプの置かれている、アーリーアメリカン調のちょっとしたパブだった。薄明るい店内には適当な音量でレトロな雰囲気の曲が流れ、コカ・コーラや7アップといった、ほうろう引の看板などが飾られている。貴子は素直に自分のジョッキを持ち、オイルランプの上で星野のジョッキと触れ合わせた。

星野はテーブルに両肘《りょうひじ》をつき、両手をこすり合わせるような格好で店内を見回している。天井からの照明が落とされている分、ランプの明かりを受けて、表情の読み取りにくいのっぺりとした顔には、微妙な陰影が作り出されていた。

「それで、お話って」

貴子は改めて切り出した。星野は「うん」と小さく頷き、しばらくの間、手元のジョッキを見つめていたが、やがて「あのさ」と顔を上げた。

「今日、はっきり分かったことがあったんだ」

「——何ですか」

組み合わせていた手を解き、星野はさらに身を乗り出してきて、こちらを覗《のぞ》き込むようにする。ランプの明かりに照らされて、その小さな瞳《ひとみ》が真《ま》っ直《す》ぐにこちらを見つめている。貴子は、反射的に「いやだ」と思った。相手との距離がこれ以上縮まらないように、わずかに上体を引いた。

「音道さんて、優しいんだなって」

「——どうして、ですか」

「だって、何年も前に扱った事件の被害者のことなんか、覚えてるんだから」

ああ、と小さく頷くと同時に、中田加恵子の姿が思い出された。本当に、よく思い出せたものだと思う。だが、それだけ鮮烈に記憶していたということだ。

「別に、優しいわけじゃないと思います。機捜にいってすぐにあった事件でしたし、あの人は本当に——」

「そういう気配りが、やっぱり女性らしいんだよ」

「——そう、でしょうか」

ああ、いやだ。こういう褒められ方は好きではない。いや、相手による。星野から褒められるからいやなのだ。

「素敵だなあと、改めて思った」

ああ、ついに来た。思わず天井を仰ぎたくなる。それ以上、何も言わないで欲しい。そうでなければ、こちらもはっきりと答えなければならなくなる。

「僕たち、うまくやっていかれると思わない?」

「——」

「自分の方が年上だからって、そんなこと、気にしないだろう?」

「——」

「じゃあ、男らしく、はっきりと言おう。少し前から考えてたことなんだ。僕は——」

「待って下さい」

貴子は大きく息を吸い込んで、改めて星野のネクタイの結び目あたりを見た。

「私、そういうつもりはありません」

だが星野は表情一つ動かさずに、ただこちらを見ているだけだ。貴子は出来るだけ静かな口調で、仕事に私情は持ち込みたくないのだと言った。すると星野は、初めて首を傾げて、わずかに眉根《まゆね》を寄せた。

「だって、別れた旦那《だんな》は、うちのカイシャの人だったんだろう？」

「それは、そうです。でも、だからこそ、懲《こ》りてるんです」

そんな、と言いながら、星野は笑った。

「これだけ大きな組織なんだから、そんな風に決めつける必要なんか、まるでないと思うよ。分かってるだろう？　うちくらい、ありとあらゆる奴がいる組織なんて、滅多にないじゃないか」

いかにも愉快そうに笑う星野を、貴子は不思議な思いで見つめていた。この自信は、どこから来るのだろう。どうして、そんなにお気楽に自分本位の考え方を貫けるのだろうか。

「僕ら、絶対にうまくいくよ。お互いに似たような境遇なんだしさ、こんなに四六時中一緒にいても、まるで気を遣わないで済むし、気まずくなるっていうこともないんだから」

あなたは、そうなんでしょうよという言葉が喉元《のどもと》まで出かかった。相手の思い込みの強さが、半ば薄気味悪くも思われた。貴子は、もう一度深々と息を吸い込み、こうなったら仕方がない、と自分に言い聞かせた。この際、警部補も何もあったものではない。それにしても、まだ捜査が続いている最中だというのに、それも、到達点さえ見えていない状況なのに、何ということを言い出す男なのだと思う。ビールを一口飲んでから、貴子は、改めて視線に力を込めて星野の顔を見据えた。

7

洗濯機が脱水を始めたようだ。小さなうなりが聞こえてくる。貴子はフローリングの床を軽く撫《な》でるように素足を揺らしながら、握りしめた電話の子機に向かって深々とため息をついた。もう片方の足は椅子《いす》の上に膝《ひざ》を立てて、抱え込むような格好だ。

「あんなに豹変《ひょうへん》すると思わなかったわ」

今日は貴子も水割りのグラスを傍に置いている。氷が溶け出して、琥珀色《こはくいろ》の液体に微妙な模様を作っていくのを眺めながら、我ながら暗い声だと思う。受話器の向こうからは、やはり氷の音が聞こえてきた。

「変な奴だとは思ってたけど、そんな生やさしいものじゃないわね、まるっきり」

「可愛《かわい》さ余って憎さが百倍になったんだろうなあ」

「どうだか知らないけど。ひどいものよ。今日なんかひと言も、口をきこうともしないんだから。わざとらしく、つんつんしちゃって。本当、馬鹿《ばか》みたい」

昨夜、貴子は星野に言った。自分にはつき合っている人がいる、星野には興味も何もないと。無論、最初から言い放ったわけではない。貴子なりに、かなり表現を選んで――お気持ちはありがたいんですが。今はそういう気分になれなくて。星野さんをそんな風に意識したことがなかったものですから。困ったわ――相手を傷つけないように気を配ったつもりだったのだが、どうしても納得してもらえないから、結局、最後の切り札として、言ってしまった。すると、星野は表情を強くして、ようやく「そうなの」と呟《つぶや》いた。気まずい沈黙が流れた。貴子が目まぐるしく次の言葉を探している間に、ところが星野は次の瞬間、さっと席を立ってしまったのだ。手洗いだろうか、動揺を抑えているのだろうかと思っていたら、何と彼は、そのまま貴子を置き去りにして帰ってしまっていた。

「今朝だって、こっちからは一応、謝ったのよ。仕事は仕事として、一生懸命やりますからって」

「置いてけぼり食らわされて、こっちから謝る筋合いなんか、ないじゃないか」

「そうだけど。でも、一応こっちから折れておいた方がいいと思ったし」

「そんな気遣いの通じる相手かよ」

そして今日、星野は昨日までとは別人のように豹変していた。貴子が何を話しかけても、まるで知らん顔をするどころか、必要な用件さえ言おうとしないのだ。決まりが悪いのは仕方がないと思う。多少はぎこちなくなるのは無理もない。だが、星野の態度は、そういったものではなかった。

「だって、他にどうすればよかった？　昨日のあなたは失礼でしたよなんて、もっと言えないじゃない。こっちから折れて見せれば、向こうだってそんなに大人げない態度には出ないだろうと思いたかったのよね」

無駄だった。星野の女々しさ、陰険さを、貴子は今日、初めてはっきりと思い知った気分だった。陰気な雰囲気をまき散らして、交代で食事をとろうとさえしないのだ。自分だけは時折、勝手にどこかに消えて、二、三十分で戻ってくる。だが、貴子が代わりに持ち場を離れようとすると「勝手なことはするな」と言う。そういう時だけ、いかにも憎々しげに苛立《いらだ》った声を出すのだった。どうして、こんな男が自分に好意を抱くことになってしまったのか、自分と貴子とを良い取り合わせだなどと考えてしまったのか、その辺りがどうしても理解できなかった。

「相方、替えてもらうことは出来ないのか」

「何て言って？　ふったら、拗《す》ねちゃったんですって？」

「おう、それくらい、言え、言え。ずっと口説かれて困ってました、セクハラされてましたとかさ。あることないこと言ってやれ。警察は今、そういうことに敏感になってるはずだろう？」

「人のことだと思って」

「そんな馬鹿はな、一回思いっきり痛い目に遭わなきゃ、分かんねえんだって」

「そうよねえ。何だか分からないけど、変に自信家なんだもの。でも、これ以上、逆恨みされたら面倒じゃない」

「まさか、デカがストーカーになるか？」

「星野なら、あり得るわよ」

わざと声をひそめて怯《おび》えた口調で言いながら、つい嬉《うれ》しくなっていた。ここに味方がいる。何があっても、絶対に貴子の味方をしてくれる人がいる。そう思えることが、こんなにも心を軽くしてくれる。

「面白いじゃないか。マスコミの格好のエサになるぞ。モザイク入りでテレビに映るかも知れないな」

　グラスを傾けているらしい音に続いて、昂一の笑い声が聞こえてきた。その声を聞きながら、もとはといえば昂一が悪いのだという気持ちになってきた。八つ当たりの言いがかり。それは分かっている。だが昨日、昂一が仕事など入れてさえいなければ、貴子はあんな不愉快な思いをせずに済んでいた。

「笑ってるけど、心配じゃないの？」

「何が」

「私が他の男に口説かれても」

「全然」

「どうして？」

「貴子が何とも思ってないんだから、心配する理由がない」

「星野の場合は、それはそうだけど」

「まだ他にもいるのか？　心配して欲しいか？」

　逆に質問されて、貴子は口を噤《つぐ》んだ。男性だらけの職場にいて、必要以上に心配ばかりされても困るというのが正直なところだ。それでも、あまりにも心配されないのも、何となく物足りない。

「俺が心配するとしたらな」

だが、貴子が何か答えるよりも先に、昴一の声が耳に届いた。

「貴子の身体《からだ》の方だ」

「身体？　大丈夫よ、こう見えてもタフなんだから」

「それは分かってるさ。そういうことじゃなくて、何しろ危険が多い仕事だって言ってるんだよ。下手すりゃあ、命がけの仕事なんだから」

「——それが、心配？」

「当たり前じゃないか。だから、身体はしんどくても、機捜に比べれば本部捜査の方が、まだ危険は少ないんじゃないかって、俺、これでも少しは安心してるんだ」

自然に微笑《ほほえ》みが浮かぶ。貴子は小さな声で「ありがとう」と囁《ささや》いた。それからまた、大袈裟《おおげさ》なため息をついた。

「逢《あ》いたいなあ」

「早く犯人、捕まえてくれよ」

「本当よねえ」

明日も朝から競輪場に行かなくてはならない。三日間の開催で、明日が最終日なのだから、何とか手がかりを掴《つか》みたい。

「俺、完璧《かんぺき》に欲求不満だからな」

「私だって」

「じゃあ、電話でエッチしようか。お姉ちゃん、何色のパンツ、はいてんの」

「馬鹿」

本当に昂一という人は、思わず笑ってしまうようなことを必ず言う。もしも、一緒に暮らすようになって、それでも毎日、こうして一度は笑わせてくれたら、どんなに良いだろうかと、ふと思った。

「いいな。危ないこと、するなよ」

電話を切る前に、昂一は念を押すように言った。貴子は「分からないわ」と答えた。

「何しろ、一番危なそうな男と一緒に仕事しなきゃならないんだから」

「そんな野郎は、金玉でも蹴《け》り上げてやりゃあ、いいんだよ。真面目《まじめ》な話だぞ、無茶するな。俺はこう見えてもデリケートなんだから、あんまり心配させられると、はげるからな」

「どうせ心配してくれるんなら、はげるより先に、少し痩《や》せたら？」

「あ、てめえ。この野郎。じゃあ、はげてもいいんだな」

全体にもっさりとした雰囲気の昂一を思い描きながら、貴子はまた笑っていた。受話器の向こうからも、昂一の「本当にはげてやる」という、笑いを含んだ声が聞こえていた。

五月二十六日。

立川競輪は最終日を迎えていた。貴子は今日も普段着で、片手に競輪新聞を持ったまま、競輪場の片隅にいた。立つ場所は昨日、一昨日《おととい》とも変えている。今日は当たり車券を現金化する払い戻し窓口の傍だった。

――小柄な男。三十代後半。サラリーマン風。

この平日に、午前中から競輪場に来ている人間は、ほとんどが土木作業員風か自由業風、または無職風か水商売風だ。もちろん全体の年齢層が高いことから考えれば、もうリタイアしている人も少なくはないのだろう。それらの人々の流れを、貴子は、ひたすら眺めていた。こういう集団の中でなら、サラリーマン風の男は女性と同じくらいに目立つはずだった。無論、傍にはいつも星野がいる。だが、こちらから何を話しかけても、昨日と同様に口をきかないつもりでいるらしい相方を、これ以上気遣うつもりは、もうなくなっていた。馬鹿みたい。根に持って。だから、あんなことを言い出さなければ良かったのだ。

――人を不愉快にするのが上手な奴《やつ》。

誰に見られているか分からないから、何分かごとに、少しずつ立ち位置を移動させ、人の流れを眺めながら、意識の何パーセントかは、確実に星野に持っていかれている。それが悔しかった。元来がお喋《しゃべ》りな星野は、貴子と口をきかずにいることが、それなりのストレスになっているらしく、ひっきりなしに携帯電話を取り出しては、同じ競輪場のどこかで張り込みを続けている同僚の何人かに電話をかけているのだ。話の内容はすべて同じ。どうです、そっち。いませんか。ああ、買ってるんですか？だったら僕も買おうかな。せっかく来てるんだしね。何番買いました——何をしに来ているんだか。腕組みをし、そっぽを向いたまま、貴子は思わずため息をついていた。その時、人混みの向こうに、一人の女性の姿が見えた。グレーとピンクの中間のようなニット。地味なスカート。

——まさか。

思わず首を伸ばして、何歩か前に歩み出す。間違いなかった。中田加恵子が、また来ている。臙脂《えんじ》色《いろ》のショルダーバッグも一昨日のままだ。違っているところといったら、彼女が歩きながら、時折、隣を向いて何か話しているらしいことだった。

——御主人？

さらに眺めていると、今日、加恵子の隣には男がいた。三十歳前後。ジーパンにジージャン、中にはTシャツ。茶色がかった長い髪を後ろに流し、シルバーのネックレスをしている。一見して、加恵子の夫でないことは確かだった。彼女の夫は、加恵子よりも四、五歳は年上の、額のはげ上がった面長の男だったはずだ。あんな、明らかに年下の、今風の格好をした男ではなかった。

彼女たちは、貴子に気づくはずもなく、ゆっくりとこちらに向かって歩いてくる。

――どうしよう。

話しかけてみようか、知らんぷりをしているべきか。ああ、星野では、相談相手にもならない。本当に役に立たない。

それにしても、今日も競輪に来ているとは、どういうことなのだろう。仕事はどうしたのだろうか。隣にいる男とは、どんな関係なのか。お節介と知りながら、そんなことが気にかかる。

中田加恵子がひったくりの被害に遭った後、貴子は何度か彼女に会いに行っていた。財布や現金は諦《あきら》めるにしても、奪われたバッグだけは見つけて欲しい、中に大切な写真が入っていたと言われていたからだ。ひったくり犯人の多くは、財布や現金などを抜き取った後、鞄《かばん》などはその辺りに捨ててしまうことが多い。それだけに、せめてバッグだけでも見つけてやりたいと思った。所轄署《しょかつしょ》にも頼み込んでおいたし、貴子自身も暇を見つけては、公園や空き地、道路際《ぎわ》の植え込みや川などを探して歩いた。結局、バッグは出てこなかったが、その経過報告をするために、加恵子の自宅や勤務先の病院を訪ねたのだ。だから、彼女の夫の顔も、当時、小学生だった二人の子どものことも覚えている。

――なるべく、いいように解釈しようとは思っているんですけど。

あの頃、泣いているのか笑っているのか分からない顔で、加恵子はそんなことを言っていた。

ひったくり犯に殴られて、顔に大きな痣《あざ》が出来た加恵子は、腫《は》れが引き、痣が消えるまでの間は病院やパートを休まなければならなくなった。患者を怯えさせかねないし、コンビニエンスストアーの客にも、変に思われるから、ということだ。その間、収入は減ることになったが、こんなに家にいられたのは生まれて初めてのことだから、せめて、それを喜びたいと言っていたと記憶している。貴子は、果たしてこの人は、どんな人生を歩んできたのだろうかと考えたものだ。

あれこれと考えているうちに、加恵子の姿は、もうすぐ目の前まで近づいてきていた。同時に、男の顔立ちもはっきりと分かった。一見フリーター風、顔立ちそのものは端正な方で、鼻筋も通っており、切れ長の目元も、それなりに印象的だ。耳にはピアスを光らせている。彼は真《ま》っ直《す》ぐに前を向き、茶色い髪を微《かす》かに揺らしながら歩いているが、その横を、ちょこちょこと歩く加恵子の方は、何度も男の顔を見上げている。その視線には、明らかに熱っぽい力がこもっていると思う。服装は地味だが、加恵子の表情には、ある種の華やぎさえ感じられた。

——惚《ほ》れてる。

あの、中田加恵子が。家庭の重圧に一人で耐えながら、諦めたように力無く微笑むのが精一杯に見えた人が。一体、この数年の間に何があったというのだろう。彼女の身の上に、どんな変化があったのだろうか。お節介と知りつつ、聞いてみたい気持ちが働いた。その一方では、見てはいけないものを見てしまったとも思っていた。

——私の出る幕じゃない。

刑事なんて、久しぶりに会って嬉しい相手ではない。やはり、そっと見過ごすのが良いのだろうと自分に言い聞かせた時、背後から星野の「何、見てる」という声がした。どうしてこの人は、いつも背後から話しかけてくるのだろう。

「誰か、見つけたのか」

「いえ——そういうわけじゃ」

答えながら、再び加恵子の方を見た時、ちょうどこちらに向いた加恵子と、はっきりと目が合ってしまった。一瞬の戸惑いの後、彼女の表情が大きく動いた。貴子は仕方なく、微笑みながら彼女に近づいていった。

「ご無沙汰《ぶさた》してます」

「あ――あの」

「覚えていらっしゃらないですか？」

「ええ――あの」

「最近は、もう物騒な目に遭われてないですか？」

加恵子の瞳《ひとみ》が落ち着きなく揺れて、再び貴子を見つめ、それから、ようやくはっきりと思い出したように、濃いピンク色に彩《いろど》られた唇が「あの時の」と呟《つぶや》いた。貴子は小さく頷《うなず》き、それからちらりと、隣の男を見た。もしかすると三十歳にもなっていないかも知れない。加恵子が誰と話そうと、何の興味もないというように、彼はわずかに顎《あご》を突き出した姿勢で、そのまま行き過ぎようとしている。

「ごめんなさい。まさか、こんなところで、お見かけするなんて思っていなかったから、つい」

貴子は取り繕うように言った。男の後ろ姿を目で追っていた加恵子は、初めて気づいたように貴子を見、急いで目を細めると、「その節は、お世話になりました」と頭を下げた。

「刑事さんは？　今日は、お仕事ですか？」

貴子は曖昧《あいまい》に頷いて見せた。

「お連れの方も、刑事さん？」

ちらりと星野の方を見て、加恵子はわずかに探るような表情になる。あなたこそ、あの男の人は誰なのと聞きたい気持ちが働いた。その時、少し先まで行っていた男が、半ば苛立《いらだ》ったように「おい」と加恵子を呼んだ。一見、ひ弱そうな外見からは想像のつかない、粗野な印象の低い声だ。途端に加恵子は慌《あわ》てた様子で、「じゃあ」と小さく会釈《えしゃく》を寄越す。

「お元気で」

貴子の挨拶《あいさつ》にもう一度頭を下げて、彼女はいそいそと男の後を追っていく。その後ろ姿を、貴子は複雑な思いで見送った。

——前よりも、若く見える。

それは確かだった。今の加恵子にとって、あの男がそれなりに大切な存在らしいことは明らかだ。だが、それでは、失業中の夫は、寝たきりの父親は、二人の子どもは、どうしているのだろう。彼らは、加恵子の変化に気づいているのだろうか。貴子に立ち入れるはずもない人の人生が、急に重いものに感じられた。

「お節介だな」

また星野が話しかけてきた。その冷ややかな顔を、貴子は横目で見上げた。

「別に友だちでも何でもないんだから、無視すりゃいいんだ」

「私もそのつもりだったんですが、目が合っちゃって――」

「向こうは迷惑そうだったじゃないか。親切面《づら》して」

手のひらを返すとは、こういうことだと思った。確か一昨日は、そんな貴子を「優しい」と言っていたではないか。

「でも、中田さんもこっちを覚えていてくれましたし――」

「無駄話してる暇があったら、男を捜せよ。それとも、よその男なんか見る気もしないのかね」

「ちゃんと、見てます」

「女って、そうなんだよな」

「何が、そうなんですか」

「別に。気が向いたものしか見ないってこと。全体を見渡すってことが出来ないんだ。視野が狭いっていうか、バランス感覚がないっていうかさ」

この野郎。よくも好き勝手なことを言ってくれる。頭に血が上るのが自分でも分かった。貴子はわざと小さく鼻を鳴らした。

「嫌ですね。逆恨みって」

途端に星野の顔がさっと赤くなった。

「何だって。今、何て言った」

「意外に女々しいんですね。びっくりだわ」

「何だとっ。誰が女々しいんだ。男に色目使って仕事してるような奴に、そんなこと言われる筋合いはないっ」

眉《まゆ》をつり上げ、星野は奥歯を噛《か》みしめるような顔でこちらを睨《にら》みつけている。貴子は、その視線を正面から受け止め、「冗談じゃないわ」と答えた。

「私がいつ、色目なんか使いました？　初めて会うなり、人の歳《とし》を聞いたり、自分の離婚のことまでぺらぺら喋る方が、よっぽどおかしいと思いますけど」

「お前だって自分がバツイチだって――」

「嫌な予感がしたから、釘《くぎ》を刺したつもりでした。大体、星野さんが、何をどう勝手に思い込んで、一人で盛り上がってたのか知りませんが、仕事中に変なことを考えてるから、ちゃんとした手がかりも見落とすし、結局は大好きなお手柄も立てられないんじゃないですか」

目の前を行き過ぎる冴《さ》えないジャンパー姿の中年男が、にやにやと笑いながら歩み寄ってきて、「よう」と言った。

「何だよお、こんな場所で痴話喧嘩《げんか》かい。奥さん、許してやんなって。勝負は時の運なんだからさあ」

何を勘違いしているのか、男は立派な仲裁役を果たすつもりらしい。だが、そんな男の存在はまるで無視して、今や星野は、嚙みつきそうな表情になっている。貴子は、そっぽを向いて「やめましょう」と呟いた。

「皆が見てます」

「お前が人のこと——」

「仕事中です。気を散らさないで下さい」

「じゃあ、一人で勝手に集中しろよっ」

言うなり、星野はまだ傍に立っていた男を突き飛ばすようにして、足早にどこかに行ってしまった。

「ようよう、奥さん、いいのかい。ダンナ、怒らせて」

「いいんです。ああいう性格なんですから。それから私、奥さんなんかじゃありません。あんなのの」

八つ当たり気味に睨みつけると、男は「怖え」と言い残して、そそくさと立ち去っていく。やれやれ、だ。どうしてこうも、何かある度に逃げ出すのだろう。今度は職場放棄までするつもりなのだろうか。

——ガキ。何が警部補よ。

腹の中がかっかと燃えている。だが、言いたいことの一端だけでも口に出来たことで、大分すっきりしていた。ざまあみろ。

「あ、もしもし、そっちに星野さん、行きましたか？　何だか一人で癇癪《かんしゃく》起こして、持ち場を離れられたんですが」

競輪場のどこかにいる、星野と同じ一課から来ている捜査員の一人に電話をすると、貴子はあくまでも静かな声で言った。先手を打たなければ、一方的に悪者にされるのでは、たまらない。

「星野？　いや、こっちにはいないけど。何だよ、癇癪起こしたって？」

以前、星野には気をつけろと言ってくれた日比野という刑事だった。年齢は四十前後だと思うが、彼も階級では警部補だから、星野と同じということになる。

「ちょっと言い争いになったんです。私が少し口答えをしたら血相を変えて、『勝手にしろ』とか言われて」

携帯電話の向こうから「しょうがねえなあ」という呟きが聞こえた。

「分かった、こっちに来たら、持ち場に戻るように言うから。少しの間、一人で張っててくれや」

「大丈夫です。何かあったら、すぐにご連絡しますので」

日比野の「了解」という返事を聞いて、電話を切る。姑息《こそく》な手段かも知れないが、この程度の手は打っておかなければならない。それにしても、星野がいなくなっている間に、めぼしい男が見つかったら、どんなに愉快だろうか。貴子は自分に気合いを入れ直し、当たり車券の払い戻しにくる人々や、つまらなそうな顔で、電光掲示板に出る次のレースのオッズを見上げる男たちを観察し続けた。

それから二、三十分もして、結局、貴子の傍には日比野が立つことになった。思った通り、彼の方へ行った星野が、どうしても貴子のところへ戻りたくないと言ったのだそうだ。

「何が、あったんだい」

興味半分、だが困惑した様子で、日比野は視線だけは周囲に配りながら尋ねてきた。貴子は出来るだけ言葉を選んで、星野から交際を申し込まれたが断ったこと、その途端、彼が態度を豹変《ひょうへん》させたことを話した。

「それで、昨日からひと言も口をきいて下さらなくなってたんです。それが、さっき急に、まるで私が色目を使って星野さんをたぶらかしたみたいなことを言われたものですから、こちらもつい言い返しました」

刑事は呆《あき》れたような表情で貴子の説明を聞いていたが、やがて「あいつは、もう」と大きく肩をすくめた。

「大方、そんなことになるんじゃないかとは思ってたんだよな。組んだ相手が悪かったよ」

「私は、星野さんに誤解されるようなことは、していないつもりなんですが」

「気にするな。あんたが色仕掛けなんかするはずのないことくらい、皆、よく承知してるからさ。要するに、あれだろう？　ふられた腹いせだ」

意外に好意的な言葉だった。さすがに、星野には気をつけろと言った人だけある。日比野は星野の性癖も、貴子などよりよほどよく知っているのに違いなかった。

「何しろプライドの高い奴《やつ》だから。それにしても、仕事を何だと思ってるんだかな。いつまでもお坊ちゃまじゃ困るじゃねえか」

なあ、と肩をぽんぽんと叩《たた》かれて、力づけるように微笑まれ、貴子は初めて大きく息を吐き出すことが出来た。意外なほど、肩に力が入っていたことに改めて気づく。当たり前の話だ。この、男だらけの階級社会にいて、年下とはいえ上司に口答えし、あそこまで思い切ったことを口にしたのは初めてのことだった。いっそ、この際だから、星野に対して感じたことのすべて、コンビを組むことになってからの一切合切を吐き出してしまいたい誘惑が、むくむくと頭をもたげてくる。だが、それが得策でないことも分かっていた。油断大敵。曖昧に笑って見せながら、貴子は日比野の「気にするな」という言葉を聞いていた。

8

三日間、めぼしい収穫のなかった競輪場捜査班とは対照的に、その晩、銀行捜査班は大きな収穫を得て捜査会議に臨んでいた。御子貝春男は間違いなく、関東相和銀行に架空名義口座を開いていたというのだ。

「ええ、口座を開いておりましたのは、関東相和銀行立川支店、口座開設は昭和六十二年と、なっております」

柳沼主任の報告を聞いて、貴子は思わず唇を噛みしめ、隣の星野を睨みつけた。ほら、やっぱり。やっぱり！　だが星野は、貴子の方を見ようともしない。

――あんたが自分でチャンスを逃がしたんだから。分かってるの？

素知らぬ顔を決め込んでいる星野に、貴子は腹の中でさんざん毒づいた。間抜け。馬鹿《ばか》。仕事もできないくせに自惚《うぬぼ》れだけ強い最低男。日比野や他の仲間から、どんな言葉で説得されたのかは知らないが、夕方、そろそろ最終レースという頃になって貴子のいる持ち場に戻ってきた彼は、和解をもちかけるでも謝るでもなく、ただ憮然《ぶぜん》とした表情のまま、貴子から少し離れた場所で、人の群を見つめていた。そして、やはり今現在に至るまで一度も口をきいていない。張り込みを切り上げるときでさえ、貴子は日比野から携帯電話で指示を受けたくらいだ。

「実は、それだけ調べるのにも相当な時間を要しまして、ご存じの通り、架空名義口座などというものは、表向きは認められておりません。特に、ええ――」

マネー・ロンダリングの防止を目的として、取引口座開設の際に本人確認が必要となったのは平成二年六月に「麻薬等の薬物の不正取引に伴うマネー・ローンダリングの防止について」と題する大蔵省銀行局長通達が出されて以降のことである。さらに平成四年七月には、通称「麻薬特例法」が施行され、銀行が不正取引資金と知りながら受け容《い》れた場合には、マネー・ロンダリング罪、不法収益等収受罪により処罰されることになった。以降、銀行は本人確認を必ず行う旨《むね》を窓口などにも掲示するようになっている。だが現実には、平成四年以前に開設された架空名義口座については、そのまま放置し、温存しているのが実態だという。さらに、平成四年以降に開設された口座の中にも、架空名義のものがないとは言い切れないらしいが、すべては顧客の利益を尊重しての行為であり、「見て見ぬふり」というのが正直なところらしい。

そのような取引に関しては、基本的には支店レベルで処理されており、たとえば本店の監査などで発覚した場合には、責任を問われることにもなるので、どの支店においても資料の存在を知る者は多くなく、あくまでも極秘扱いになっている。ことに、人事異動の激しい銀行においては、前任者の有り難くない「置きみやげ」であるだけに、もしも解約された場合などは、喜ぶことはあっても、慰留することはまずない、ということだった。

「特に保身に汲々《きゆうきゆう》とする連中ですから、そう簡単には在処《ありか》なんぞ、白状《げろ》するはずがありませんで、口を割らせるのに、ちょっと手間取りました」

柳沼主任は白髪混じりの頭を掻《か》き、自分の手際《てぎわ》の悪さを恥じるかのように小さく舌打ちをする。その、穏やかともいえる物腰を眺め、淡々とした口調に耳を傾けるうち、貴子の中には、切ないような悔しいような、何とも言いがたい気持ちが広がっていった。同じ人間を相手にしたはずなのに。この人は、一体どういう方法で、あの銀行員たちの口を割らせたのだろうか。

「その結果、御子貝春男が開設しておりました口座は伊藤昌也名義となっておりまして、積立定期預金口座でありました。これが、ええ——先月二十三日に、ほぼ全額が引き出されております。その金額は、二億円」

本部室内にざわめきが起こった。雛壇《ひなだん》に並ぶお偉方たちも、腕組みをした姿勢のまま、隣同士で何か言葉を交わしている。二十三日といえば、御子貝夫妻と内田夫妻が殺害された日、つまり犯行当日ということになる。やはり金銭目的の殺しだったということだ。それも、かなり計画的な。

「その金は、立川支店から引き出されてるのかい。窓口から」

守島キャップが興奮を抑えきれない様子で言った。柳沼主任の「その通りです」という答えに、本部の空気がまた動く。手がかりが見えてきた。

「その時点で、誰が応対したか、また、金を引き出しに来たのがどういう人間だったかにつきましては、今日は調べられませんでした。何ですか支店長会議とかで、向こうもバタバタしておりまして」

「よし、ご苦労さん！」

守島キャップの声が弾んでいる。捜査員たちの間からは、微《かす》かなざわめきが広がり続けていた。

——大したもんだなあ。

——防犯ビデオでも残ってりゃ、御の字だ。

——銀行ってえのは相変わらず、そういうことやってやがる。

周囲に広がるそれらの声を聞きながら、貴子は、混乱している自分の気持ちを何とか整理しようとしていた。事件そのもののことを考えたい。その一方で、星野への怒りがおさまらない。自責と後悔の念も渦巻いている。

目の前に、片づけるべき問題がはっきりと見えてきたことが、捜査会議を終えて席を立つ刑事たちに張り合いを持たせたことは確かだった。明日からは、また態勢を立て直して、新しい捜査活動に入ることだろう。今夜はこれから、本部に詰めているデスク要員が、提出された報告書を整理分類し、キャップや管理官たちと、明日の行動予定を立てるはずだ。

「柳沼主任」

あらかたの捜査員たちが席を立ったところで、貴子は思い切ってごま塩頭のベテラン刑事に近づいていった。相方らしい捜査員にワープロを打たせ、その隣で煙草《たばこ》をふかしていた主任が、ぽかんと口を開けたまま振り返る。

「実は——私も、立川支店へは行ったんです」

周囲に聞こえないように気を配りながら、貴子は定年間近に見える主任の顔を見た。無精ひげが伸び始めて、頰から顎《あご》にかけて白いものがきらきらと光って見える主任は、半開きにした口のまま、「ああ」という声を出した。そして、一人で頷《うなず》いている。

「聞きましたよ。女の刑事さんが来たっていうんでね、あんただろうと思った」

遥《はる》か昔、職員室で教師と話しているような気分だった。貴子はうなだれたまま、「でも、私たちでは駄目でした」と呟《つぶや》いた。

「まるで、相手にされなかったんです。実は本店の方にも行ってはみたんですが」

「そりゃあ、ちょっと見当違いだったな。どうして、あそこに目をつけました」

「やっぱり、粗品です。冷蔵庫の中に、関東相銀の粗品の容器があって」

「あの、臭いところを覗《のぞ》いたかい」

はい、と小さく頷くと、柳沼は乾いた声で笑った。

「そりゃあ、いいところに目をつけたじゃないかい」

「でも——」

柳沼主任の隣でワープロを打っていた捜査員が、半ば気の毒そうな、慰労するような表情でこちらを見ている。二十八、九だろうか。いかにも主任を慕っているらしいのが、その表情から読みとれた。

「あの、主任はどうやって、あの人たちに喋《しゃべ》らせたんですか」

「そりゃあ、まあ、説得したっちゅうかね、頼み込んだわけだがねえ――」

柳沼主任はわずかに口を尖《とが》らせて顎を突き出し、その顎を、大きな手のひらでごしごしとこすった。伸び始めた髭《ひげ》がしゃりしゃりと音をたてる。

「まあ、こういうのはね、やっぱり経験ちゅうことも、ありますよ。だてに歳《とし》とってるわけでも、ないんでね」

「でしたら、それは、年齢と経験を重ねれば、身につけられることでしょうか」

さっきまで胸の中で渦巻いていた様々な思いが、ひとかたまりになって、何だか泣き出したいような気分になってくる。本当は、もっと学びたいのだ。本部事件捜査に関わったからには、刑事として、もっと色々なことを知りたいと思う。それなのに、相方に恵まれなかった。プロとしての腕を磨くチャンスに見放されている。それが、悔しい。

「科学捜査の時代とは言われてるしね、確かに、鑑捜査の部分では、それは大事なことではあるんだが――要は、人間相手ってことだからねえ」

貴子の方を見ずに、柳沼主任は静かな表情のままで口を開いた。

「俺らの仕事は、結局、人間が一番だから。あんたは、あんたの年齢で、あんたなりのやり方で、精一杯に人を見ることだね」

諭すような口調だった。貴子は、自分と星野が抜け駆けを企《たくら》んでいたことを知りながら、その報告はせずに、ただひたすらに自分に課せられた任務を果たしているらしい刑事を、畏敬《いけい》と憧《あこが》れを持って見つめていた。こんな人と組めていたら、どれほど学ぶことが多かったことだろうと思うと、隣でワープロを叩いている若い同僚が、羨《うらや》ましくてならなかった。

「まあ、勝負はまだまだ、だ。明日からまた、頑張ろうや」

話を打ち切るように言われて、貴子はのろのろと帰り支度を始めた。かなわない。あれが本当の職人の姿だという気がする。

「告げ口か」

ところが、本部室を出たところで、星野が待ち構えていた。

「どうせ、僕のことも言ってたんだろう」

星野はいかにも忌々《いまいま》しそうな表情で、こちらを睨《にら》みつけてくる。もう、言葉が見つからない。何というみみっちい男なのだ。結局、自分のことしか考えていないのではないか。

「そんなこと、していません」

「嘘《うそ》、言うなよ。僕の立場を台無しにしようとしてるんだ。今日だって日比野さんたちに、あることないこと言ったらしいじゃないか」

足早に廊下を進み、エレベーターを待つ間も、星野は貴子の傍から離れずに、ねちねちと話し続ける。

「私は、本当のことしか言ってません」

エレベーターには他の人間も乗っていたから、その間だけは星野は黙っていたが、建物を出ると再び「ずるいぞ」などと言い始めた。

「僕ら二人の問題を、どうして他の連中にまでばらすんだよ」

「仕方がないじゃないですか。星野さんが何も言わないで持ち場を離れるから、私は日比野さんに、そちらに行っていないかとうかがっただけです」

「でも、だからって――」

これ以上、どこまでもついてこられるのはたまらなかった。それに、明日がある。明日からもまだまだ、この男と一緒に行動しなければならないのだ。

「とにかく、捜査に私情を持ち込むつもりは、ありませんから。私は、これまで通りにするつもりです。星野さんも、もう少し大人になってください」

早口にそれだけ言うと、貴子は「お疲れ様でした」と頭を下げ、ほとんど小走りで歩き始めた。いつの間にか、手が握り拳《こぶし》になっている。あの顔を殴れたら、どんなに気持ちが良いだろうかと思った。

9

翌日から、御子貝夫妻の隠し資産が徹底的に洗い直されることになった。無論、メインとなるのは既に発見済みの架空名義口座から、事件当日に金を引き出した人物の洗い出し及び、極秘扱いの顧客の情報を、誰がどうやって入手したかという問題で、これには柳沼主任を始めとするグループが動くことになった。一方では、もしかすると他にも同様の架空名義口座があった可能性も考えられることから、改めて御子貝家の家宅捜索が行われ、また、主に立川・八王子を中心とする西東京地区に支店を構えている金融機関のすべてにあたるグループも作られた。

出来ることなら、少しでも柳沼主任の傍で仕事をしてみたい、手がかりの糸を手繰り寄せられる、実感の得られる捜査をしたいと願っていたにも拘《かか》わらず、貴子たちの班に与えられたのは、他の金融機関にあたることだった。徹底的についていない。だが、大きな掘り出し物に出会わないとも限らない。

デスク要員が用意した各金融機関のリストから、貴子たちがあたることになったのはクローバー銀行だった。幸運のしるしとされる四つ葉のクローバーをトレードマークとしている銀行は、ＪＲ各線のほとんどの駅前に支店かキャッシュコーナーを構えており、西武鉄道の新宿線、池袋線、多摩湖線、多摩川線、国分寺線などの各駅にも、かなりの数の支店または出張所を構えている。どこでも見かける銀行だとは思っていたが、改めて見てみると、その多さには驚かされる。

「どっちから回りますか」

市内に鉄道の通っていない武蔵村山市は、どこへ出るにしても車かバスを利用しなければならない。もっとも近くで大きな駅といえば立川ということになるが、ことによってはＪＲと西武線が乗り入れている拝島、一つ東京寄りのＪＲ昭島や、その他、ＪＲ青梅《おうめ》線沿線の駅などを利用する可能性も低くはないはずだ。

「上から順番で、いいんじゃないの」

昨日、はっきりと言ってやったのが良かったのか、さすがに星野は黙《だんま》りを決め込むことはなかったが、返ってきた答えは、いかにも投げやりなものだった。リストの一番上といったら、秋川支店だ。ＪＲ五日市線のかなり奥、あともう一歩で奥多摩の山並みに突っ込む辺りになる。リストには五十音順に支店が並んでいるのだから、秋川支店が最初にくるのは当然だった。だが、どう考えても遠すぎる。

「武蔵村山を中心に、近いところから回った方がいいんじゃないでしょうか」

ところが星野は「いや」と首を振る。

「上から順番に、回る」

一体、何を意地になっているのだろうか。それとも、自分の力で事件の核心に触れられる可能性が低いから、もうやる気も失《う》せたということなのか。

「でも、効率を考えても——」

「音道巡査長」

「はい」

「指示に従え」

「——了解しました」

まだ午前十時を回ったばかりだというのに、早くもストレスで身体《からだ》が膨れ上がりそうだった。貴子は出来るだけ相手に気取られないように、深く、静かに深呼吸を繰り返しながら、とにかく歩き始めた。こうなったら自分に暗示をかけるしかない。仕事が嫌いなわけではないのだ。

——相方は人間じゃない。ちょっと壊れたロボットなんだわ。

そんな相方に、どう思われようと知ったことではない。相手が同じ人間だと思うから腹も立つのだ。

仲良くお喋りしなければ進まない仕事ではなかった。それに、こんな経験は何も初めてというわけでもない。以前にも、ろくすっぽ口をきいてくれない相方と、ずい分長い間、コンビを組まされたことがある。不潔たらしくて、脂《あぶら》ぎっていて、酒と煙草の匂《にお》いが全身に染《し》みついているような古株の刑事だった。皇帝ペンギンのような体型で、丸い腹を突き出して、貴子を無視してぐんぐんと歩く男だった。並んで歩いているのに曲がり角さえ教えてくれずに、コンビを組んだ最初の頃、貴子は危うく自分だけが真《ま》っ直《す》ぐ歩きそうになったときのことを思い出して、ついおかしくなった。酒でつぶしたようながらがら声の、すぐ目の前に薄くなった頭が見える——。

「何がおかしいんだ」

ふいに隣から声がする。つい頬が弛《ゆる》んだのを、星野は見逃さなかったらしい。貴子は即座に「何でもありません」と答えた。嫌な感じ。真っ直ぐ前見て、歩きなさいよ。

「馬鹿《ばか》にするなよな」

今度は、返事はしなかった。どう答えたところで、相手の気に入るはずがないのだ。何しろ、壊れたロボットなのだから。

その日、一日をかけて回ることが出来たのは、七店舗だけだった。移動距離だけはやたらと多く、そして、まったく収穫のない一日。それでも貴子は、七つの支店を回る間に少しずつ、自分なりの工夫を凝らすようになったつもりだ。頭の中には常に柳沼主任の言葉があった。要は、人間相手ということだ。ロボットではない。相手の個性を見抜き、判断し、こちらも刑事としてという以前に、一個の人間として相対する。無論、最初から喋るのは星野に決まっているから、主導権を握れるわけではない。だが、その間に、貴子は可能な限り相手を観察し、生真面目《きまじめ》な銀行マンにしか見えない相手の生い立ちや出身、家庭環境などを想像するようにした。寝るときまでネクタイを締めている人間など、いるはずがない。普段着の時には、どんな様子になるのか、子どもは何人いて、何歳くらいか、妻とは職場結婚か——様々なことに思いを巡らしながら、星野が口を噤《つぐ》んだ瞬間を狙《ねら》って、一つか二つ、質問をする。そんなときの、相手の表情の変化さえも、注意深く見守るように気をつけた。

——だから、無駄だとは思わない。

ただでさえ嫌な相手と一緒にいて、踵《かかと》のすり減った靴以外には何も残らないのでは情けなさ過ぎる。

翌日も翌々日も、貴子の一日は変わることがなかった。だが、捜査そのものは確実に進展を見せていた。

四人の男女が殺害された当日、御子貝春男が所有していた架空名義口座から現金二億円を引き下ろしていった人物の輪郭と、彼らがまんまと二億円もの大金を奪い去った経緯とがはっきりしてきた。

まず、御子貝春男を名乗る人物から、事件当日の午前十時半頃、急にまとまった金額が必要になったので、架空名義の口座を解約したい旨《むね》を伝える電話が入ったのだという。翌日が二十四日の金曜日ということもあって、多額の現金が動く日でもあり、当日の銀行業務はいつにも増して忙しかったから、銀行側としては、解約の手続きそのものはすぐに取れるが、引き出しは週明けにして欲しいと頼んだらしい。だが、どうしても今日中に必要な金であり、午後には受け取りに向かうので、是非とも今日中にすべての手続きを終えたいと、御子貝春男の方も譲らなかった。いったん電話を切り、預金課長と次長、支店長までも含めて協議をした結果、異例のことではあるが、相手の申し出を受け容《い》れる決定をしたのだという。

「もともと、正規の取引をしているわけでもなく、職業もはっきりせず、一時に二億もの金が必要だといったって、会社を経営しているような様子もないわけですから、銀行側としては明らかに胡散臭《うさんくさ》いと思ったようです」

捜査にあたっていた刑事は、そう報告した。つまり立川支店としても、不正資金を疑われるような取引には関わりたくないというのが本音だった。ただでさえ、ある種「お荷物」と化している架空名義口座は処分したい方向にもあったので、先方から解約を申し出てくるのなら、あっさりと受け容れようということになったらしい。

やがて、午後二時を回った頃、御子貝春男所有の、伊藤昌也名義の通帳と印鑑を持った男が現れた。カウンターにいた女子行員には予《あらかじ》め申し渡しがされていたから、その男と、さらに連れの男は別室に通されて、預金が引き出されるのを待ったという。関東相銀立川支店からは、店内に設置されている防犯カメラのビデオテープが任意提出され、彼らが窓口に現れた時の様子と、別室で現金を受け取った後で、二人の行員――それは、貴子も会って話をした、箕口という預金課長と木下次長に違いなかった――に見送られて銀行から出ていく様子が確認された。

「相銀関係者の供述と、この映像からも明らかなように、二人の男は、どちらも御子貝春男とはまったくの別人であります」

防犯ビデオの映像と、行員からの供述をもとに作成された似顔絵のコピーが捜査員たちに回される。

「特に、年輩の男の方は、その大きな痣《あざ》に特徴がある。もう一人の男は髭《ひげ》と右頬の黒子《ほくろ》だな」

男の一人は、年齢五十歳前後、長身面長でやや痩《や》せ形。髪は白く金縁眼鏡を使用。一見社長風の男には、左耳の下から首筋にかけて、赤紫の大きな痣があったという。もう一方の男は四十歳前後で細面、オールバックの髪に髭を生やしており、右頬に大きな黒子がいくつかあった。とにかく、この二人の不審人物の割り出しを急ぐことだ。

さらに、御子貝春男が架空名義口座を所有していた事実を知る者を洗い出すチームが新たに編成された。取りあえずは、その口座が開設された当時から現在に至るまで、関東相銀立川支店に勤務し、架空名義口座の存在を知り得る立場にあった者に的を絞って調べることになる。それでも、異動の多い銀行員のことだから、一人一人にあたるのには、ある程度の時間がかかりそうだった。既に六月に入ろうとしていた。

10

今度の日曜日こそは休めるかも知れないという噂《うわさ》が流れ始めたのは、翌週の土曜日の朝のことだ。梅雨入りを控えて、既に初夏を思わせる陽射《ひざ》しが眩《まぶ》しく、街のところどころで見かけていた瑞々《みずみず》しい若葉の緑も、いつの間にか深く濃い色に変わっている。

「ここいらで一息入れさせて、あとは一気呵成《かせい》にやっちまえってことなんじゃねえの」

「一気呵成ったって、こっから先、夏まで休めないなんてこたあ、ねえんだろうな」

噂を聞きつけた捜査員たちは、朝礼の前にそんな言葉を交わしあった。一カ月以上も休んでいないのだ。やるだけのことは、やっている。だが、こんな日々がいつまで続くか分からない。この辺りで休息は必要に違いなかった。貴子も、同僚たちの会話を聞きながら、密《ひそ》かに胸を躍らせていた。それを、めざとく一人の刑事に見破られた。

「嬉《うれ》しそうな顔しちゃって」

「そう、ですか？」

「そりゃあ休みたいよなあ。会いたい人だって、いるだろう」

「いないとは言いませんけど——本当に休めたら、掃除と洗濯で一日が終わりますね、きっと。あとは、ひたすら眠りたいだけです」

周囲に穏やかな笑いが広がった。大半が家庭を持っている捜査員たちは口々に、貴子の一人暮らしに同情を寄せ、一方では自分たちの愛妻家ぶりを披露した。

「俺なんか、寝てるどころじゃないと思うな。久しぶりにガキをどっか連れてってくれって言われるよ、きっと」

「俺もだ。ついでに女房の買い物かなんかにつき合わされてさ。その点、音道は気楽でいいぞ。羨《うらや》ましいねえ。俺も独身になりてえや」

「本当ですか？　一人になったら淋《さび》しくて、たまらないんじゃないですか」

「まあな」

話の輪に加わって、皆で笑いあう。その穏やかな雰囲気は、貴子には意外でもあり、またくすぐったいものでもあった。その原因がどこにあるかも、分かっている。刑事たちは、貴子を受け容れたというよりも、まず星野に対して冷ややかな評価を下していた。その反動が、こういう雰囲気を生み出しているのだ。

貴子が星野をぴしゃりとやったという話は、既に大方の捜査員たちに広まっているらしかった。誰も表だっては言ってこないが、彼らが星野に向ける視線で、それが察せられる。別段、日比野の口が軽いというわけではないのだ。仲間意識の強い彼らは、大概の情報は共有するものだし、チームワークを重んずるということは、奇妙な人間関係のひずみを嫌うということでもある。

「ああ、釣りにでも行きてえなあ」

「まあ、あんまり期待しないこった。何たって、上の考えてることは、分かんねえんだから」

もしも本当に休めるようだったら、昴一に会える。明日は仕事を入れないようにと、後で暇を見つけて連絡を入れておこう。

――それでまた、駄目になったら怒るかしら。

そうなったら、そうなった時。展開によってどうなるか分からないのが刑事の宿命であることくらいは、彼だって分かっている。やがて捜査員たちも揃《そろ》い始めた。星野は、捜査会議の始まるぎりぎりの時間になって、相変わらずの無表情で現れると、挨《あい》拶《さつ》もせずに貴子の隣の席に座った。

「今日から捜査チームをまた変更する。他の銀行を回っていたグループは、今日からは関東相銀関係者を当たってくれ。これまでの調べでは、関東相銀は数年前からリストラが進行中ということもあって、現在は退職している者もいる。手間はかかるだろうが、今日は土曜日ということもある。自宅にいる者も少なくはないだろう」

聞き込みの要点がホワイトボードに書き出されていく。立川支店勤務の時期及び当時の肩書き・職務内容の確認。架空名義口座ファイルの存在を知っていたかどうか。マルガイとの関連を始めとする交友関係。退職者の場合は、その具体的理由。現在の生活状況。その他。

刑事としての実力が大きく試される部分が、最後の「その他」であることは間違いない。勘を働かせ、観察を怠りなく、不審な点を嗅《か》ぎ分ける。たとえ無為に終わることになったとしても、輪郭さえはっきりしない人物を捜して競輪場をうろついたり、建前論しか口にしない銀行マンを相手にするよりは、ずっと手応《てごた》えがあるはずだ。やっと、そのチャンスが巡ってきた。

投入される捜査員が多い分だけ、それぞれの班に割り振られた件数は、そう多くはなかった。

「やっぱり、こりゃあ明日は休みだ。今日中に一斉に片づけてさ」

新しい資料を手に本部室を出るとき、刑事の一人が嬉しそうに囁《ささや》いているのが耳に届いた。確かに貴子たちに割り振られたのも、たった五人だった。熊谷公博《くまがいきみひろ》、高畑崇《たかばたけたか》史《し》、福田豪《ごう》、沖田聖啓《きよひろ》、若松雅弥《まさや》。平成八年当時、立川支店に勤務していた次長二名、預金課長、係長二名ということだ。資料によればそのうちの二名、高畑崇史と若松雅弥が、それぞれ平成十年と十一年に退職していた。

「誰から行きましょうか」

武蔵村山署を出て歩き始めながら、資料を片手に、取りあえず星野に聞いてみる。

相変わらずの仏頂面《ぶっちょうづら》で歩いていく星野の中では、もう決まっているのかも知れなかった。だが、犬でもあるまいし、ただ黙ってついて歩くのは嫌だった。向こうがこちらを無視するからといって、こちらも一緒に無視するのでは、あまりにも大人げない。

「退職してる人の場合は、転居の可能性も考えられますよね」

「そんなことは分かってる」

「取りあえず、誰からですか」

星野は初めて苛立《いらだ》ったように、横目でこちらを見た。

「まだ分からないのか。よっぽど勘が悪いな」

あまりにも冷ややかな視線を向けられて、貴子は思わず大きく目を見開いて、立ち止まりそうになってしまった。

「まだって——」

「上からに決まってるだろう。これまでだって、そうしたんだから」

何だ、そういうことか。馬鹿馬鹿しい。貴子は小声で「はい」とだけ答え、おとなしく彼に従うことにした。どこから行こうと、構わない。またチャンスを窺《うかが》って、貴子は貴子なりの方法で、相手から何かを探り出すまでだ。

——思った以上のトンマだわ。

たとえ五人だけに当たるにしても、住所の近いところからや、肩書きから順番にとか、または転居している可能性が考えられ、探すまでに手間がかかりそうな相手からなど、選択肢は様々なはずだ。それを、何も考えずに上から行くとは。結果的には同じことでも、工夫も何もないではないか。

最初に訪ねた熊谷公博は、千葉県浦安市に自宅があった。東京を横断し、ようやく浦安の自宅を探し当てたものの、熊谷は早朝からゴルフに出かけていた。空振り。帰宅は明日になると教えられ、現在は関東相銀のお茶の水支店に勤務していることを聞き出して退散する。

次に訪ねた高畑崇史の住所は、平成十年当時までは目黒区祐天寺《ゆうてんじ》にある関東相銀の家族寮となっていた。浦安から地下鉄を乗り継ぎ、渋谷を経由して東急東横線で祐天寺まで行く。その段階で、既に昼を回っていた。晴天の土曜日ということもあって、街には長閑《のどか》な雰囲気が溢《あふ》れている。明日も晴れると良い。そして、たまりにたまった憂《う》さを思い切り晴らしたい。少し歩いただけでも汗ばんでくるような中をひたすら歩きながら、貴子は、まだ確かにはなっていない明日の休日を思い描いた。

「高畑さんですか？　あちらは確か——田舎に帰られたんじゃなかったかしら」

家族寮で高畑が住んでいた部屋の隣をインターホンで呼んだ星野だけでなく、貴子の耳にも、そんな答えが聞こえた。

「それは、御主人の田舎ですか」

「さあ」

「どこです」

「どこって――」

「答えて下さい」

心持ち身体《からだ》を傾けて、星野は取り調べのような口調でインターホンに話しかけている。いくら不機嫌か知らないが、見も知らぬ相手にまで、こんなに無愛想な話し方をすることはないではないかと、貴子は内心で冷や冷やしていた。

「社宅で隣同士だったんでしょう。噂にでも、それくらいは聞いてるんじゃないんですか」

「お隣と申しましても、うちが越してきてすぐに、高畑さんの方が越されましたし、あの、うちはそれほど親しくおつき合いしていたわけではございませんものですから――すみません、今ちょっと――」

「それでも、田舎に帰ったって知ってるじゃないですか。まるっきり何も知らなかったわけじゃないでしょう」

「もう、これで失礼いたします」

貴子は慌《あわ》てて横から顔を突き出した。

「お忙しいところ、申し訳ないんですが、もう少しだけお話を伺わせていただくわけに、まいりませんでしょうか。出来れば、お目にかかって。ほんの二、三分で結構ですので」

「ああ——じゃあ、少しでしたら」

銀行の寮といっても、普通のマンションと変わりがない。オートロックの建物の入り口が、鈍い音と共に開いた。貴子は星野を振り返りもせずに、さっさとその扉を抜けた。

「勝手なことをするな」

後からついてきた星野が、エレベーターに乗り込む時に押し殺した声で言った。だが貴子は知らん顔をしていた。何か言うとすれば、すべて口答えになる。

高畑崇史が住んでいた部屋の隣の部屋を訪ねると、不安げな表情の、貴子と同年代の主婦が顔を出した。貴子は星野の前に立ち、出来るだけ穏やかに、愛想良く話をした。その家には何の迷惑もかけないこと、高畑自身が、何らかの事件に関わっているわけではないことなどを説明すると、その主婦は初めて安心した表情になり、小さく頷《うなず》いた。

「お帰りになったのは、奥様のご実家のはずです」

「奥様の。それは、どちらなんですか？」

「確か、仙台って。老舗《しにせ》のね、お嬢様だっていうお話でしたから」

高畑の妻の実家は、仙台で何代も続いている水産加工品の老舗だということで、退職は、その経営に参加するための決断だったという。

「何年か前から、迷ってはいらしたみたいですね。でも、うちの銀行でもリストラがあったり、いろいろとございますでしょう？　それで、思い切って決心したんだって、奥様も仰《おつしや》ってましたけど。高畑さんご自身も、東北のどちらかのご出身なんですよ」

そこまで聞き出せば、老舗を探し出すくらいは大した手間ではなさそうだった。インターホンの時の声と違って、意外に愛想良く教えてくれた主婦に礼を言って、貴子は社宅を後にした。

「音道巡査長」

おいでなすった。再び歩き出したところで星野に呼ばれ、貴子は仕方なく立ち止まった。

「何度も言う。勝手なことは、するな」

「でも――」

「指示に従え」

「じゃあ、私はただ黙って星野さんについて歩いていればいいっていうことですか」

「当たり前だ」

長閑な住宅街の、人通りさえない道の真ん中で、貴子は正面から星野を見上げた。

「協力しあうからコンビなんじゃないんですか」

「君の、それが協力か？」

「そのつもりです」

「男に負けたくなくて、肩肘《かたひじ》張ってるだけじゃないか。復讐《ふくしゅう》したいんだろう。何しろ君は、警察官でありながら警察官が嫌いなんだものな」

「私がいつ、そんなことを言いました？」

「言ったじゃないか。前の亭主が警察官だったから、もう懲《こ》りてるって」

「それとこれとは、別の次元の問題です」

言いたいことが一気に渦巻く。だが、それらをすべて呑《の》み込んで、貴子は少なくとも数秒間、黙って星野を睨《にら》みつけていた。

「解散しよう」

不意に、腕時計に目を落とした星野が言った。

「昼飯まで一緒に食うなんて、僕には我慢出来ないから。一時間後に駅の改札」

それだけ言い残して、星野はすたすたと歩き出した。その後ろ姿を睨みつけながら、貴子は文字通り地団駄を踏んでいた。石ころでも落ちていたら、投げつけてやりたいところだ。

頭がかっかしている。だが、考えてみればチャンスだった。貴子は気分を切り換えるためにも、早速、携帯電話で昂一に連絡を入れた。

「だから明日、大丈夫かも知れないの」

一人でぶらぶらと歩きながら、電話機を通して昂一の「本当か」という声を聞く。

「やったじゃん！　明日も晴れるってよ」

「もしかして、また駄目になったらご免なさいなんだけど」

「その時は、その時だ。よし、近場でいいから、どっか行くか。それとも疲れてるだろうから、家でのんびりするか？」

「――明日、考える。それでも、いい？」

「よし、分かった。じゃあ、頑張れよ」

「もう、ストレスでパンクしそうよ。クソみたいな男に振り回されて」

「よしよし、明日たっぷり聞いてやる。ちゃんと仕事しないと、休めなくなるぞ」

「――分かってる」

「電話しろな」

「今夜、するわ。遅くなってもいい？」

「ああ、寝てたら起こせ」

彼の明るい声を聞いただけで、気持ちが少し休まった。明日、会える。星野のことなど頭から追い払って、昴一と思い切り二人で過ごしたい。

「誰が、クソみたいな男なんだ」

ところが、急に背後から声がした。またただ。全身から血の気が退《ひ》く思いで、貴子は振り返った。星野が、小さな目をさらに細めて、片手をズボンのポケットに入れたまま立っていた。頭の片隅で、ちらりとアメリカ映画のシーンが思い浮かんだ。ポケットから引き抜かれた手には小さな拳銃《けんじゅう》。恐怖で引きつった顔に撃ち込まれる弾丸――。冗談ではなかった。

「盗み聞きですか。先に行ったふりをして」

「言い忘れたことがあったから、戻ってきてやったんじゃないか」

「わざわざ、別の道を通ってですか。星野さんて、いつもそう。後ろから盗み聞きしたり、様子を窺ってたり」

「誰に向かって言ってるんだ。君が目障《めざわ》りな場所にいるだけだろう」

どこで誰が見ているか分からないのに、大の大人がこんなやりとりをしなければならない。情けないにもほどがあった。

「用件だけ言う。一時間後に集合っていうのは、なしだ。本部に帰る時間を見計って、途中で会う」

「――どういうことですか」

「リストに残った上の二件は僕が回る。最後の一件だけ、君が行け。結果が出たら、携帯で知らせろ。それまで本部に帰らないで待ってるから」

「そんなの、規則に反します」

「その顔見てると、気分が悪くなるんだよ」

どこかで布団《ふとん》を叩《たた》く音が聞こえていた。いかにも長閑な、パン、パンという音だけが響く住宅街に、星野の怒鳴り声は必要以上に遠くまで聞こえた気がした。

「ちょっと。それ、どういう意味ですか」

「頭、ないのか。考えれば分かるだろうが。言ったまんま。あんたの顔を見てると、俺、気分が悪くなるんだ」

急に口調が変わった。気取っていた化けの皮が剝《は》がれて、いよいよ本性が顔を出そうとしている。貴子は、冷静さを失うまいと何度も自分に言い聞かせながら、星野を見据えた。

「頭くらい、あります。ですから、どういうおつもりで、そういうことを仰るのか、聞いてるんですけど」

「つもりもなにも、あるかよ。ほら、また。そうやって、目、つり上げてさ。何でもかんでも感情的になる」

「──そういうことを言われて感情的にならない人なんて、そうはいないと思いますが」

「そうかね。そりゃあ、あんたが脳味噌《のうみそ》じゃなくて、どっか他の場所で物事を考えてるからなんじゃないのか？　普通、俺らの仲間だったら──」

「へえ。お仲間にも、そういうこと仰ってるんですか。道理で皆から嫌がられるわけだわ」

「何だとっ。誰が嫌がられてるっていうんだ。いくら女だからってぴーちくぱーちく、好《い》い加減なこと言うな！　お情けで使ってもらってるくせに！」

怒りのあまり、目眩《めまい》がしそうだった。貴子が「信じられない」と呟《つぶや》く声をかき消すように、星野は「お前なんか」と再び口を開いた。

「お前なんか、見下げ果てた、世の中で最低の女だ！」

吐き捨てるように言い残して、星野は再び貴子を追い越して歩き出し、それからまた立ち止まって戻ってくる。

「いいな、相方を替えてくれなんて勝手なことを言うなよ。決めるのは、俺なんだから！　俺が、君のことは報告するんだからっ」

それだけ言うと、彼は半分、走るようなスピードで今度こそ去っていった。

——世の中で最低。見下げ果てた。

何ということを言うのだろう。一体何故《なぜ》、こんなことまで言われなければならないのか、どこまで人を不愉快にしたら気が済むのか、まるで分からなかった。よくもそんな言葉を思いつくものだ。そんなことは、かつて言われたことがなかった。

——決めるのは、俺なんだから！

冗談ではなかった。もう完璧《かんぺき》に、堪忍袋《かんにんぶくろ》の緒が切れた。何よりも、あんな男に好意を寄せられたこと自体が、もう我慢ならない。虫酸《むしず》が走るとは、このことだ。

——そっちがその気なら、こっちだって。

角を曲がって消えていく星野の後ろ姿を、半ば呆然《ぼうぜん》と見つめ、それからようやく我に返って視線を動かすと、すぐ横の家の二階のベランダから、一人の老婆《ろうば》が驚いたようにこちらを見ていた。貴子は急いでショルダーバッグを肩からかけ直し、真《ま》っ直《す》ぐに前を向いて歩き始めた。走って追いかけて行って、「ふざけるな」と言ってやろうか、いや、立場から考えたら謝るべきなのかと考えたが、これ以上は速く歩けない気がした。

——許さない。あいつだけは、絶対に。

とうに見えなくなっている星野の後ろ姿を、まだ睨みつけている気分で、貴子は靴音を響かせて歩き続けた。何が何でも、星野を見返してやりたかった。

11

星野の狡猾《こうかつ》さに改めて感心させられたのは、電車に乗り込んだ後だった。このまま本当に別行動になって良いものか、星野が向かうはずの次の参考人の家を、貴子も訪ねるべきではないかと考えて、改めて資料を取り出してみて、思わず「なるほどね」と独り言が口をついた。

残る三人のうち、星野が自分で回るといった福田豪と沖田聖啓は、共に在職中で、しかも家は都内にあった。沖田聖啓の場合など、この祐天寺からほど近い大岡山ときている。それに対して、貴子に任された若松雅弥だけが、既に関東相銀を退職しているのだ。しかも、関東相銀に在職していた当時の最後の住所は埼玉県大宮市となっている。簡単に本人の居場所が確認でき、話を聞きやすそうな相手は自分が選んで、住居さえ容易に確認出来るか分からない最後の一人を、貴子に押しつけたのに違いなかった。たとえ上から順番に選んだだけだと言い訳をされても、にわかには信じ難い。

それくらいのことは、する男なのだ。

——よくやる。

もう呆《あき》れるのを通り越していた。ただ不快なだけではない、こんな形で手がかかる相手というのは初めてだ。日比野にでも相談してみようか。それとも本部に報告を入れて、取りあえず収拾をつけてもらおうか——ぼんやりと考えていると、バッグの中で携帯電話が鳴った。昼下がりの車内は意外に空いていたが、周囲の視線がこちらに集中したのが感じられた。貴子は慌《あわ》てて電話を取り出し、口元を手で覆《おお》って「もしもし」と囁《ささや》いた。

「音道巡査長、誰にも余計なことを喋《しゃべ》るなよ」

それだけ言って、電話の主は一方的に通話を切った。だが、星野の声であることは間違いない。貴子は思わず周囲を見回した。まるで、まだ傍にいて、どこからかこちらの様子を窺《うかが》っているようではないか。背筋を薄ら寒いものが駆け上がってくる。こんなに気味の悪い男だとは思わなかった。これ以上、こんな不気味な発見が続くなんて真っ平だ。もう絶対に関わりたくなかった。

――命令に従うだけなんだから。

わざわざ、こちらから譲歩することなど考える必要はないのだ。貴子は、一瞬でも迷ったことにさえ腹立たしさを覚え、何度も深呼吸を繰り返しながら電車に揺られていた。空腹だから、余計にいけない。どこかで食事をとって、そこから先は自分のペースで動くことにしよう。たとえ星野に尾《つ》けられていたとしても、もう知ったことではなかった。

渋谷で簡単な食事をとり、ついでに書店に立ち寄って文庫本サイズの埼玉県の市街地図を手に入れて、再び電車に乗ったときには、午後二時半を回っていた。改めて地図で確認してみると、若松雅弥の住所はJR大宮駅から、さらに東武野田線に乗り換えて二駅ほど行ったところにある。こんな辺りから、よくも立川まで通勤していたものだと思うが、南浦和からJR武蔵野線で西国分寺まで来る方法をとっていたとも考えられた。それならば都心を通らずに済む分、意外に楽だったのかも知れないなどと貴子は思いを巡らした。

いずれにしても、今現在の勤め先は別の場所なのだろうし、住まいさえも変わっている可能性があるのだから、考えても仕方のないことだ。何とか転居だけはしないでいて欲しいと思ったのだが、願いは虚《むな》しく、ようやく探し当てた住所には、別の表札がかかっていた。徹底的についていない。

――ここで手がかりが切れたら。

土曜日だから役所に寄って住民票から調べるというわけにもいかない。隣近所に転居先を知っている人がいてくれれば楽なのだが、そう簡単にことが運ぶとも思えなかった。

とにかく、ぼんやりとしている暇はない。貴子は、小さいながら一戸建ての、いかにも若夫婦が暮らすのに適している印象の家に近づき、チャイムを鳴らした。土地いっぱいに建てられた家には、庭らしい庭もないようだったが、それでも小さな隙間《すきま》には白い柵《さく》が巡らされていて、実用的とも思えないカモメのデザインの風向計が立てられている。

「だあれ」

玄関の扉から顔を出したのは三、四歳の男の子だった。貴子が、思わず微笑《ほほえ》みながら「お母さんは」と声をかける間に、扉がさらに大きく開かれて、子どもの背後から、眼鏡をかけた男が現れた。二十八、九というところだろうか。見たところ、子どもの父親に違いなかったが、父親と呼ぶには酷なような、まだ学生のような雰囲気の男だ。

「若松さんのお宅を探して来たんですが」

貴子は出来るだけ愛想の良い声を出した。男の足下から、子どもがちょこちょこと姿を消す。男は「うちは、違いますよ」と答えた後で、思い出したように「ああ」と頷《うなず》いた。

「若松さんていったら、前に、この家の持ち主だった人ですね」

「そうなんですか？　では、お引っ越しされたんですか」

「まあ。うちが、ここを買いましたからね」

「それは、いつ頃のことでしょうか」

男は頭を掻《か》きながら少し考える顔をして、そろそろ一年になると答えた。貴子はいかにも落胆した表情を作り、「一年ですか」とため息をついて見せた。

「困ったわ」

「若松さんの、お知り合いですか」

門と玄関の間に、それほどの距離があるわけではなかった。男は思い出したように玄関から足を踏み出し、二、三歩で届く門扉《もんぴ》を内側から開けてくれた。

「住所だったら、分かるんじゃないかな。ここを買ったときの書類か何かに出てたと思うから」

貴子は小さく会釈《えしやく》をしながら門の内側に入り、恐縮して頭を下げた。警察手帳を提示すべきかどうか、少しの間、迷ったが、相手に尋ねられない限りは、身元は明かさない方が良いような気がした。「警視庁」と入っている手帳など見せられたら、遠くから訪ねてきたことが分かってしまうし、いくらこちらが大した用ではないと言ったところで、相手は不安に思うだろう。

「ちょっと、待っててもらえますか。探してきますから」

男は気軽な口調でそう言うと、玄関の中に消える。代わりに、さっきの男の子がまた顔を出して、また「だあれ」と言った。

「だあれだ」

「知らなあい」

不意に、星野のことを思い出した。あの男も、父親なのだ。別れた妻との間には、こんな子どもがいたのだと思う。それなのに、さっさと次の人生のことを考えたがり、身勝手な思い込みで貴子の気持ちを乱し、自分の気持ちが容《い》れられないと分かるや、態度を一変させた。あんな父親ならば、いない方が幸せなのかも知れない。

小さな子どもの相手をしているうちに、ようやく男が顔を出した。困ったような表情で、やはり頭を掻きながら、彼は書類が見つからないのだと言った。

「今、女房が出かけてるもんで、どこにしまったのかな——急ぐんですよね」

「それでしたら、こちらを買われた時の、不動産屋さんを教えていただけませんか。そちらに聞いてみますから」

男は「それだったら」と、ほっとした表情になって、大手の不動産仲介業者の名前を口にした。その会社の大宮支店が、この物件を仲介したのだという。それだけ分かれば、何とかなりそうだ。おおよその場所を教わって、礼を言って門から出る間、背後から「ばいばあい」という子どもの声がした。貴子も振り返って手を振った。自分もいつか、母親になる日が来るのだろうか。

見知らぬ街は、既に夕方の陽射《ひざ》しに包まれていた。時間に関係のない仕事をしていても、この時間になると何となく気忙《きぜわ》しくなる。それに今日は、何としてでも若松雅弥の居場所を確認しなければならなかった。どこに行ったか分からないなどと報告しようものなら、あの星野がどんな顔をするか、考えただけで憂鬱《ゆううつ》になる。

「若松様、ですか——ああ、はい」

大宮まで戻り、教わった不動産仲介業者を訪ねると、今度は貴子は警察手帳を提示した上で、若松雅弥の転居先を探していると告げた。確かテレビでも宣伝しているはずだし、名前もよく聞く会社だが、店は意外に小さくて、五人も座ればいっぱいになってしまうカウンターが客と店員とを隔てている。ちょうど他に客はいなかった。貴子の相手をしたのは若い男で、貴子が客ではないと知ると、いかにも爽《さわ》やかな笑みは引っ込めたものの、それでも丁寧に応対してくれた。

「若松雅弥様、ですね。ええと、その方は」

コンピューターの端末を叩《たた》き、さらに立ち上がって何かのファイルをめくっていた男は、あの家の売買契約が結ばれた当時の若松雅弥の住所は、同じ埼玉県内の新座《にいざ》市になっていると言った。

「新座ですか」

言いながら、どうも場所がピンと来ない。東京との境に近かったとは思うが、交通手段が思い浮かばなかった。だが、取りあえず住所と電話番号を教わって書き留める。やはり、地図を買って良かった。

さすがに足が疲れていた。大宮駅の近くで出来るだけ空《す》いている喫茶店を見つけ、貴子は少しの間、休憩を取ることにした。考えてみると、こんな風にずっと一人で行動するのは、仕事中では初めてに近い。常に二人一組で行動するのが刑事の仕事だから、こうして一人で喫茶店に入っても、何となく手持ち無沙汰《ぶさた》になるものだった。だが、あの星野と一緒にいたときよりはずっと気が楽だ。とにかく、意地でも今日中に若松雅弥にたどり着かなければならない。

不味《まず》くも旨《うま》くもないコーヒーを飲みながら、貴子は地図を開き、教えられた住所を確認した。改めて見てみると、新座市は東京都の練馬区、保谷市、東久留米《ひがしくるめ》市、さらに清瀬市に隣接していることが分かった。若松雅弥の住所は、新座市栗原《くりはら》五丁目。西武池袋線のひばりヶ丘駅、つまり練馬区側から行くのが一番近いようだ。だが、この大宮から向かうのなら、南浦和からJR武蔵野線に乗り換えて新座で降りる方が良いのだろうか。距離感がうまく摑《つか》めない。所要時間が読めなかった。こんな時、一人の心細さを感じる。同時に、星野への怒りが蘇《よみがえ》った。電話一つ寄越さないところを見ると、向こうもまだすべての聞き込みが終わっていないのかも知れない。本部からの連絡は、すべて星野の方に行くはずだ。今日は何時に上がることになるのか、そんなことさえ、今の貴子には分からなかった。

——本人に、電話してみようか。

若松本人に行き方を教わるのが、一番手っ取り早い。だが、万に一つも事件に関わっていたら、警察が動き始めていることを察知しないとも限らない。下手な動き方はしないに限る。こんな時、車かバイクだったら、どんなに楽だろうか。駅のことなど考えずに、道筋だけをたどれば良いのに。あれこれと考えながらゆっくりとコーヒーを飲み、結局、池袋から行くことにした。不案内な場所へ行く時は、出来るだけ知っている交通手段を使う方が良い。

既に五時を回っていた。新幹線が通って以来、急速に発展を続けている大宮には、週末を思い思いに過ごして、それぞれの家路につく家族連れが目についた。貴子の両親の家も同じ埼玉の浦和にある。だが貴子が独立した後に都内から越した家だから、貴子にとっては、実家という感覚は薄かった。とにかく、ここからならば、その家に帰るのも意外に近いのだなどと考えながら、貴子は再び都心へ向かう電車に乗った。この時刻の上りは空いていて、容易に座ることが出来た。電車が走り出すなり、すぐに睡魔が襲ってくる。はっと気がついたときには、電車はもう池袋のホームに滑り込んでいた。慌てて降りて、相変わらず人で溢《あふ》れている駅の構内を歩き回り、今度は西武池袋線に乗り換える。こちらは混んでいて、とても居眠りをするどころではなかった。

12

「若松雅弥は、もうこの家にはおりませんが」

やっとの思いでたどり着いたというのに、インターホン越しに聞こえた返事は、いかにも素っ気ないものだった。貴子は、「もう、やめてよ」と喉元《のどもと》まで出かかる言葉を呑《の》み込み、相手に顔が見えているとも思えないのに、懸命に愛想の良い表情を作ってインターホンに顔を近づけた。無愛想な顔から感じの良い声は出ない。

「あの、いつ頃までいらしたんでしょうか」

「どなたですか」

冷ややかな女の声が、いかにも疑い深げな声で言う。貴子は、一段声をひそめて、「警察です」と答えた。少しの間、沈黙があった。

「若松雅弥さんが、こちらにお住まいだったことは間違いがありませんか」

「――はい」

「若松雅弥さんを、ご存じでしょうか」

「――存じております」

「お忙しい時間に申し訳ないんですが、少しだけ、お話を伺わせていただけないでしょうか」

また沈黙。それから「お待ち下さい」という声を聞くまで、貴子はほとんど息を止めていた。早く、開けてよと、胸の奥に苛立《いらだ》った言葉が浮かび上がる。

そろそろ夕闇《ゆうやみ》に沈もうという中でも、その家がさほど新しくなさそうな家だということは分かった。庭木なども大きく育っているし、構えとしてはそれなりに立派だが、新築という感じではない。大宮のあの家を売って、てっきり新しい家を買ったのかと思っていた貴子には、それは意外だった。門柱には「西嶋」という表札がかかっている。木製だが、色の感じからしても、やはりかなり古そうだ。

二分ほどして、ようやく玄関が開かれ、サンダル履きの女性が門の向こうまで歩いてきた。近づいてくるにつれ、その訝《いぶか》しげな表情が見えてくる。貴子は警察手帳を提示し、小さく会釈をした。

「若松雅弥は――もう、ここを出ていったんですが」

三十五、六歳というところか、色の白い、整った顔立ちの女性だった。どこか陰のある表情を見て、貴子は、彼女が若松の妻らしいと直感した。そのことを尋ねると案の定、女性は小さく頷き、「以前は」とつけ加える。

「別れたんです。ですから、もう関係ないんです」

うつむきがちに目を逸《そ》らして呟《つぶや》く女性に、貴子は一瞬、何と言葉を返せば良いか分からなかった。自分にも経験がある。そのことには一切、触れられたくないのに違いない。だが、そうもいかない。申し訳ないが、こちらも仕事で来ているのだ。

「それでは現在のお住まいは、ご存じないんでしょうか」

「それは、分かりますけど」

「教えていただけないでしょうか」

女性は仕方なさそうに門を開け、「どうぞ」と言いながら先に立って玄関の方へ歩いていく。ポーチの脇《わき》には二、三の鉢植えと共に、ピンク色の小さなバケツと黄色いシャベルがあった。開け放たれた扉からは、ゆったりとした玄関ホールが見える。壁には何かの絵が掛かり、大きめの下駄箱の上には、鉢植えの花や観葉植物が飾られている。下駄箱の下には、金属バットとグローブが置かれていた。子どもは二人なのだろうか。

「今、見てきますから」

貴子が玄関に足を踏み入れるのを待って、改めてこちらを向いた女性は、明るい照明の下で見ると、意外に若いのかも知れなかったが、全体に疲れた印象の人だった。

彼女は家に上がり、スリッパの音を響かせて奥に消えた。他にも人のいる気配はある。だが、玄関ホールからは長い廊下が伸びており、そこに面した扉はすべて閉められていて、この家全体が無言のまま、貴子を拒否しているように感じさせた。当たり前か。刑事などに来られて喜ぶ家は滅多にない。

「お待たせしました」

数分後、小さな手帳を手に戻ってきた女性は、その手帳を開きながら「いいですか」と言った。そして淡々とした口調で、若松雅弥の新しい住所を読み上げる。杉並区阿佐谷《あさがや》。何だ、都内なの。メモを取りながら、ついため息が出た。何と遠回りをしなければならないことか。

「あの――あの人、何かしたんですか」

貴子がメモした住所を復唱し、礼を言って顔を上げたところで、若松の元妻は、力のこもらない瞳《ひとみ》でこちらを見た。今さら、何を聞いても驚かないというような、どこか投げやりな疲れた視線だ。

「御主人――若松さんは、以前は関東相和銀行にお勤めでしたね」

元妻が小さく頷く。

「立川支店にいらしたことが、おありだと思うんですが」

「ああ、立川は——もう三、四年も前ですが」

この人から聞くべきことは、それだけだった。だが、もう少し何か、この人と話してみたい気持ちが働いた。

「大宮のお宅へ行ってみたんです。銀行の住所録には、あちらが出ていたものですから。可愛《かわい》らしい、素敵なお宅でしたね」

若松の別れた妻の表情が、震えるように動いた。目が一瞬、手放した我が家を見るように遠くなり、それからため息と共に現実に戻ってくる。

「もう、新しい人が住んでいるんでしょうね」

「小さなお子さんのいらっしゃるお宅でした。風見鶏を立てて、綺麗《きれい》にお使いでしたよ」

「——そうですか」

貴子は、虚《うつ》ろな表情の女性に向かって「あの」と再び話しかけた。

「若松さんは、どうして銀行をお辞《や》めになったんでしょうか。事情を、お話しいただけませんか」

目の前の女性は、今度は怯《おび》えたように表情を強張《こわば》らせ、微《かす》かに唇を噛《か》んだ。片方の頬に小さなえくぼが生まれて、ああ、この人が笑ったときには、可愛らしいのだろうなと思わせた。

「今は、お仕事は何をしておいでなんでしょうか」

「――知りません」

「ご存じの範囲で結構なんですけど。不躾《ぶしつけ》ですが、離婚なさったのは、いつ頃ですか」

「――去年の、秋です」

すると、まだ半年あまりということか。それならば、立ち直れていないのも、無理もなかった。経験上、そう思う。

「色々と、大変ですよね」

思わず言うと、彼女はわずかに怪訝《けげん》そうな表情になる。貴子は、小さく微笑《ほほえ》んで見せた。初対面の相手に、自分の身の上話など聞かせる必要はないが、それでも、私も経験者なのだと伝えたい気持ちが働いた。それから貴子は、雑談のような形で、現在の彼女の暮らしぶりを尋ねた。この家は彼女の実家で、現在は両親と二人の子ども、まだ独身の弟と暮らしているという。女性の名前は明恵といった。三十歳。貴子よりも年下だとは思えない人だった。子どもがいるからだろうか。離婚の痛手が響いているのか。それとも貴子も離婚直後は、こんな風に疲れて老《ふ》け込んで見えたのだろうか。

「まだ、両親が健在ですし、この家もありましたので、助かってますけど」

若松明恵から西嶋明恵に戻った女性は、少し話すうちに、いくらか態度も打ち解けてきて、自分もかつては関東相銀に勤めており、若松とは職場恋愛だったのだという話までしてくれた。本当は社交的な人なのかも知れない。社宅にでも住んでいれば、主婦同士でお喋《しゃべ》りに興じるようなタイプにも見えた。

「まさか、主人が――あの人が、銀行を辞めるとは思いませんでしたから」

「理由は、何だったんでしょうか」

改めて聞いてみた。西嶋明恵は、再び唇を噛み、それから困惑したように微かに首を傾《かし》げる。

「本当のところは――よく分かりません。あの人の説明は、何だか要領を得ないものでしたし。ただ――他の方のお話を聞いたりしたところでは、結局――」

彼女は、そこで自分自身を抱きしめるように腕を組み、再び口を噤《つぐ》んでしまった。夫が銀行を辞めたと知ったときの混乱が蘇ってきたかのように、彼女は一点を見つめている。どうやら、あまり喜ばしい形での退職ではなかったようだ。

「表向きは、依願退職ということでしたけど、何か、不始末を起こしたようです」

ようやく口を開きながら、プライドを傷つけられたような顔になる。貴子は、もっと詳しく聞いてみたい気持ちと、明恵を傷つけたくない気持ちとのせめぎ合いの中で、「不始末ですか」と先を促すように言ってみた。

「本当に、詳しいことは知らないんです。本人は『もう、いられなくなった』と言うばかりで——でも、悪いのは銀行の方だ、責任を押しつけられたと、そんなことも言ってました」

関東相銀を恨んでいたとも考えられる言葉だ。貴子は、疲れ果てた身体《からだ》の奥底から、微かに新しい力が湧《わ》いてきたのを感じながら、明恵を見つめていた。

銀行を辞めた後、若松は知り合いのつてで都内の小さな会社に就職したが、半年あまりでその会社が倒産、以後は、職を転々とする日々だったという。やがて、家のローンの支払いにも困るようになり、子どもの学費などもかかることから、家を手放す決心をした。その頃から、生活そのものも乱れ始めて、ことに妻の実家に身を寄せるようになってからというものは、外泊も多くなり、結局、若松の方が、「もう終わりにしたい」と離婚を切り出してきたのだという。銀行を辞めたあたりから、夫が何を考えているのかまったく分からなくなってしまったと明恵は語った。

「ですから、今、あの人が何をしているのかなんて、まるで分かりません。まだ、ここに住んでいた頃から、妙な投資話に首を突っ込んだり、そんなこともしているようでてし」

「投資話、ですか」

明恵は、今度は深々と頷《うなず》いた。そして、乗り越えてきた苦い日々を否応《いやおう》なく思い出したらしく、わずかに眉根《まゆね》を寄せる。

「このままでは、この家までなくなるかも知れないって、両親も心配するようになって、たまに帰ってくれば喧嘩《けんか》が絶えないという状態にもなりましたし、子どものためにもよくないと思って、結局、彼の言うままに別れることになったんです。もう、私もほとほと疲れていましたから」

銀行を辞めて以来、人柄まで変わったように見えた夫が、最後の方には空恐ろしくさえ感じられたと、明恵は語った。

「ですから、あの人が何をしても、もう、私は関係ありませんので」

最後に、明恵は突き上げてくる感情を押し殺すように言った。貴子は慌《あわ》てて、若松が何かしでかしたというわけではないのだと説明した。

「ただ、若松さんが立川支店にいらした当時のことをうかがいたいだけなんです」

「そのために、わざわざ？」

明恵は不思議そうにこちらを見る。貴子は苦笑混じりに「仕事ですから」と言うしかなかった。後になれば嘘《うそ》になるかも知れない言い訳だと思う。今、明恵から聞かされた話は、かなり興味深い。少なくとも、足を棒にして歩き回った一日、いや、この捜査に携わってからの日々で、もっとも手応《てごた》えを感じる話だった。こうなったら、是が非でも今夜中に若松雅弥の輪郭を捉《とら》えたい。

結局、十分以上も話を聞いて、貴子は西嶋明恵の家を辞した。ひばりヶ丘の駅まで戻る道すがら、どこからかカレーの匂《にお》いが漂ってきた。もう夕食の時間だ。こちらの胃袋も、その匂いに刺激されて、にわかに空腹を感じ始める。

再び都心に戻る電車は空《す》いていた。窓には、いつの間にか闇が貼《は》りつこうとしている。何という長い一日なんだろう。貴子は、がらがらの座席に腰を下ろし、深々と息をついた。足がだるくてたまらない。目をつぶれば、すぐに眠れそうだ。どうせ終点までなのだから、少しでも眠ろうかと目をつぶり、ほんの少しうとうととしかかったとき、携帯電話が鳴った。飛び上がるほど驚いて、車内が空いていたせいもあったから、貴子は躊躇《ためら》わずに電話のスイッチを入れた。

「今、どこだい」

聞こえてきたのは、日比野の声だった。星野かと思って身構えた気持ちが、いっぺんにほぐれる。だが、安心している場合ではなかった。星野と一緒に行動していないことが分かったら面倒だ。どう答えれば良いだろうか。だが、嘘は言えない。疲れた頭の中でのろのろと様々な考えが渦を巻く。

「今、阿佐谷に向かっているところです」

「阿佐谷かい。星野は？ さっきから何回かかけてるんだけど、かからないんだ」

「ああ——今、ちょっと離れたところにいます」

「なら、いいんだ。じゃあ、音道から伝えてくれないか。今日は九時上がり、な。まだ確定とは言えんらしいが、やっぱり明日は休めるみたいだぞ」

「本当ですか」

「だから、まだ分からないって。どうだい、そっち。収穫はありそうかい」

「まだ、何とも言えませんが、ちょっと興味深い話は聞きました」

「本当かい。じゃあ、土産話を待ってるよ。俺らも人のことは言ってらんねえから、じゃあな」

日比野の声は快活だった。ほんの少し、元気を分けてもらった気分で、貴子は電話を切った。星野に連絡を入れなければと思う。だが、どうも、そんな気にはなれない。——今は電車の中だし。

それに星野は、結果が出たら連絡しろと言った。まだ、本人の住まいにさえたどり着いていないと知ったら、どんな嫌味を言われるか分かったものではない。いずれにせよ電話は入れなければならないのだから、それが少しくらい遅くなっても、問題はないはずだった。勿論《もちろん》、星野の方から日比野へ電話でもしていれば話は別だが、そうなったら、そうなったときだ。嘘なんて、いずればれる。

既に七時近い。池袋まで、あと約十五分。新宿を経由して阿佐ヶ谷まで行くのに、さらに二十分も見れば良いだろうか。うまくすれば、八時までには若松雅弥の居場所が摑《つか》める。本人がいれば話を聞いて、そこから急いで戻って、九時ぎりぎり。その途中の、どこで星野と合流すれば良いのだろうか。どうせ立川あたりか。

——でも、明日は休みなんだから。

今となっては、それだけに望みを託すより他なかった。貴子は再び目をつぶり、心地良い電車の揺れに身を任せていた。

13

迂闊《うかつ》だったと気づいたのは、阿佐ヶ谷の駅に降り立った後だった。西嶋明恵から聞いてきた住所は杉並区阿佐谷三丁目となっている。だが、阿佐谷には阿佐谷北と阿佐谷南があるのだ。四丁目から先ならば、阿佐谷北にしか存在しないが、三丁目では、南北どちらの阿佐谷か分からない。

「こちらの手帳にも、阿佐谷としか書いていないんですが」

仕方なく、西嶋明恵に電話をかけてみたが、彼女は半ば迷惑そうな声で、そう答えた。ついさっき、少しばかり打ち解けた口調になっていてくれたはずなのに、やはり刑事からの電話などに愛想良く応じてくれる人は少ないらしい。

「何だったら、本人に直接、電話してみて下さい。とにかくうちはもう、関係ありませんから」

それだけ言って、電話は切れてしまった。貴子は思わず天を仰ぎたい気持ちになった。駅の改札口からは、服装も年齢も様々な人々が、四方へ散っていく。辺りは微かに夏の気配を漂わせて、駅前から伸びる道の街路樹は、色濃くなった葉を小さく揺している。噴水の音が長閑《のどか》に聞こえ、街灯の青白い明かりが、それらの風景を、どこか人工的に感じさせていた。

「それが出来れば、苦労はないんだったら」

つい独り言が出た。とにかく、もうあまり時間がないのだ。こうなったら、北と南、両方の三丁目を訪ねてみるより他ない。駅前の住居表示板で、おおよその場所を確認すると、貴子はまず、少しでも近そうな阿佐谷南から向かってみることにした。肩から背中にかけてが、ずしりと重い。履き慣れた靴のはずだが、さすがに指が痛くなってきた。土踏まずのあたりがパンパンに張っているのが分かる。素足になりたい。寝転がって足を投げ出したい。それよりも、マッサージでもしてもらいたかった。昂一に。半分まどろみながら、ゆったりと、何かの会話を交わしながら。

狭い商店街を抜けて、一歩でも奥に入ると、町はひっそりと闇《やみ》に沈んでいた。時折、どこかで犬が吠《ほ》える。一方通行の道を、宅配ピザ屋のスクーターが猛スピードで走り抜けていく。街灯の明かりを頼りに、住居表示を確かめながら、見知らぬ角を曲がり、また引き返すうち、何だか泣きたいような気持ちになってきた。日も暮れてから一人で馴染《なじ》みのない町を歩くのが平気な女など、そうそういるものではない。いくら刑事だとはいっても、迷子のような歩き方をするのが平気というわけではないのだ。

――あの、クソトンマ。

腹立たしいのは星野だった。すべて、あの男が悪いのだ。これで九時までに捜査本部に帰り着けなかったとしたって、絶対に謝ったりするものか。

片手に手帳を持ち、きょろきょろと辺りを見回しながら、貴子はひたすら歩いた。家々の明かりが恨めしく感じられる。六畳一間らしい、ほんの小さなぼろアパートでさえ、窓を開け放って狭い軒先に洗濯物などを干してある様子を眺めると、羨《うらや》ましくてならなかった。

西嶋明恵から聞いた住所は、最後が「三〇四」となっているから、三階建て以上の建物であることは間違いがないと思う。ワンフロアーに四室以上あるのなら、かなり大きなマンション、またはアパートだろう。それらしい建物があることを願って、貴子は一つ一つの角を確かめながら歩いた。ところが、貴子が目指した一帯は、もう青梅街道に近く、意外にマンションやアパートが多かった。これは、いよいよ住居表示に注意しなければならない。この中のどこかに、若松雅弥が住んでいる。それを信じて、貴子は歩き回った。

——それで事件とは無関係だったら。

とんでもない無駄足ということだ。だが、それは仕方がない。無駄足を踏むのが刑事の仕事。それに、西嶋明恵の話を聞いた限りでは、事件とは無関係にしても、多少そそられる相手であることは間違いがない。何かの話を聞けそうな気がする。

歩いているうちに、この狭い空間に、一体どれだけの人が暮らしているのだろうかと考え始めた。壁一枚、天井一枚隔てた場所に、いくつの人生がひしめき合っているのだろうか。建物の中には、オートロックの扉が部外者の侵入を阻《はば》んでいる重厚な造りのものもあれば、マンションとは名ばかりの鉄筋アパートも、オーソドックスなモルタル塗装のアパートもあった。それぞれに、何人、何十人もの人生が詰め込まれていることを考えると、息苦しくなってくる。そんなことを考えて歩くうち、いつの間にか地番を通り越していたりして、貴子は行きつ戻りつしながら、同じ区画を歩き回った。中には、狭い路地の奥に立っている古いアパートもあって、それらの一軒ずつに近づき、住居表示やポストを確かめる作業は意外なほど手間がかかった。

一度目に一周したときには、それらしい建物も、「若松」という表札の出ている部屋も見つからなかった。だが、見落としている可能性がある。あっさり諦《あきら》めて、そそくさと駅まで戻り、線路を挟んで反対側の阿佐谷北まで向かう決心は、まだつかなかった。もう一度、その界隈《かいわい》を丹念に見直すために、さらに一周する。それでも、見つからなかった。

――本当に、とことん、ついてない。

おまけに勘も鈍っているのかも知れなかった。疲れ果てた足を引きずるようにして、貴子はのろのろと駅に向かい始めた。もう、阿佐谷北しか残っていないのだから、見つけ出すのは時間の問題だ、今度こそ絶対に見つかるはずだと自分を奮い立たせて、ため息を繰り返しながら歩いている時、また携帯電話が鳴った。今度こそ、星野に違いない。

「今、どこにいる」

案の定、聞こえてきた声は、名乗ることもせずにそう言った。

「阿佐谷です」

自分でも疲れた声を出していると思う。だが、そんなことを察する相手ではない。返ってきたのは、「まだ?」という苛立《いらだ》った声だった。

「阿佐谷なんかで、何してるんだよ」

「若松を捜しています」

「たったの一人から話を聞くのに、一体、何時間かければ、気が済むんだ。僕なんか、もう二時間も前から連絡を待ってるのに」

だったら、その時点で少しは手伝う気になればいいじゃないの。夜の住宅街で、貴子は思わず電話を投げつけたい気分になった。誰のせいでこんな思いをしなければならないと思うのだ。どんな手間をかけて、ようやくここまでたどり着いたと思っているのだ。

頭の中で様々な言葉が渦を巻き、その切れ端が口をつきそうになったとき、背後から人の靴音が聞こえてきた。貴子は声をひそめて「今、向かっているところですから。

もうすぐ、着きます」と言った。

「もうすぐって、いつ」

「今夜は九時で上がりだそうですから、それまでには間に合わせるつもりです」

「九時って？　そんなこと、誰が言った」

星野の声のトーンが高くなったとき、背後の靴音が近づいてきたかと思ったら、不意に肩を叩《たた》かれた。貴子は電話を耳に押し当てたまま、ぎょっとなって振り向いた。

電話の向こうでは、まだ星野が声を上げている。

「おいっ、誰が言ったんだよ」

「——日比野さんです」

すぐ目の前に、小首を傾《かし》げて微笑《ほほえ》んでいる女がいた。今日は黒っぽいポロシャツ姿の女は、「刑事さん」と言って目を細める。中田加恵子だった。貴子は、どうしてこんな場所で、またもや中田加恵子と会うのかと、ただ驚いて彼女を見ていた。

「もしもしっ。どうして、僕に連絡してこない」

「あ——星野さんの電話が通じないから、私にかけてきて」

「違うよっ！　どうして君が僕に連絡しないって聞いてるんだ！」

ただでさえ思考力が落ちているのに、余計に頭が混乱する。加恵子は「やっぱり、刑事さんだった」と言いながら、なおも微笑んでいる。星野は星野で、「おいっ、聞いてるのか！」と、さらに大声を上げた。

「音道！」

貴子は、加恵子に手で謝る格好を見せた後、小走りで彼女から離れ、道の反対側まで行ってから、そのまま加恵子に背中を向けて星野の声に「聞こえてます」と答えた。

「後で、かけ直しますから。知ってる人に、会ったもので」

「何だよ、誰かと一緒なのか！」

「違います。たった今、偶然に会ったんです」

「そんなところで偶然に会う相手がいるのか。分かった。どうせ、男なんだろう。一人で勝手に動けると思って――」

「何、馬鹿《ばか》なこと言ってるんですか。中田さんです」

「中田？　そんな奴《やつ》、知るか」

もう、たくさん。心の底から、うんざりだった。

「どうせ、そんな程度でしょうね。とにかく、こちらからかけ直しますから。一旦《いったん》、切ります」

「待てよっ。じゃあ、どうするんだ――」

相手がまだ何か言っているうちに、貴子は一方的に電話を切って、そのままバッグにしまい込んでしまった。改めて振り返ると、加恵子は身体《からだ》の前で両手を組み合わせた格好で、さっきの場所に立っている。貴子は「ごめんなさい」と言いながら、大股《おおまた》で彼女の前まで戻った。

「びっくりしました。どうして、こんなところに？」

すると加恵子は笑顔になって「私こそ、びっくり」と答えた。

「この辺りで知ってる人に会うなんて思いませんもの。それも、まさか刑事さんに」

加恵子は笑いながら、「本当に刑事さんだった」と繰り返した。

「マンションのベランダに出ていたら、よく似た人が歩いてるのが見えたものですから、あら、ひょっとしたらと思って。この前は、ちゃんとしたご挨拶《あいさつ》も出来なかったものだから」

「マンションて――お引っ越し、なさったんですか？」

「引っ越しっていうか――まあ、そうです」

「じゃあ、ここから病院に通っていらっしゃるんですか」

「ああ――まあ」

「遠くなって、大変でしょう？　ご家族の皆さん、お元気ですか？」

「ええ――」

「お父様、お具合はいかがですか？」

「刑事さん」

加恵子は意を決したように「私ね」と言いながら、真《ま》っ直《す》ぐにこちらを見上げてくる。彼女は、貴子よりも十センチ近く背が低い。その角度から見上げられて、貴子はまたもや不思議な気分になった。貴子の知っていた中田加恵子という人は、決して真っ直ぐに人と視線を合わせようとはしない人だったように思う。いつも、ちらりとこちらを見ては、恥ずかしそうに、または逃げるように、視線を逸《そ》らしてしまう人だった。それが、こんなにも意を決したように人を見るようになったというだけでも、彼女の変化が窺《うかが》われる。

「実は、あの後、色んなことがあって」

それくらいは想像がついていた。だが、こちらから聞いて良いものかどうかが、分からない。刑事としてならば、相手のプライバシーにもかなり図々《ずうずう》しく入り込めるが、単に個人として、さほど親しいわけでもない人の私生活を覗《のぞ》くことは、やはり躊躇《ためら》われた。

「私ね、あの家、出ちゃったんです」

「——そうなんですか」

本当は、予想以上に驚いていた。だが、相づちはあくまでも冷静だったつもりだ。

「今、別の人と暮らしてて」

「あの、競輪場で一緒だった？」

小さく頷《うなず》いて微笑む加恵子の前髪を、初夏の夜風がなびかせる。その顔を眺めて、
貴子は、この人は女なのだと思った。看護婦でも、妻でも娘でも母でもなく、女になったのだ。だが、それでは夫や子どもはどうしているのだろうか、夫はともかく、子どもたちは母親を失ったということなのかと考えているうち、彼女は再び「刑事さん」と貴子を呼んだ。

「ここで立ち話も何ですから、少し、お寄りになっていかれません？」

「ありがとうございます。でも、まだ仕事中ですから」

「じゃあ、ほんの少しだけ。十分くらい、ね？　この前は、あんな場所で会うし、何か懐《なつ》かしくなっちゃって。私、正直に色んなこと話せる人と会えたの、本当に久しぶりなんです。前にお世話になったときから、そう思ってたんですよ」

また意外な気持ちになる。そんな風に思われていたとは知らなかった。それに、こんな感じで誘う人だっただろうか。むしろ万事に控えめで、何度、訪ねていっても、

なかなか打ち解けない、そんな印象を抱いていた。生活が変わったことで、性格も変わったのか。だが、加恵子の言葉は、苛立ち、くたびれ果てていた心に驚くほど温かく沁《し》みていった。貴子だって、話し相手が欲しかった。他愛ない話でもして、ほんの一瞬でも現実から頭を切り離せたら、どんなに良いかと思っていた。貴子は手元の時計に目を落とした。八時十五分。今から真っ直ぐ戻ったとしても、九時までに捜査本部にたどり着くのは不可能だ。皆を待たせることになる。星野はまた苛立って、嫌味を連発することだろう。

「残念ですが、今日中に、片づけなきゃならない仕事があるんです」

「この近くで？」

「ええ、まあ」

「だったら、本当にお茶だけでも、飲んでいってくださいよ。何だか、すごく疲れたお顔、なさってるわ。大丈夫ですか？」

また、心の奥底が温かく震える。そうなのだ。疲れている。それに気づいてもらえただけでも嬉《うれ》しかった。貴子はもう一度、時計を覗き込み、さんざん迷った挙げ句、十分程度なら構わないだろうと結論を出した。足だって疲れている。喉《のど》だってからからだった。こんな場所で、お茶でもと言ってくれる人と会えるなんて、まさしく地獄で仏の気分だ。

「うち、本当に、すぐそこですから。どうぞ」

結局、加恵子に押し切られる形で、貴子は来た道を引き返し始めた。

14

加恵子が案内してくれたマンションは、確かにさっき、貴子も前を通った建物だった。そう新しそうにも見えないが、それなりに小綺麗《こぎれい》な建物だ。

「ここだったんですか」

隣を歩く加恵子に言うと、彼女は目元を細めて頷く。貴子は、以前の彼女の住まいを思い出していた。日当たりの悪い、古い木造アパートだった。鉄製の階段はすっかり錆《さ》びていて元の色を失っていたし、外壁には塩化ビニール製の、木目模様を模したプレートが使用されていた。雨が降ると、ところどころ壊れているらしい雨樋《あまどい》から、びしゃびしゃと容赦なく雨水が降り注ぎ、一層みすぼらしく、淋《さび》しく見えるアパートだった。あの暮らしを捨てて、今、こんなマンションに住めるというのなら、生活は少しは楽になったということなのだろう。

「どうぞ」

先に立って階段を上がっていった加恵子は、三階の通路を進み、一つのドアの前まで来ると、こちらを確かめるように振り返った。そして、貴子が小さく頷くのを見てから、鍵《かぎ》も開けずに、そのままドアノブを捻《ひね》る。ドアは簡単に開いた。戸締まりもせずに出てきたのだろうか、貴子を見つけて、すぐに飛び出してきたのかと思うと、加恵子の気持ちが察せられるようで、また少し、嬉しくなる。

「さあ、どうぞ」

部屋の奥からプロ野球のナイター中継が洩《も》れ聞こえていた。目の前には、畳一畳分ほどの板の間が広がっている。作りつけの下駄箱がある他は、何一つとして置かれていない、生活感のまるで感じられない玄関だった。それも、貴子には意外だった。どうしても以前の加恵子の住まいと引き比べてしまう。靴脱ぎには大小の家族の靴が散らかっていたし、下駄箱の上には干支《えと》の置物や小さな花瓶と一緒に、郵便物やチラシが置きっぱなし、片隅には靴箱が積み上げられ、すっかり色褪《いろあ》せた薄っぺらいマットが敷かれている、そんな空間だった。

「まだ、落ち着いてなくて、スリッパもないんですけれど。さあ」

促されて、貴子は後ろ手に鉄製のドアを閉め、玄関に入った。正面の扉からは、はめ込まれた磨《す》りガラスを通して向こうの部屋の明かりが洩れている。ナイター中継もそこから聞こえているようだ。

「彼、は？」

「ああ、今ね、ちょっと」

言いながら、加恵子は早歩きでガラスの扉に近づいていく。貴子も靴を脱ぎ、ストッキングの足でフローリングの床に上がった。ひんやりとした感覚が、心地良かった。

通されたのは六畳ほどの部屋だった。片隅に机と椅子《いす》があり、その脇《わき》には本棚がある。中央にはローテーブル、壁際《かべぎわ》にテレビ。その画面の中で、ジャイアンツの選手がバットを構えている。部屋は、居間というよりも、書斎のような印象だった。片づいているというよりも、殺風景といった方が合っている。女性が暮らしている場所という雰囲気が、まるでない。貴子の住まいだって、そう生活感があるとは思えないが、それでも、この部屋よりはまだましだった。

「あ——この部屋は、ほとんど彼が使ってるんです」

貴子の視線に気づいたように、加恵子が言った。そして、とにかく座ってくれと言いながら黒とグレーのチェックのクッションを指す。貴子は言われるままに、ローテーブルに向かって腰を下ろした。

「飲み物、持ってきますから。ちょっとお待ち下さいね」

いそいそと部屋を出ていく加恵子の後ろ姿に「お構いなく」と声をかけてから、貴子はテレビの画面に目を移し、それから改めて室内を見回した。彼というのは競輪場で見かけた男に違いない。あの、フリーター風のピアスの男とこの部屋では、どうも釣り合わない気がする。だが、一人で何かしている人なのかも知れなかった。つまり、この部屋はもともと彼氏が住んでいて、そこに加恵子が転がり込んだということなのだろうか。

ふと、机の前の椅子に目がいった。単なる事務用の椅子というよりは、もう少し凝っているようだ。背もたれの部分が高く、微妙なカーブを描いていて、座面も中央が凹《へこ》んでいる。肘《ひじ》当てつきの、少し贅沢《ぜいたく》なイメージの椅子。

——こういう椅子を、どう評価する？

貴子はつい立ち上がって、その椅子に腰掛けてみた。背もたれに身体《からだ》を預け、目をつぶる。なかなか、座り心地が良いようだ。こうしてじっとしていると、疲れた頭の芯《しん》が、徐々にほぐれていく気がする。肘当てに腕を置き、その感触を手のひらで味わいながら、貴子は昂一のことを思った。明日になったら彼に会える。やっと。この長い一日の話を聞いて欲しい。加恵子のことも、話したかった。

――夫も、子どもも捨ててきたんだって。

思い切ったことをするものだ。貴子には、とても真似《まね》の出来ないことだと思う。何もかも捨てて、そこで彼女は何を得たのだろうか。椅子に腰掛けたまま、貴子は何気なく机の上を見回した。きちんと整理された机には埃《ほこり》もたまってはおらず、よく使用されている様子が窺《うかが》えた。目の前にはノートブック型パソコンが置かれているだけで、正面にはコンピューター関係の本が並んでいる。貴子には興味さえそそられないような本ばかりだ。

さらに、机の脇に置かれたスチール製の本棚にも視線を移した。同様にコンピューター関係の本が多いようだ。その他は、金融システム、ビジネス書、雑誌など。雑誌はやはりコンピューター関係、それから銃の月刊誌。

――コンピューター。金融。銃。

それらを総合すると、ああいう男のイメージにつながるのだろうか。コンピューター関連の仕事をしていると言われれば、分からないでもないと思う。コンピューターを使って金融関係の何をしているのか。銃は趣味なのだろうか。

加恵子が消えた部屋の方で、ことん、と音がした。貴子は急いで椅子から下り、もとの位置に座った。

「お待たせしちゃって。冷たい方がいいですよね」

　戻ってきた加恵子は、両手にグラスを一つずつ持っていた。そして、「どうぞ」と一つを貴子の前に置く。黒っぽい色のついたタンブラーにはオレンジジュースが満たされていた。貴子は「いただきます」と会釈《えしゃく》して、そのジュースを眺めた。なかなか戻ってこないからコーヒーでも淹《い》れているのかと思った。だが、ジュースの方が有り難い。何しろ、喉が渇いている。ゆっくりと飲むつもりだったのに、あまり甘くないオレンジジュースは滑るように喉を通り、貴子は半分以上も一息に飲んでしまった。

「ああ、美味《おい》しい」

　思わず息をつく。自分も向かいに腰を下ろした加恵子は、半ば驚いたようにこちらを見ていたが、またにっこりと笑った。

「大変ですねえ、刑事さんのお仕事も」

　テレビの中で誰かがヒットを打ったようだ。実況の声が早口に「ライトの頭上を越えた！」と叫び、同時に歓声と太鼓の音が鳴り響く。貴子は思わずちらりとテレビの画面を見、それから加恵子に視線を戻した。彼女は、プロ野球になど何の興味もないかのように、素知らぬ顔で自分の手元を見つめている。

「今日は、彼は？」

もう一度、聞いてみた。プロ野球は、相手の男が見ていたのではないかと思ったからだ。だが加恵子は、やはり「ええ」と曖昧《あいまい》な表情になるばかりだった。そういえば、さっき加恵子は、ベランダから貴子の姿を見かけたと言った。なぜ、ベランダになど出ていたのだろうか。もしかすると男と喧嘩《けんか》でもして、飛び出していった彼を見るために、出ていたのではないだろうか。

――幸せじゃないの？　すべてを捨ててきたっていうのに。

残りのジュースを飲みながら、貴子は考えを巡らせた。改めて眺めても、確かに加恵子は変わったと思う。服装は地味だが、化粧もしているし、雰囲気そのものが若やいだことは間違いがない。だが、以前は感じられなかった憂《うれ》いのようなものが、確かにその表情には感じられた。

「何っても、いいですか」

「――何でしょう」

「彼は、お仕事は――何をしていらっしゃるんですか？」

加恵子は一瞬、口元を引き締め、落ち着きなく視線をさまよわせた。

「自由業っていうか。何か、やりたいことはあるみたいですけど」

加恵子は、そこで微《かす》かにため息をついて、呟《つぶや》くように「何、やりたいんだか」と言う。そんなに、しっかりしていないのだろうか。それで、この部屋に住んでいるのだろうか。すると、やはり生活は加恵子が支えていることになるのか。次から次へと疑問が湧《わ》いてきた。

「まだお若い、ですよね」

今度は、探るような口調になったのが自分でも分かった。加恵子はまた頷き、「大分、年下」と笑った。そして、今度は大きくため息をつく。

「何でって、思っていらっしゃるでしょう」

「——まあ、よく決心されたなあ、とは」

加恵子の視線が遠くを見つめる。その表情は、貴子も見覚えがあった。彼女はいつでも、どこか遠くを見るような目つきになった。ひったくりに襲われた直後も、バッグの中に大切な写真が入っていたと言っていたときも、そのバッグが結局は見つからなかったときも。

「何か、疲れちゃったんですよね。もう、ほとほと、嫌になっちゃって。毎日、毎日、私、何のためにこんな苦労してるんだろうって」

最後に残った一口分のジュースも飲み干してしまった。溶けかけた氷が微かに鳴って、唇に冷たい感触が触れる。空になったグラスをテーブルに戻しながら、貴子は加恵子の言葉の続きを待った。

「子どものためだと思って、これでも我慢はしてきたつもりなんです。でも、何ていうか——あの子たちが一人前になった後、じゃあ、じゃあ、その後の私には、何が残るんだろうなんて、思っちゃって」

靴を脱いだ足が、鈍く痺《しび》れている。肩から先の腕が、重く感じられた。胃袋が急な刺激に驚いたのか、にわかに空腹を感じ始め、同時に、何だか熱くもなってきた。だが、こんな疲労感さえ、目の前の加恵子が背負ってきた人生に比べれば、どうということもない。一晩、寝れば、忘れる程度のことだ。

「ここで踏ん切らなきゃ、もう絶対に、違う人生なんか歩けない、このまま、蟻《あり》地獄みたいな一生で終わるって、そう思って」

「それで——出られたんですか」

「勿論《もちろん》、一人じゃ無理だったと思います。とても決心なんか出来なかったって。そんなときに彼と出会って」

どこで、どういうきっかけで、あんな若い男と知り合ったのかを聞いてみたかった。すべてを捨ててまで選んだのは、どういう理由からか、それを聞いてみたいのに、頭がうまく働かない。ゆっくり座って、急に緊張が解けたせいだろうか、頭の芯が鈍く痺れて、思った通りの言葉が口から出ないような気がする。

「後悔、してないんですか」

やっと、それだけを言った。加恵子は、こちらを覗《のぞ》き込むような顔で「ええ」と頷《うなず》いた。駄目だ。このままでは眠くなりそうだった。とにかく若松雅弥の家を探し出して、今夜中に訪ねて――。我に返って時計を見る。八時四十二分。

「ご免なさい、もう、お暇《いとま》しなきゃ」

貴子は、テーブルに手をついて身体《からだ》を持ち上げようとした。ところが、手に力が入らない。頭が朦朧《もうろう》として、視界が揺れる。肘ががくりと曲がり、同時に上がりかけていた腰が、また床に落ちた。

――おかしい。

いくら疲れているからといって、こんな具合になったことはなかった。もう一度、身体を起こそうとするが、さらに視界が揺れて、瞼《まぶた》が重くなる。

「――どう、なさいました？」

加恵子の声がわずかに遠く聞こえた。貴子は目を覚ますように激しく首を振り、目の焦点を加恵子に合わせようとした。その時、奥の部屋でガタン、と音がした。その衝撃音に刺激されたのか、重くなっていた瞼が、はっきりと開かれ、一瞬、目の焦点が合った。

「どなたか、いらっしゃる?」

「あ——いいえ」

加恵子が急にそわそわとしたように言った。そして再び、貴子の顔をじっと見つめている。

「何ですか——ああ、いえ。もう本当に、お暇します」

もう一度、立ち上がろうとする。注意深く、ローテーブルに手をついて。視界が揺れる。だが、ここで倒れるわけにはいかなかった。

「無理ですよ」

その時、妙に遠く、加恵子の声が聞こえた。貴子は、テーブルに手をついたまま、ようやく腰を上げた姿勢で、加恵子の顔を必死で見つめた。

「もう、薬が効いてきたわ」

「薬って——中田さん、あなた——」

自分が何を言おうとしているのか、まるで考えがまとまらなかった。その時、加恵子の背後の引き戸が開いた。奥から茶色い髪の男がこちらを見ている。何だ、いるんじゃないの。どうして嘘《うそ》なんか——。

背を伸ばそうとすると、足下がふらついた。頭が石のように重い。貴子は、懸命にその頭を支え、男の方を見た。その時、揺れる視界の片隅に、何かどす黒いものが見えた。男の足下に。どす黒い――。

頭の奥で、警告ランプのようなものが点滅した気がした。反射的にふらつく足を前に踏み出し、貴子は男の方に歩み寄った。男の驚いた顔が揺れている。Tシャツ。ジーパン。白い靴下――そして、どす黒い広がり。鈍く光っている細長いもの。男の手に握られて、黒っぽい――。

「あなた――そこで」

前のめりになりそうな姿勢で、やっと男に近づく。男の顔を見るつもりだったのに、貴子は、そのままの姿勢で引き戸に手をついたまま、身動きが取れなくなった。細長いそれは、何か物騒な――ライフル？

そして、血の海の中に、男が倒れていた。不自然に手を捻《ひね》り、顔をこちらに向けて、動かない男が倒れている。丸顔。小柄。鼻からずれた眼鏡。三十代――。

――ああ、何て馬鹿《ばか》なの！

かろうじて稼働《かどう》している脳味噌《のうみそ》が、貴子自身を罵《ののし》った。恐怖が、どろどろとした粘液のように広がっていく。なぜ、素早く考えられない、行動できない。今、自分は何を見、どういう状況に置かれているのだろうか——。

「間抜けな女だ」

頭の上から馴染《なじ》みのない声がした。何とか顔を上げようとしたが、もう駄目だった。身体を支えきれずに両方の膝《ひざ》が折れ曲がり、引き戸についていた手が、ずるずると滑り落ちる。

「余計な手間、かけやがってよ。出しゃばるから、こういうことになるんだ」

どこか、遠くで声がした。その声を聞きながら、貴子は目の前に床が迫ってくるのをぼんやりと眺めた。

——いや、伸びている、伸びている！　センター、ジャンプして、届かない！　入りましたぁ！

頬に、ひんやりと冷たい感覚が当たる。駄目だと分かっていながら、瞼を開けている力が、もうなかった。歓声が貴子自身を包んでいるようだ。頭の中に黒い霧が立ちこめ、その霧の向こうから、「やっと効いたわ」という声を聞いた気がした。それきり、闇《やみ》に沈んでいった。

第三章

1

室内には、奇妙な雰囲気が漂っていた。普段とは明らかに異なる電話で、しかも警視庁本部に召集された滝沢たちは、あまり広くない会議室に集められたまま、ぼんやりと時を過ごしていた。既に集合時刻の午後三時を十五分以上経過している。普段、滝沢たちが呼び出される時といえば、一刻を争う事態である可能性が高い。全員が顔を揃《そろ》えるのを待たずに、現場に着いた者からすぐに動き出すのが当たり前だし、何しろ、こんなにのんびりと過ごしている暇など、あるはずがないのだ。それなのに、いつもいの一番に現場に到着して指揮にあたるはずの吉村管理官が姿を現さないばかりか、柴田係長も来ず、召集をかけられた全員が、一体どこの誰がいなくなり、どこへ出向いて仕事をすることになるのかさえ、何も知らされていない。

「何か、嫌な予感がするなあ」

刑事の一人が誰にともなく呟《つぶや》いた。腕組みをして、ぼんやりと天井を見上げていた滝沢も、まったくだと答える代わりに、ぽかんと口を開けたまま、小さく首を揺らした。確かに、その通りなのだ。所轄《しょかつ》署なら所轄署で、この特殊班なら特殊班で、どんな緊急の事態でも定石通りの動き方というものがある。少なくとも、一刻を争う非常事態が起こった時に動くはずの特殊班が全員で雁首《がんくび》揃えて、あくびをかみ殺していること自体、既に普通ではない。

「ご苦労さん」

吉村管理官が柴田係長と共に会議室に現れたのは、それからさらに五分ほどもしてからだった。姿勢を正して椅子《いす》に座り直した滝沢は、その二人を見て、またもや妙な気分になった。どんな真夜中でも、明らかに酒が残っているらしいときでも、常に引き締まった表情を見せている管理官が、今日に限っては、どうもはっきりしない、曖《あい》昧《まい》な顔をしている。同様に係長の方も、眉間《みけん》に微《かす》かな皺《しわ》を刻み、何となく不愉快そうな顔に見えた。どうも、これから新しいヤマに取り組むという雰囲気ではない。むしろ、捜査がどつぼにはまって身動きが取れなくなった時のような顔つきだ。

「厄介なことになってな」

ホワイトボードを背にして、コの字型に並べられた机の中央に腰を下ろした管理官が、まず口を開いた。滝沢たちは身じろぎもせずに机に向かい、管理官を注視した。

「事件性ありとは、まだ判断がつかない事案だ。もしかすると、とんだ茶番か、ことと次第によっては大変な事態、しかも、発生は昨夜だっていうんだが——うちの人間が一人、いなくなったらしい」

係長が、素早く捜査員たちに資料を回す。隣の刑事からその資料を受け取った滝沢は、一瞬、我が目を疑った。警視庁に在職している警察官の身上書のコピーだった。右上には写真が貼付《ちょうふ》されている。真面目《まじめ》くさった顔をして、真《ま》っ直《す》ぐにこちらを見据えている色白の顔。やや大きめの二重瞼《まぶた》の目元と、引き結んだ口元は、実物よりも多少、きつい印象を与える。もしかすると、何年か前の写真なのかも知れない。何だって、ここで、こいつの写真を見ることになったんだ。

「音道貴子巡査長。昨日まで、武蔵村山署に設置された特捜本部で捜査活動に従事していた。四月の末に発生した、占い師夫婦殺害の件だ」

係長が説明を始める。それを聞きながら、滝沢は音道の身上書に目を通し、再び顔写真を眺めていた。

「昨夜、九時の捜査会議までに本部に戻ってこなかった。その時点では、相方の刑事が音道は気分が悪くなったため、先に帰らせたと報告したらしい。ところが今日になっても本人から連絡がなく、携帯電話、自宅の電話も出ない。捜査本部は、今日は公休日ということで大方の捜査員たちは休んでいるが、デスク要員が気になって、相方の警部補にもう一度電話で尋ねてみたら、初めのうちは知らないの一点張りだったが、突き詰めて聞いてみたところ、今日の昼過ぎになって、実は音道とは昨日の昼前後に別れたきりだと言ったのだそうだ」

「昼？　じゃあ、気分が悪くなって先に帰したっていうのは嘘《うそ》だったんですか」

刑事の一人が口を挟んだ。係長は、相変わらず不愉快そうな、いかにも面白くないといった顔つきのまま、「まあ、そうだな」と答えた。

「最後に電話で話をしたのが午後八時十五分頃だったが、その後、どうしたのかは知らないそうだ」

滝沢たちは互いに顔を見合わせた。そりゃあ、まずいだろう、どういうコンビだったんだ、どうしてそんな嘘をつく必要がある、そんなやり取りが、視線だけで交わされる。

「その、相方の言うところによると、音道巡査長は最初から身勝手な行動が多く、相方の指示にも従わないことから、再三、注意していたが、昨日、とうとう警部補がかなり厳しく叱責《しっせき》したというんだな。すると音道は感情的になって、それなら自分は一人で行動するからと、どこかに行ってしまったっていうことなんだが――」

「そんな奴《やつ》じゃ、ないですよ」

身上書に目を落としたまま、滝沢は係長の言葉を遮った。目を上げると、係長の眉《まゆ》間の皺が一瞬さらに深くなり、それから先を促すように眉が押し上げられる。滝沢は管理官や周囲の仲間たちを軽く一瞥《いちべつ》した後、「音道は、そういう奴じゃないです」と繰り返した。一番端に座っていた平嶋が、相変わらずひっつめ頭の女教師のような雰囲気のまま、驚いたように眼鏡の奥からこちらを見ている。俺だって、何も女刑事の全員を悪く言うつもりなんか、ありゃしねえんだ。

「滝さん、知ってるのかい」

管理官がわずかに口を尖《とが》らせたまま、ゆっくり大きく顎《あご》をしゃくるようにした。

「一度だけですが、ある本部事件の時に、組んだことがあります」

刑事たちの視線を一身に集めながら、滝沢は以前、音道と組んだときの話を簡単に説明した。

「頑固で融通のきかないところは、確かにありますが、仕事熱心な、いい刑事です。根性もあるし肝っ玉も据《す》わってる、女だてらに、よくやってると思いました」

自分の口からこんな言葉が飛び出すとは思っていなかった。だが、正直な感想だ。自分なりにあの小生意気な女刑事を認めていたことに、滝沢は初めて気づいた気分だった。そう、多少、面倒臭い部分は確かにあったが、後から考えると、そう悪いコンビでもなかったと思う。

「あたしの印象じゃあ、音道は勝手に一人で行動したり、上司の指示に従わないなんていうことは、まずないはずです。ちょっとやそっとのことで感情的になる奴でもありません。むしろ、何を考えてるのか分からないくらい冷静で、それが、ちょっと癪《しゃく》に障《さわ》るくらいでしたが——まあ、そうじゃなけりゃあ、あたしらと組んだり、出来やしませんからね」

「すると、相方の言ってることが、どうもおかしいっていうことですね」

現在の滝沢の相方である保戸田《ほとだ》が難しい顔で呟いた。

「とにかく、だ。今のところはまだ事件性ありと断定することは出来ない。だが、もしも音道巡査長が何らかのトラブルに巻き込まれて、その結果、捜査本部に戻れない、連絡も出来ない状況にあるとすると、今の時点で、既に二十時間近くが経過していることになる」

さっきまでの奇妙な空気が、すっかり緊張をはらんだものに変わっていた。滝沢の脳裏には、自分の隣を歩いていたときの音道の横顔や、疲れて目をつぶっていたときの表情、真冬の高速道路を、一人でオートバイを飛ばしていた姿などが次々に浮かんでいた。何だって？　音道が、いなくなったって？　どういうことなんだ、奴の身に、何があったっていうんだ――。

「とにかく、相方の警部補、他の捜査本部員からの聴取を急ぐことだな。それから、音道巡査長の自宅、実家の確認。昨日の足取りの捜査、と」

吉村管理官の表情も、さっきまでの曖昧さは消え失《う》せて、厳しいものに変わっている。十六人の捜査員たちはそれぞれの手帳に、管理官の指示を書き取った。そして五分後には、一斉に警視庁を飛び出していた。

武蔵村山署に向かう車の中で、滝沢は、何度となく深呼吸を繰り返していた。息苦しいというより、胸が痛いような感じがする。柄にもなく動揺しているのが、自分でも分かった。あの音道に、もしものことがあったら、どうすれば良いのだろう、どうすれば、どうすれば、と頭の中で同じ言葉ばかりが繰り返されているのだ。どうするもこうするも、とにかく行方を捜すしかないことは分かっている。だが、もしも犯罪に巻き込まれたとすると、既に二十時間以上も経過していることを考えたら、最悪の事態を覚悟しなければならない。

「滝さんが、女の刑事と組んだことがあるなんて、思ってもみませんでしたよ」

ハンドルを握る保戸田が口を開いた。滝沢は助手席で太鼓腹を突き出したまま、

「おうかい」と答えた。どうも、このシートベルトという奴は窮屈でいかん。

「だって、うちの平嶋に対してだって、誰よりもつっけんどんじゃないですか」

「そんなこたあ、ねえよ」

「ありますって。よくそれで、女の刑事と組んでましたね」

保戸田は三十八、九のまだまだ身の軽い刑事だ。濃すぎる眉毛とひげ剃《そ》りあとが顔全体を田舎臭い印象にしているが、なかなか度胸もあるし、繊細な部分も持ち合わせている。

「それじゃあ、音道が偉かったってことになるじゃねえか」

「まあ、そうなるのかなあ。滝さんが今と変わってないとすると」

「俺あ、今さら変わったり出来ねえって。つまり、音道っていうのは、そういうデカだってことなんだよ。相方が、絶対、何か隠していやがるんだ」

まさか。あの姉ちゃんが、そう簡単にくたばるはずがねえ。身体《からだ》は細っこいが、どうしてどうして、しぶとい姉ちゃんだったじゃねえか。いつかまた、どこかで組むこともあるかも知れないと、その時には、帰りに一杯飲むくらい、誘ってやっても良い

かも知れないと、そんな風に思っていた。その音道が、消えたという。冗談ではなかった。

武蔵村山署に着いたのは、陽が大分傾いて、長閑《のどか》な夕暮れの気配が近づいてきた頃だった。呼び出しを受けて、滝沢たちを待っていたらしい音道の相方は、星野という若造の警部補だった。心なしか強張《こわば》った表情で、星野は当初、「知りません」を繰り返した。

「知りませんて、どういうことなの。あんたの相方でしょう」

小さな会議室で二人きりになると、滝沢は煙草《たばこ》に火をつけながら、星野の顔を観察した。今、保戸田は捜査本部のデスク要員らから情報を集めている。

「ですから僕は——」

星野はそこで小さく舌打ちをし、「だから、嫌だったんだよな」と呟く。

「何が、嫌だったんだい」

滝沢は、出来るだけ穏やかな口調で、ゆったりと星野を観察していた。薄い眉の下の細い目が、ちょろちょろと落ち着きなく揺れている。喉仏《のどぼとけ》が頻繁に上下に動いた。生唾《なまつば》でも飲み下しているのか。それほど緊張を強いられる場面なのか。

「彼女と、組むことが、です」

「ほう、どうして」

するとと星野は、さっと顔を上げて、いかにも同意を求めるような表情になり、「だって」と口を開く。

「女、ですよ。ああでもない、こうでもないって文句ばっかり多くて、おまけに、僕の方が年下なのが気に入らなかったんじゃないですかね。こっちが何を指示したって、素直に聞こうとなんかしないんですから。だから僕、つい『勝手にしろ』って怒鳴ったんです。そうしたら、『はい、そうします』なんて言っちゃって、さっさとどこかに行っちゃって」

「どこかって？」

星野は薄い唇をわずかに尖らせて、「それは」と声の調子を落とした。

「聞き込み、だと思いますが」

「どこに？」

「ええ――それは――」

「昨日、どこに回ることになってたかっていうのは、当然、相方のあんたも、知ってるわけですよね」

星野は小さく頷《うなず》く。

「だったら、そこで勝手に離れていったとしたって、あんたが追いかけていけば、嫌でも会うんじゃないですか」

「でも、僕と一緒に行動するのは嫌だって言ったんです。だから僕は、とにかく自分に与えられた仕事をしようと思って。もう、音道なんか放っておこうって」

「で？　音道はどこに向かったんです」

それも知らないと、星野はつまらなそうに呟いた。

「知らないってこたあ、ないんじゃないか」

「だって、僕の言うことなんか聞かないんですから、どこに行ったかなんて確証は、ありませんから。僕は、そりゃあ、一人でも仕事しますよ。でも、彼女はどこかで羽根を伸ばしてただけなのかも知れないし」

何をごちゃごちゃ、ガキの言い訳のようなことを並べ立てているのだ。第一、相方が行方不明になった可能性があるというのに、この男はまるで心配している様子がないではないか。野郎、何を隠していやがる、一体どういう奴なのだと、攻め方を考えている時に、保戸田が顔を出して滝沢を手招きした。

「今、確認をとってもらってますが、捜査本部内に噂《うわさ》が流れてたんだそうです」

「噂？」

「音道刑事が、星野さんをふったって」

「ふった？」

廊下に出て保戸田の話を聞いた滝沢は、ぽかんとなって目を瞬《しばたた》いた。保戸田は、笑って良いのか深刻な顔をするべきか決めかねているような表情で、滝沢の顔を覗《のぞ》き込んでくる。

「仕事中に、何、考えていやがるんだ」

ちらりとドアの方に目をやって、ますます苛立《いらだ》ちが募ってくる。野郎、音道に手を出そうとしていたのか。

「それ以来、急にコンビもぎくしゃくし始めてたんだそうです。星野さんの逆恨みって奴ですかね」

刑事だって人間だ。惚《ほ》れた思いが遂げられないと分かって逆上したか。まさか、星野が音道をどうにかしたわけではないだろうなと、様々な考えが浮かんでくる。

「今、噂の出所を探してもらっていますから」

「ああ、それと、昨日、あの二人がどこに回ることになってたか、資料、出してもらってくれねえか」

頷いて足早に去る相方の後ろ姿を見送ってから、滝沢は会議室に戻った。ちょうど、星野が背を反らして大きく伸びをしている最中だった。野郎、仲間を何だと思っていやがる。滝沢は、意識的にゆっくり微笑《ほほえ》みながら、元の席に座った。

「お疲れですね」

「そりゃあ、まあ。ついてないですよ、こんなヤマに当たるなんて。誰のくじ運が悪いのかな」

「おまけに、変な女と組まされるし、ねえ」

「本当です。やっと一日だけ、休めることになったっていうのに、結局こうやって呼び出されてるんですからね。大体、僕は最初から――」

「ふざけるなっ！　相方が今、どうなってるのか、少しでも心配じゃねえのかよ、えぇっ！」

思わず机を叩《たた》いていた。大あくびの名残か、細い目に涙を滲《にじ》ませ、口を半開きにしたまま、星野は表情を強張らせていた。

2

星野が音道にふられたという噂の出所は、間もなく判明した。今日は出てきていない捜査員の一人が、音道自身から直接聞いたのだそうだ。しかも、その時も星野は一人で癇癪《かんしゃく》を起こし、張り込み中の持ち場を勝手に離れていたという話だった。

「なるほどなあ。つまり、野郎の言うことを全部、ひっくり返して聞けばいいってことだな」

保戸田の報告を聞いた滝沢は、廊下で思わず唸《うな》った。

「昨日、音道刑事が戻ってこなかったことについては、その日比野という人も不思議に思ったそうです。それに、昨日が九時上がりだっていうことは、日比野さんが音道さんに知らせたらしいんですよね。その時も、星野さんとは連絡が取れなかったとかで。とりあえず、電話で話してても埒《らち》が明かないんで、これから、こっちに来るって言ってたそうですが」

滝沢は大きく頷いた。そういうものだ。仲間が行方不明になったと聞けば、たとえ自分の相方でなくとも、それくらい心配するのが当然ではないか。

「それにしても、ふざけた野郎だぜ。浮世絵の出来損ないみてえな面《つら》しやがって」

「ちょっと、可愛《かわい》がりますか」

何とまあ、ヤクザまがいの台詞《せりふ》の似合わない男なのだ。滝沢は純朴な農夫のような顔立ちの保戸田を見て、ふん、と鼻を鳴らした。

「阿呆《あほう》に関わってる暇なんか、ありゃしねえよ。やつのグダグダした言い訳なんか聞いてる間があったら、昨日の音道の足取りだ。奴らの昨日の聞き込み先、それかい」

保戸田が手にしていたコピー用紙をひったくるようにすると、滝沢は、今度は彼に頷きながら再び会議室に戻った。保戸田も後からついてくる。

「昨日、あんたが聞き込みに回ったのは、このうちのどれですかね」

「全部です、もちろん」

「すると、音道は？」

音道と最後に連絡を取ったとき、彼女は阿佐谷にいたという。それは事前に聞いていた。だが、五人の氏名と住所が書かれたリストには、阿佐谷という住所は見あたらない。

「だから、知りません」

リストを眺めながら、滝沢は机を回り込み、星野のすぐ傍まで行った。そして、澄ました顔をしている彼の肩を、わざと埃《ほこり》でも払うように叩いてやる。星野が、おや、というようにこちらを見たところで、滝沢は、彼の上着の襟首を締め上げた。

「いい加減、くだらねえ嘘《うそ》はやめましょうよ、ねえ。下手すりゃあ、音道の生命がかかってるんだ。あんた、一度は惚れた女が、その辺でくたばっててもいいのか。それも、俺らの仲間がよ」

「大袈裟《おおげさ》だな。心配いらないですってば。だって彼女、誰かと一緒だって言ってたんですから。きっと男ですよ」

「男？　音道の男ってことかい」

「決まってます。これまでだって仕事中に、年がら年中、電話してたんだから」

いかにも憎々しげに言う星野の襟首をさらにねじ上げながら、滝沢は、「本当のこと、言えよ」と歯の隙間《すきま》から唸るように言った。

「言ってますってば」

「じゃあ、どうして音道は阿佐谷に行ったんですかね」

「どうしてって――」

「この五人、全部に当たりますよ。昨日、話を聞きに来たのは男の刑事か、それとも女の刑事かって」

星野は苦しげに横を向いていたが、やがて、かすれかけた声で「分かりましたよ」と言った。本当に手間をかけやがる。一体、何だってえんだ、この男は。

「そのリストの、一番下の男だけ、音道に任せました」

「後の四人は、全部あんたが？」

「上の二人は、午前中に――一緒に回りました」

つまり、最後の男、若松雅弥の居所を追っているうちに、阿佐谷まで行ったということだ。滝沢は、ようやく星野を解放すると、保戸田に頷いて見せた。リストに出ている大宮の住所をすぐに確認する必要がある。時間の短縮をはかるためには、他の捜査員に大宮まで出向いてもらい、滝沢たちは阿佐谷に向かって連絡を待つ方が手っ取り早いと思われた。万事を心得ている保戸田は、素早く部屋を出ていく。滝沢も後に続こうとして、最後に、スーツの襟を直している星野を振り返った。

「あんたさあ」

新しい煙草を取り出しながら、滝沢は、さすがに顔を紅潮させている星野を、ひたと見据えた。

「だてに刑事やってるわけじゃ、ないんでしょう」

星野は、いかにも不愉快そうな顔で、こちらを見つめ返してくる。

「嘘って奴《やつ》は、いつかはバレる。それくらい、百も承知してるでしょうが、ねえ」

「僕は、嘘なんかついていませんよ」

「ふざけんなよ、ああ？　たった今だって、あんたは全部一人で聞き込みをしたって言ったろうが。それからして嘘じゃねえか」

三十そこそこというところだろう。それで、階級は滝沢と同じだ。こういう野郎が出世するのかも知れない。そして、自分の都合の良いように周囲を振り回して、組織を内側から腐らせていくのだ。

「音道が、本当に最後の一人に当たったかどうかなんて、僕は知りません」

気色ばんだ様子で、星野は挑戦的に滝沢の視線を跳ね返してくる。鶏冠《とさか》にくるとは、このことだと思った。血圧が一気に上がってくるのが自分でも分かる。滝沢は、机に片手をつき、身体《からだ》を傾けて星野を見た。

「すると、あんた心配じゃ、ないのかね。自分の相方に、もしものことがあったかも知れないんだよ」

「もしものことなんて、あるはずがないじゃないですか」

「どうして、そんなことが言えるんです?」

「あの女は、勝手に行動して、勝手に帰ったんです。そうに決まってる」

「だから、どうして、そんなことが言えるのかって聞いてるんだよっ!」

思わず机を叩き、滝沢はさらに身を乗り出した。

「だって――知りませんよ、そこまで」

「知らないだ? 知らなくて、勝手なことを言うのかっ。あんた、金玉ついてんのか？　仕事中に、どういう目で音道を見てたんだよ、ええ？　あわよくば、一発くらいやらせてもらえるとでも思ったのかよ、ああ？　ふられたくらいで、よくもそこまで逆恨み出来たもんだな」

一瞬のうちに、星野の顔が真《ま》っ赤《か》になった。図星か。

「こ――粉かけてきたのは、向こうだ」

「ふざけんな。音道はな、おめえみたいなタイプは、きっとウジ虫以上に嫌いだよ」

「あ、あんたに何が分かるっていうんだっ。あの女のことを知りもしないくせに、よくも――」

「知ってんだよ！　あいつは、俺と組んでたことがあるんだっ。少なくとも俺は、あんたよりもずっと音道を知ってるんだっ」

星野は呆気《あっけ》に取られたようにこちらを見ている。滝沢は、その顔に煙草《たばこ》の煙を吹きかけた。

「なあ、あんたが本当のことを言わなかったことが、これからどういうことになるか、よおっく見ておくことだ」

「――何ですか、それ」

「勤務中の刑事が、聞き込みに出たっきり連絡を絶ったっていうことが、どういうことか、少しは頭を働かせろって言ってんだ。昨日や今日、働き始めたガキじゃあるまいし、あの音道が、自分の立場も忘れて、男といちゃついてるとでも、あんた、本気で思ってるのかっ！」

さすがの星野も、半ば怯《おび》えたように細い目を見開いた。こんなクソ馬鹿《ばか》と組んでいたとは、こんな間抜けが仲間だとは、こんな生煮え野郎がデカだとは——いよいよ、音道の身が案じられた。

「音道の身に何かあったら、あんたの責任だからな。あんたが、その身体で、責任とるんだ」

星野は薄い唇を微《かす》かに震わせ、何か言おうとしたようだった。だが、声が詰まっているのか、それとも喉《のど》が貼《は》りついてでもいるのか、何も聞こえてはこなかった。

「ああ、念のためにね、あとであんたのアリバイ、聞くから。いいな」

「どうして僕が——」

「音道の行方が本当に知れないとすると、あんたにも疑いがかかるっていうことだ。何しろ、動機は十分らしいじゃないか。なあ」

勝手に帰るなよと言い残し、滝沢はそのまま建物を出た。既に電話連絡を終えたらしい保戸田が、車のエンジンをかけて待ち構えていた。

「煮ても焼いても食えない奴ですね」

車を発進させながら、保戸田が言う。その横顔をちらりと見て、滝沢は深々とため息をついた。

「さすがの音道も、野郎にはさぞかし手こずったこったろうよ」

可哀想《かわいそう》に。そうだ、可哀想だ。一体誰が、あんな野郎と音道とを組ませたのだろうか。考えれば考えるほど、腹が立ってくる。変だな、このところ、滅多なことでは動じなくなっていたつもりなのに、こんなに慌《あわ》てている自分が不思議だった。だが、当たり前だ。何も音道だからということではない、仲間だからだ。

阿佐谷に向かう車の中で、滝沢は音道が昨夜から自宅に帰っている形跡もなく、実家にも連絡を入れていないことを知らされた。いよいよ悪い方向に向かっているということだ。

――生きててくれ。せめて。

特殊班にいる限り、誰かの行方が分からなくなったと聞けば、いつも思うことだった。だが今度ばかりは現実味が違う。唇を噛《か》み、真《ま》っ直《す》ぐに前を見つめながら、滝沢は自分の前をオートバイで走り抜ける音道の幻を見ていた。見失ってなるものか、一人だけにしてなるものかと、彼女を追い続けた日のことが蘇《よみがえ》る。畜生、何が何でも見つけ出してやる。絶対に無事で探し出す。

約一時間後、音道は昨日、確かに大宮の家を訪ねていたという報告が聞かれた。だが、聞き込み先にいるはずの若松雅弥は既に転居しており、音道は、その転居先を求めて移動したらしい。おそらく、その挙げ句に阿佐谷までたどり着いたということなのだろう。

「大宮駅前の不動産屋に行っている。そこから新座に行ったらしい」

「新座で阿佐谷の住所を教わったそうだ。その後で一度、その家に住所確認の電話を入れている。阿佐谷北か南、どちらか分からないということで」

その報告を聞いた段階で、滝沢たちは青梅《おうめ》街道沿いに車を停めていた。ここからなら、阿佐谷南の住所の方が近い。

「まず、南だな」

日の入りの時刻が一年でもっとも遅い季節だった。それでも辺りには夕暮れが広がり始めている。音道が連絡を絶ってから、そろそろ丸一日たとうとしていた。

近くまで車を走らせ、目指す住所の前を一度、通過して、ワンブロックほど先で車を停める。そこからは徒歩で探したところ、報告を受けた住所にはマンションが建っていた。

「了解。取りあえず内偵から始めてくれ。そのマンションに監禁されている可能性の見極めだ。誰かいるようなら、我々の到着を待って欲しい」

既に特殊班専用の指揮用資機材を搭載した車両でこちらに向かっているはずの管理官の声は落ち着いていた。

「了解しました。五分以内に報告入れます」

無線用のマイクを握っている滝沢の隣で、保戸田は早くも上着を脱ぎ、ネクタイを緩めている。日曜の夕暮れ時に、むさ苦しい男が二人、しかもスーツにネクタイで歩いていれば、嫌でも目立つ。音道が監禁され、しかも犯人が傍にいる場合を想定して、万に一つも相手に気取られないように工夫をしなければならない。車両には、普段から二、三種類の変装用の衣類が積んであった。保戸田はその中から、グレーの地味なポロシャツを選び出した。下着の上から、まず防刃《ぼうじん》防弾チョッキを着込み、さらにポロシャツを着る。ただでさえ大きな身体が、さらに厚く見えた。

「取りあえず、自分が見てきますから。滝さんも、その間に」

「おう、着替えとく」

野球帽をかぶった保戸田は、よし、というように一度頷《うなず》いてから、車を降りていく。お世辞にも上手な変装とは言い難いが、一応は中年太りの暇そうな親父《おやじ》らしくは見えた。その姿を見送りながら滝沢も上着を脱ぎ、防刃防弾チョッキを着込んでから、宅配便業者に見えるジャンパーを羽織った。そうこうするうちに、すぐに保戸田が戻ってくる。

「三〇四号室ですよね。変です、鍵《かぎ》がかかってません」

人質を監禁しておいて施錠《せじよう》しない犯人など、いるはずがない。滝沢は即座に捜査指揮車両の管理官に報告を入れ、すぐに踏み込みたいと申し出た。

「了解。だが、十分に注意してくれよ」

管理官の声を聞き、滝沢は車から降りた。どこからか豆腐屋のラッパの音が聞こえてくる。久しぶりに聞く、何とも長閑《のどか》な音だった。そうだ。大半の日本人は、こんな上天気の日曜の夕方を、のんびりと過ごしているのに違いない。

「エレベーターは」

「ありません。階段だけ」

「畜生」

短く言葉をやり取りした後、滝沢と保戸田は適当な距離をおいて、出来るだけ当たり前の顔をして、ポストなど覗《のぞ》くふりをしながら建物に入る。どこで誰に見られているか分からない。全身の皮膚がぴりぴりしていた。暑さで汗が噴き出しそうな気がするのに、緊張のせいか、額の辺りが冷たかった。

せり出した腹を、しかも重いチョッキでくるんでいるから、余計に息が切れてたまらない。この頃になって滝沢たちは、標準体重を目指すべく、万歩計を渡されている。だが、食生活は不規則な上に、ストレスのたまる仕事で、睡眠不足は食欲で補い、その上、滝沢の酒量では、どうしたって体重など減る道理がなかった。ようやく三階まで上がると、下よりは心地良い風が吹き抜けていた。滝沢は、先に着いて手袋をはめながら待ち構えていた保戸田を追い抜き、周囲の気配を探りながら、靴音を立てずに三〇四号室に近づいた。

少しの間、ドアの外に立ってみるが、室内からは何の気配も感じられない。自分も手袋をはめ、試しにインターホンを押してみた。いち、に、さん、し、ご。応答なし。保戸田がそっとドアノブを握った。生唾《なまつば》を飲み込む音が脳味噌《のうみそ》に響く。滝沢はドアを凝視しながら、全神経をまだ隙間《すきま》も見えてこない室内に集中させた。

「ほら、開きます」

保戸田が囁《ささや》いた。なるほど、鉄製のドアは一度だけ、ごとん、というような低く小さな音を立てたが、あとは驚くほど静かに開こうとする。

「入りますか」

「いや、もう一度、呼び鈴を鳴らしてみよう」

周囲の気配を探った後、滝沢はもう一度、インターホンを押す。開きかけたドアの隙間から、ピンポーンという間延びした音が響いた。

いち、に、さん、し、ご。五秒待って、もう一度鳴らす。いち、に、さん、し、ご。やはり応答はなかった。誰かが動く気配も感じられない。滝沢は、ドアノブを握ったままの保戸田を見た。目顔で頷き、相方はさらにドアノブを捻《ひね》る。

「若松さん、すいません」

わざと大きな声を出してみた。ドアの隙間から、徐々に室内が見えてくる。緊張のあまり鳥肌が立ち、髪の毛まで逆立ってくるような気がした。急に尿意さえ催してくるようだ。

「誰かいませんかっ」

完全にドアが開いたところで、もう一度呼びかけた。だが、がらんとした空間には滝沢の声が響くだけだ。畜生、拳銃《けんじゆう》の携帯許可を得てくるんだった。こんな時には、やはり護身用にでも拳銃が欲しい。

「入りますよ」

保戸田を玄関先に待たせて、滝沢は家に足を踏み入れた。もしかすると、まったく無関係の家なのかも知れないのだ。何しろ、ポストにも玄関脇《わき》にも表札は出ていなかったから、この部屋が本当に音道が訪ねていた若松雅弥の部屋なのかどうかも、今のところ確証がない。もしも見当違いの人違いなのだとしたら、ニュースネタになってマスコミに叩《たた》かれるだろうか。まあ、その時はその時だ。土足で上がりたいところだったが、人違いだった場合を考えて、一応、靴を脱ぐ。

「お留守ですか。ドア、開いてましたよ」

わざと大きな声を出しながら、室内の気配を探った。何かが動いている感じはしない。それに、空気そのものが澱《よど》んでいるようだ。そろそろと廊下を進み、正面の、磨りガラスのはまったドアを突き放すように開ける。居間兼書斎のような部屋が見えた。同時に、生臭い匂《にお》いが鼻腔《びこう》を刺激する。その途端、滝沢は絶望的な気分になった。何度も嗅《か》いだことのある匂いだ。何かの終わりと、滝沢たちの出番を意味する匂い。何か考えるよりも先に「音道っ」と呼んでいた。

「いるのか、音道！」

いたとしたって、答えられる状況ではないのかも知れない。自分はこれから何を見なければならないのだろう。心臓が鷲摑《わしづか》みにされているようだ。滝沢は、まず電気のスイッチを探して部屋を明るくし、半分つま先立ちになって、その居間を抜けた。奥に、さらに部屋があるようだ。その半開きになった白い引き戸に、まるで吸い寄せられるように歩み寄る。見たくない。まさか、音道がぶっ倒れている姿なんて、白濁した角膜で、虚《うつ》ろに宙を眺めている姿なんて。

——嫌な商売だ。

初めて、そう思った。死体の数なら相当、見ている。だが、まさか知り合いの死体まで見なければならないとは思わなかった。刑事を続けている以上、ある意味で死は身近ではあったが、それでも滝沢にとっては、やはり他人事《ひとごと》でしかなかったのだ。

「誰もいないのか。おいっ」

自分自身を奮い立たせるためにも、わざと大きな声を出した。振り返ると、玄関先から保戸田が心配そうにこちらを見ている。滝沢は、彼に向かって大きく手招きした。どうも、一人でこの先まで進む勇気がない。

「滝さん、この匂い」

「こっちの部屋だ。入るぞ」

滝沢は、一気に戸を押し開いた。

居間の光を受けて、黒い染《し》みの広がりが目に入る。その血だまりの中央に、ずんぐりとした塊がある。こちらを向いている塊は、口を半開きにした男だった。それを確かめた瞬間、思わずため息が出た。頭の天辺からも腋《わき》の下からも、一気に汗が噴き出てくる。

――ちがった。

死体を見て、ほっとするというのも妙な話だ。だが、音道ではなかった。助かった。

「管理官に連絡だな」

わずかに腰を屈《かが》め、血だまりの中の男が明らかに死亡していることを確認してから、滝沢は背後の保戸田に言った。頸部《けいぶ》が半分ほど飛び散っている。腹部からの出血も著しかった。切ったり刺したりした傷跡とは異なることは確かだ。すると、銃だろうか。今のところ、素性も分からない男の死体だった。

3

もしかすると、自分はもう死んでいるのではないだろうか。闇《やみ》の中で、貴子は考えていた。静寂が、身体《からだ》の奥まで染み込んでくるようだ。目は開いていると思う。それなのに、何も見えず、何も聞こえなかった。それどころか、全身が強張《こわば》って、手足の自由がまるできかない。声を出してみようかとも思うが、口の中に何かが入っていて、舌で感じるその感触が、無闇に声などあげるなと伝えている。

──どこ。

自分は一体、どうなってしまったのだろうか。本当に死んでいるのか、またはまだ生きているのだろうか。どこかに倒れていることは確かだ。とにかく寒い。目をつぶり、呼吸を数えてみる。大丈夫、意識はちゃんとしているようだ。自分の名前、分かってる。住所も言える。家族の名前も。それなのに、生きているか死んでいるか分からないなんて。そんな馬鹿《ばか》な話があるものか。痺《しび》れて感覚のない手足に神経を集中させてみる。微《かす》かに手の指を動かしてみる。何かに触れた。丸みがあって柔らかい──それが、もう片方の自分の手だと分かるまでに、少し時間がかかった。腕そのものは──動かない。なぜ？

──縛られてる。

両手を動かそうとして初めて、そのことが理解できた。すっかり痺れて感覚を失っているが、確かに貴子の両腕は、手首から肘《ひじ》までが、すっかり固定されていた。無理に動かそうとしても、床に押しつけたままだったに違いない肩が鈍く痛むばかりだ。その痛みが、生きていることを教えてくれる。

──何が起こったんだろう。

心の半分はパニックに陥りかけていた。だが、もう半分が、その前に今の状況を把握しようとしている。足は？　膝《ひざ》は曲がる。だが、やはり左右別々には動かない。膝を開けないし、足をばたつかせることも出来ないということは、その辺りを縛られているということだ。腰が痺れていて、だるかった。闇の中に、今の自分の姿を思い描いてみる。両腕と両足を縛られて、身体を海老《えび》のように曲げて横たわる姿だ。どこに？　そっと身体を捻《ひね》り、時間をかけて仰向けになってみると、ストッキングの足の裏に、確かに畳の感触があった。貴子は、そっと足を曲げたり伸ばしたりして、その感触を味わった。つまり、和室ということだ。

――どこの和室。私はどうして、ここにいるんだろう。一体、何が。

ちょうど寝返りを打つように、さっきまでとは反対側に身体を向ける。少し動くだけでも、身体の節々が痛んだ。相当、長い間、同じ姿勢でいたのだろうか。首を前に突き出して、頬が畳に触れるようにしてみる。頬骨のあたりは、確かに畳の目を感じたが、こめかみの辺りと頬の下半分には感じなかった。目隠し。猿ぐつわ。念の入ったことだ。これでは、何も見えないのも無理はなかった。だが、耳はふさがれていないと思う。それなのに、この恐ろしいほどの静寂は、何を意味するのか。人里離れた山奥にでも、連れてこられたのだろうか。

徐々に働き始めたらしい脳味噌が、懸命に記憶の糸をたどり始める。

腹が立っていた。そう、星野のお陰だ。それで、一人で聞き込みに回ることになった。大宮へ行き、新座に回って、最後には阿佐谷まで戻って——瞬間、心臓をどん、と突かれたような衝撃が戻ってきた。そうだ。目の前に血だまりがあった。血だまりの中に男が倒れていて——加恵子だ。中田加恵子に声をかけられて、彼女のマンションに案内されて、すすめられるままにジュースを飲んだ。そう、飲んだ。その後、少しして——マンションには、もう一人、男がいた。そう、茶髪でピアスの男が、隣室の戸口近くに立っていた。

呼吸が速くなる。とんでもないことになった。まさかと思う、悪い夢であって欲しいと思うが、今の状態と最後の記憶をたどった結果は、どうやら冗談では済まされそうにない。自分は完全に、何かの犯罪に巻き込まれたのだ。そうとしか考えられなかった。

冗談ではなかった。死体を見せられた上に、意識を失って、どこだか分からない場所に監禁されているなんて、冗談で済まされることではない。貴子は全身に広がる恐怖を払いのけようと、動かない手足のまま、何とか反動をつけて身体を起こした。薄ら寒いし、確かに身体の節々は痛むけれど、意外なほど、気分は悪くなかった。

――捜査会議なんか、とっくに始まってるはずだわ。

この静寂と闇とは、単に目隠しをされているためだけとも思えなかった。真夜中なのに違いない。一体、自分は何時間、気を失っていたのだろうか。

闇の中で少しずつ身体を後退させると、やがて背中が壁に当たった。横を向き、今度は自由に動かない手の甲と指先、さらに頰で、その壁を触ってみる。ざらざらとした粗い感触だった。砂壁のようだ。そのまま壁に沿って、尺取り虫のように膝を曲げ伸ばしするだけで移動する。とにかく、部屋の広さと周囲の状況を把握したいと思った。砂壁が続く。夏物のジャケットの肩が、壁にこすれて微かな音を立てた。大丈夫。耳は聞こえている。

今頃、捜査本部の仲間たちは貴子の身を案じてくれているだろう。警察官の行方が分からなくなったら、それこそ大騒ぎになっているに違いない。あの星野は、吊《つる》し上げを食っているだろうか。当たり前だ。皆に、さんざん責められれば良い。ああ、でも分からない。あの男のことだから、また訳の分からない言い訳でその場を切り抜けようとしているかも知れない。

まったく。

改めて怒りがこみ上げてきた。一体、誰のお陰でこんな目に遭ったと思っているのだ。こうなる場合を想定して、決して単独では行動しないことになっているというのに。警部補のくせに。ず、ず、と砂壁を伝っていくうち、つま先にぽん、と何かが当たった。その音と感触からして、そう固くない何かだ。今度は、その方向に身体を寄せようとしたときだった。鼻先に、すっと風が起こったような気がした。

「気がついたらしいな」

左斜め上から、男の声がした。貴子の全身はびくん、と反応し、こめかみから額にかけてがかっと熱くなる。心臓が早鐘のように打ち始めた。息を殺し、全身の神経を耳に集中させようとしたとき、瞼《まぶた》に光を感じた。照らされている。

「おい」

男の声で、彼が顔の向きを変えたらしいことが分かる。遠くから、ごとん、と音がして、それから畳を踏む微かな音が近づいてきた。

「何だ、起きたのか。朝まで眠ってりゃあ、いいものを」

別の声が言った。二人？　すると、加恵子を加えて計三人のグループだろうか。貴子は声のする方に顔を向け、喉《のど》の奥から声を絞り出した。猿ぐつわを嚙《か》まされているから、話すことが出来ない。せめて、これだけでも外して欲しい。

「大したものだ。大体、あの女が言ってた通りの時間だな」

「そういえば、あいつらは？」

「さっき、出ていった」

「またどっかで、やってんのかね」

「そんなところだろう」

「またかよ。よくこんな時に、そんな気になれるな」

「こんな時だから、かも知れない」

あいつら。やってる。男たちの会話から察すると、グループは少なくともあと二人、つまり、最低四人ということになる。貴子は息を殺して、男たちに神経を集中させていた。その時、突然、肩を叩かれた。反射的に、またもや全身が震える。

「俺たちの言うことが、分かるな」

小さく頷《うなず》く。そうするだけでも頭が重かった。

「自分がどういう状況に置かれてるか、大体は分かってるかね、刑事さん」

それなりに。今度は軽く首を傾《かし》げた上で頷いた。耳元で「そうか」という声が聞こえた。四十代、または五十代というところだろうか。男性用化粧品の匂いがほのかに香る。上等じゃない。人さらいにしては、身だしなみに気をつけてるってわけ。

「正直なところ、あんたはとんだお荷物だ。何だって、こんな厄介なものを背負い込まなけりゃならなくなったんか、番狂わせもいいところなんだよ」

徐々に脈拍が速まってきた。額の辺りがかっかと熱い。その一方で、背筋はぞくぞくとしていた。

「あんたをどうするか、俺たちは考えてる最中だ。だが、なかなか意見がまとまらんのでね」

相手が言葉を区切った。貴子は仕方なく、また頷いた。口がきけないどころか、相手も見えず、手足も動かせない状態では、他に反応の示しようがない。こんなにもどかしいものだとは思わなかった。

「ただのOLか何かなら、思い切って始末するところなんだがね、何しろ、あんたは刑事だ。まあ、刑事だから、こういう目にも遭ったんだろうが、あんたも知ってるあの女がね、きっと利用価値があるって言うんだな」

中田加恵子。あの時、なぜ、あんなに簡単に彼女の誘いに乗ってしまったのだろうか。あまりにも軽率だった。思慮が足りなかった。いや――まさか、彼女が自分をこんな目に遭わせるなどとは、考えもしなかったのだ。第一、そんな理由がないではないか。

「とにかく、もうしばらく、そのままでいてもらう。いいな」

頷く気にはなれなかった。まるで、どうぞ縛ったままでおいて下さいと言っているような気がしたからだ。代わりに、目隠しされたままの顔を声のする方に向け、大きく息を吐き出してみせる。

「悔しいかい。そうだろうな。仕事熱心もほどほどにしないと、こういう目に遭うんだよ、刑事さん。熱心も結構だが、ここまで来たからには逆らわないことだ。俺たちは乱暴なことは嫌いなんだがね、何しろ、狂犬みたいな男が一人いる。本当に、何をしでかすか分からない男だ。あんたも、見たはずだろう？」

瞼の奥に焼きついている血だまりの光景が蘇《よみがえ》った。その脇《わき》にいた、茶髪の男。Tシャツにジーパンの――間違いなく、競輪場で見た男だ。思わず生唾《なまつば》を飲み込んだ。既に唾液《だえき》を吸っている猿ぐつわが、舌の動きを邪魔していて、それさえも思い通りにならないことに気づく。苛立《いらだ》ちが募り、思わず首を振って声を上げた。途端に、左の頬に痺れるような感覚が走る。殴られたと気づくまでに、少し時間がかかった。

「騒ぐなって。後で、あの女が戻ってきたら、面倒見させるから」

男の気配が動いた。そして、すっと襖《ふすま》を閉める気配がした。さっき、貴子の足が触れたのは、襖だったのだ。

――襖に砂壁の和室。

そして、犯人は加恵子も含めて最低四人。加恵子が家庭を捨ててまで走った男は、仲間に狂犬呼ばわりされている——得られた情報は、それだけだった。貴子は壁にもたれかかり、立てた膝に縛られた肘をのせ、顔をうずめるようにしてため息をついた。頰が痺れている。とにかく冷静にならなければ。ここまで身動き出来ないのなら、助けを待つより他にない。だとしたら、とにかく相手を興奮させないことだ。そのためには、まず自分自身が落ち着かなければならなかった。

——怒られるわ、また。

気持ちが鎮《しず》まるにつれ、両親や昂一の顔が思い浮かんだ。今夜中に脱出できれば、何とか誰にも知られずに済むとは思う。だが、下手をすれば、連絡が行くことだろう。昂一はともかく、少なくとも実家には、あるいは貴子が帰っているのではないかと、誰かが確かめに行く可能性がある。父はともかく、母は。ああ——。

絶望的な気分になった。たった今、無事に抜け出せたとしても、周囲の状況は明らかに変わってしまっているかも知れない。笑い話で済めば良いが、それは、今すぐにここから出られた場合のことだ。時間が経過すればするほど、大事《おおごと》になっていくことは間違いがない。心配性の母が、どうなってしまうか。それを思うと、憂鬱《ゆううつ》を通り越して胸が痛くなるようだった。ほとんど祈りを捧《ささ》げているような格好で、貴子は闇に身を沈めていた。他に、どうすることも出来そうになかった。

4

午後十一時過ぎ、殺害された男性は、あの部屋の住人である若松雅弥だということが、元妻によって確認された。死亡推定時刻は土曜日の午後七時から九時の間。さらに午前一時前、若松雅弥の住居内から、音道の指紋が検出されたという報告が、徹夜で活動を続けている鑑識から入った。単なる殺人事件というだけでなく、警察官の失《しっ》踪《そう》が絡《から》んでいるかも知れないことから、一刻の猶予《ゆうよ》もならないと聞かされて、鑑識も異例の態勢で捜査に当たった結果だった。そのことによって、音道は参考人からの聴取の途中で、何らかのトラブルに巻き込まれたらしいことが裏づけられた。滝沢たち特殊班の間には否応《いやおう》なく緊張が高まった。

「指紋は部屋中、念入りに拭《ふ》き取ってあったらしい。だが、事務用の椅子《いす》の、背もたれと肘《ひじ》当ての裏から検出されたんだそうだ」

滝沢は、保戸田と踏み込んだ若松の部屋を思い出し、そういえば、事務用と呼ぶには少しばかり大袈裟《おおげさ》な椅子があったことを思い出していた。つまり音道は、あの椅子に腰掛けたということだ。たった一日前に、あの椅子に腰掛けた女が、今は煙のように消えちまっている。

「つまり、音道刑事はあの家に上がり込んだっていうことですよね。ただの聞き込みで、家にまで上がるっていうことは、普通、考えられないですよ」

捜査員の一人が口を開いた。

武蔵村山署の、小さな会議室だった。既に二人一組の刑事たちが、音道または犯人から電話が入った場合に備えて、音道の実家および自宅に、逆探知の機材を持ち込んで待機しているし、音道の携帯電話の通話記録から、この数日の間に連絡を取り合った人間にも聴取に出向いており、さらに電話の前に陣取って、十分に一回の割合で、今も音道の携帯電話を鳴らし続けている者もいる。会議室には管理官を始めとして六人の捜査員が残っているだけだ。真夜中ということもあって、現在のところ、他に動きの取りようもなかった。

「真っ先にホトケを見つけていたとしたら、のんびりと椅子になんか腰掛けてる余裕は、ありゃしないだろうしな」

「死亡推定時刻から考えても、音道があの家に行ったのと、ホトケが殺されたのとはほぼ同時っていうことになる」

「音道は、ホシを目撃したか──」

「それにしても、どうして椅子になんか座る？」

「無理矢理、座らせたんだとしたら、それだけ慎重なホシなら、必ず椅子の指紋も拭き取ったはずだ」

誰からともなく、ため息が洩《も》れる。若松雅弥を殺害した犯人が音道を拉致《らち》したのだとしたら、音道の生命だって、どうなっているか分からない。その思いが、誰の上にも重くのしかかっている。殉職は最大の不祥事と言われている。滝沢たちの職場で、もっとも留意すべきことは、現場で活動する際に生命の危険などにさらされないように、十二分に警戒、配慮すること、そのためにも、単独行動は極力避け、常に連絡のとれる状態で活動することだった。

「あの星野って野郎が、きっちり仕事してりゃあ、音道は一人であの家に上がり込んだりなんか、しなかったはずなんですよ」

滝沢の思いを代弁するかのように保戸田が口を開いた。滝沢は、思い出しても胸くその悪くなる星野の顔を思い浮かべ、荒々しく息を吐き出した。考えれば考えるほど腹が立つ。

星野は、音道が勤務中にも年がら年中、男に電話していたと言っていた。だが、音道の携帯電話の発信記録からは、そのような事実は出てきていない。唯一《ゆいいつ》、昨日の昼頃に電話をかけた男がおり、聞き込みの結果、その人物が音道と個人的に親しい相手だということは判明しているが、羽場昂一というその男からも、音道が勤務中に連絡を寄越すことなど、ほとんどなかったという証言が取れている。羽場はまた、音道とは四月の上旬に逢《あ》ったのが最後で、特に現在の捜査本部に召集されてからは、一度も逢っていないとも言っていたという。ここでも、星野の吐《つ》いた嘘《うそ》が一つ、ほころびを見せていた。星野は、事件当日、音道は男と一緒だったはずだと言ったのだ。まったく、下らない嘘をつきやがる。

「もう少し、野郎を絞めた方がいいんじゃないですかね」

滝沢は誰にともなく呟《つぶや》いた。通話記録によれば、音道が最後に電話で話をした相手は、間違いなく星野なのだ。その時の様子をもっと細かく聞く必要がある。あの音道が、ただ事情聴取のために立ち寄った家に、自分から上がり込むことなど考えられないと思うし、星野に、何か言い残している可能性もある。

「係長、あたしに、やらせてもらえませんか」

腰を上げかけて言うと、だが、相変わらず眉間《みけん》に皺《しわ》を寄せたままの柴田係長は、腕組みをしたまま「いや」と小さく首を振った。それから膝《ひざ》に手を置いて立ち上がる。

「俺が、聞く」

　そのひと言に、滝沢たちはわずかに目を瞠《みは》った。柴田係長の取り調べの厳しさには定評があった。決して怒鳴ったり脅したりはしないのだが、独特のすごみで、相手をじわじわと責めていくらしいのだ。刑事の中には、取り調べの際には人情に訴えるタイプもいれば、ひたすら理屈で攻めるタイプ、なだめ役とおどし役に分かれて、二人一組で相手の心を翻弄《ほんろう》するタイプもいるし、根比べで相手を負かすタイプもいる。それぞれが、長年の経験から培《つちか》った独自の方法をとるものだ。

　柴田係長が取り調べをする様子を実際に見たことはないが、滝沢は、取り調べを受けた後の被疑者の口から「あんなに恐ろしい人には会ったことがない」という感想を聞いたことがある。その時点でさえ、その被疑者は顔を引きつらせており、今にも震えそうな様子で、「一晩ではげるかと思った」とも言った。そいつは、いいや。あの、ふやけた野郎にも本当の刑事ってものが分かるだろう。滝沢はおとなしく頭を下げた。黙ってその様子を眺めていた吉村管理官も静かに頷いている。

　係長は、椅子の背もたれにかけていた上着をきっちりと着込み、管理官に会釈《えしやく》をして会議室を出ていった。その後ろ姿には、明らかに怒りがみなぎって見えた。今回の件では、滝沢のみならず、仲間の誰もが怒っている。刑事にとっての相方は、同志であり、戦友であり、そして、互いの命綱だ。どういう理由があったとしても、その相方を放り出し、しかも虚偽の報告をしたことで事件の認知を遅らせたということは、警察官としての道義的な責任以上に、まず心情的に許し難いことだった。

「こっちも、報道協定の準備にかからにゃ、いかんな」

係長を見送った後で、管理官も立ち上がった。誘拐事件など、情報が洩れることによって被害者の生命が危険にさらされると考えられる場合には、警察はマスコミ各社と報道協定を取り交わすことになっている。つまり、すっぱ抜きやスクープ合戦などが起こらないように、捜査情報は公平に与える代わり、人質が無事に解放されたり、または公開捜査に切り換えられる時点までは、取材活動や報道の一切を自粛させるというものだ。警視庁の場合は、まず刑事部長から在京社会部長会に連絡をし、召集をかけたところで協定書を取り交わす。在京社会部長会から、各マスコミへの通達が行われ、その段階で、新聞、テレビ、ラジオなどは、その件に関しては一切、口を噤《つぐ》むことになる。

「手の空いている者は、寝られるときに寝ておいた方がいいぞ。だが、何か動きがあったら、すぐに知らせてくれ。それから、捜査本部の方からも、逐一、捜査情報を取るようにな。いずれ、合同で捜査に当たることになると思うが」

それだけ言い残して、管理官も部屋を出ていった。白々しい蛍光灯の光に照らされた会議室には、煙草《たばこ》の煙とため息ばかりが広がった。久しぶりに長い一日だ。いや、明日はもっと長くなる可能性がある。音道が見つかるまでは、こんな気分の時間が果てしなく続くことになる。いや、無事に救出できない限りは、ずっと引きずる可能性だってないわけではない。嫌なことを考えそうになった。滝沢は慌《あわ》てて大きく深呼吸をし、意味もなく辺りを見回した。

「滝さん、家に電話しました？」

保戸田が話しかけてきた。煙草をくわえながら、滝沢は小さく首を振った。そんな暇なんぞ、ありはしなかった。気がつけばこの時間だ。子どもたちだって、滝沢の仕事は理解している。そう慌てたりもしていないだろう。

「しておいた方が、いいんじゃないですか」

「もう、寝てるさ」

「だけど明日だって、いつ電話できるか分かりませんよ。しておいた方が、いいですって」

滝沢に女房がいないことを知っている保戸田は、おせっかいなほど心配そうな顔になって、髭《ひげ》が伸び始めた顔を向けてくる。田舎臭いおっさん顔から、いよいよ昔のマンガに出てくる泥棒みたいな顔になってきやがった。保戸田のかみさんは、先月から出産で里帰りをしている。上にも幼稚園の子どもがいるのだが、かみさんと一緒に帰っているから、このところの保戸田は独身に戻っていた。話を聞いている限りでは、かなり子煩悩《こぼんのう》らしい相方は、自分たちの仲間が事件に巻き込まれたと分かったとき、女房が留守で良かったと言った。警察官の身内ならば誰だって、今度のような事件を常に想定し、警戒し、そして怯《おび》えている。自分たちの家族が、いつ音道と同じ目に遭わないとも限らないと思えば、穏やかではいられないに決まっている。

「まあ——起きてるかも知れねえしな。最近やたらと夜更《よふ》かしやがるから。ちょっと、してくるか」

　それがいいですと言うように、部屋に残っている他の仲間たちも頷《うなず》いた。滝沢は煙草をくわえたまま会議室を出て、署内の公衆電話を探した。携帯電話を使っても良いのだが、あの小さな電話機は、どうも今ひとつ信用できない。あんな小さな送話口に喋《しゃべ》っていて、どうして声が届くのかと、つい不安になるのだ。

「なんだ。どしたの、こんな夜中に」

　自宅の番号をダイヤルすると、数回のコールの後で電話に出た娘は、普段、滝沢が聞くことなどないような歯切れの良い口調で「滝沢でございます」と名乗ったが、相手が父親だと分かった途端に、ぞんざいな口調に戻った。

「寝てたか、もう」

「寝てないけどさ。どしたの、今夜は酔っ払ってないみたいじゃん」

「それどころじゃ、ないんだ。謙は」

「お風呂《ふろ》。さっき帰ってきて」

「そうか──あのな、お父さん、しばらく帰れなくなるかも知れないから」

「──何か、あったんだ」

「だから留守の間、ちゃんと出来るな」

電話口から、娘の「ああ」とも「うん」ともつかない曖昧《あいまい》な声が聞こえてきた。

「しっかり、するんだぞ。遅刻しないで、ちゃんと学校、行って、寄り道しないで帰ってきて、ああ、戸締まりも忘れずに──」

「大丈夫だって、それくらい。出来るって」

不安そうな声を出していたくせに、すぐに、いかにも面倒臭いという声に変わる。

「それから、誰に誘われたって、簡単に人の家になんか上がり込むんじゃないぞ」

「何、それ」

「いいから。ちょっとぐらい顔見知りだからって、そう簡単に信用しちゃいかんってことだ」

言いながら、頭の中で何かが小さく閃《ひらめ》いた。顔見知り。信用。音道は、誰かと一緒だった。その誰かが、あの部屋と関係していたのか。

「寝る前と出かける前は、火の元を確認するんだぞ」

「分かってるって。そんなに火なんか、使わないから」

「だからって、コンビニの飯ばっかりじゃなくて、たまにはまともなものを食って――」

「分かってるってばぁ。何、そんなに長く、帰れないの？」

公衆電話の脇《わき》に置かれた灰皿に、フィルター近くまで吸った煙草を押しつけながら、滝沢は、「まだ分からない」と答えた。受話器の向こうから、娘の中途半端《はんぱ》な「ふうん」という声が聞こえた。

「金、足りなかったらカードで下ろせばいいから」

「分かってる」

「あんまり、無駄遣い、すんなよな」

「分かってるよ」

「何かあったら、携帯を鳴らせばいいからな」

「分かってるってば。もう」

「時間見つけて、電話するから」

「分かった。ばいばい。あ——」

「ああ？」

「気を、つけてね」

人気のない廊下に、テレホンカードの吐き出された後のピー、ピーという音だけが響いた。気をつけてね、か。そうだよな。まだ半人前のガキを二人残して、どうにかなるわけには、いかない。だが、子どもがいようといまいと、今この瞬間にも、生命の危険にさらされているデカがいる。いや、ことと次第によっては——。考えたくないと思っても、どうしても、その思いが拭《ぬぐ》いきれなかった。あの音道が、既に冷たい骸《むくろ》になっていることなど、想像したいはずがない。だが、一般的に考えても、拉致監禁、誘拐などの場合は、時間の経過に伴って人質が生存している可能性は極端に低くなると言われている。冗談じゃねえ。生きていてもらわなきゃ、たまったもんじゃねえ。新しい煙草を取り出しながら、滝沢は係長が星野と話している部屋に向かった。

「星野は、あたしが話を聞いたときには、音道は誰かと一緒にいたはずだって言ったんですがね。どうせ男だとか何とか言ってましたが、それは別としても、どうも顔見知りだったんじゃないかと思うんです。その顔見知りがいたからこそ、若松の部屋にも入ったんじゃないかって。あの部屋には表札が出てませんでした。下のポストにも。と、いうことは、音道が、あの部屋を若松の部屋だと確信していたかどうか、分からんと思うんですがね」

ノックに応《こた》えて顔を出した係長に、滝沢は低い声で耳打ちをした。

「だが、住居表示が出てたはずだろう。音道刑事は、住所を頼りに捜してたはずだ」

「夜道だったし、あの辺は意外に入り組んでますから」

名刺くらいなら簡単に挟めそうなほど、眉間の皺を深くしていた係長は、滝沢の口元に耳を近づけた姿勢のまま、「なるほどな」と呟いた。そして、そのままの姿勢でドアノブに手をかけ、目顔で頷いて室内に消えてしまう。滝沢は少しの間、閉じられたドアの前で、中の様子を窺《うかが》っていた。だが、低いぼそぼそとした話し声以外は、何も聞こえてこない。あの係長が、あそこまで恐れられる秘密を知りたい、どんな方法で取り調べをしているのか聞いてみたいと思ったのだが、今回も無理なようだ。まあ、後で星野の野郎から聞くって手もある。せめて、そんな程度でも役に立つんじゃなけりゃ、あんな野郎はいなくなった方が良いのだ。

会議室に戻ると、保戸田を含む三人の仲間は、それぞれに机に突っ伏したり、椅子《いす》を並べて簡易ベッド代わりにして眠っていた。一定の間隔で、微《かす》かないびきが聞こえてくる。滝沢も、何ものっていない机によじ登って横になった。ネクタイも緩めず、腕組みをしたまま目をつぶる。

音道の白い顔が思い浮かんだ。現実にはそんな光景に出くわしたことはなかったはずなのに、なぜか物寂しげな表情で、じっとこちらを見ている。それにしても、あいつに男がいたとはな。考えてみれば、何の不思議もない話なのだが、何となく妙な気分になるものだった。どのみち滝沢には関係ないと分かっていながら、正直なところ、そう愉快でもない。だが、その男も、すぐ傍には刑事が張りついているのだし、今頃は眠れない夜を過ごしていることだろう。それを考えると気の毒でもあった。

5

朝の気配が忍び寄ってきていた。目をふさがれているのだし、物音といって何が聞こえてくるわけでもないのだが、そう感じる。貴子は何分かに一度ずつ姿勢を変えながら、あとはひたすら息を殺して辺りの気配を探っていた。頭がはっきりしてくるにつれ、自由に動かない手足の痺《しび》れが苦痛になってくる。

——朝になれば、きっと皆が動き出す。

そして必ず、ここを探し出してくれる。今はそれを信じて待つより他なかった。それまで、最低四人はいるらしい犯人グループをあまり興奮させず、余計な危害を加えられないように努めることだ。何しろ、そのうちの一人は殺人犯だった。どういう理由があったのかは知らないが、貴子は、あのマンションに倒れていた男と、その周囲に広がる血の海を、幻のように記憶している。小柄な三十代の男だった。丸顔の。

どうして、こんなことになったのか、貴子はさっきから繰り返し、昨夜のことを思い返していた。歩いていた。うんざりするほど疲れていた。星野から電話があった。そう、星野。元はといえば、あの忌々《いまいま》しい男のお陰で、こんなことになったのだ。それを考え始めると、怒りと苛立《いらだ》ちばかりが膨れ上がってくる。こんな理不尽な目に遭わなければならないことが、我慢できなくなりそうだ。だが、ここで暴れてみても、縛られた手足は容易に動きそうにもないし、かえって自分の身を危険にさらすことになる気がする。だから、何とか星野のことは考えないようにと、自分に言い聞かせることにした。

だが、とにかく、あの男から電話があった。話している最中に、肩を叩《たた》かれた。振り返ると中田加恵子だった。

――やっぱり、刑事さんだった。

彼女は笑顔で、そう言った。そして、自宅がすぐ傍だから寄っていけと。

――私は断った。仕事中だからって。

それでも加恵子は引き下がらなかった。どうしてもと言われて、つい彼女に従った。疲れていたし、喉《のど》も渇き、何よりも苛立っていたからだ。ああ、いけない。星野のことは考えないこと。

加恵子の住まい。生活感そのものも稀薄《きはく》だったが、あの茶髪の男の住まいとは、どうも感じられなかった。大きな椅子があって、机の上にはノートブック型パソコンが置かれていた。テレビではナイターが中継されていた。どっちが勝っていたんだったろう。分からない。そして、本棚を眺めた。加恵子が冷たいオレンジジュースを持ってきてくれて――あれは本当に美味《おい》しかった。加恵子は、身の上を語っていた。家を出たこと。人生をやり直したかったこと。そうこうするうちに、手足が重くなって、頭が痺れたように感じられて――隣の部屋から、あの男が顔を出した。帰ろうとしても、まともに立ち上がることも出来ずに、視界が揺れた。どす黒い血の海が広がっていた――夢ではないと思う。

加恵子は慌ててはいなかった。自宅に死体があると分かっていて、わざわざ他人を招き入れる愚か者など、いるはずがない。ただの顔見知りの場合でさえ、そうだと思うのに、その上、貴子の職業を知っていながら。

遠くでことん、と音がした。それだけで、貴子は全身が総毛立つのを感じた。頭の中に自分の呼吸する音が響く。全神経が耳に集中した。金属製のドアの開く音。床を踏みしめる音。誰かが来る。低い声で何かを話している。明らかに女の声だ。やがて、部屋の空気が微かに動いた。貴子はさらに全身を固くして、ひたすら耳を澄ませていた。鼻先の空気がふわりと揺れた。同時に耳元で「起きてる?」という囁《ささや》きが聞こえる。頭で考えるよりも先に、反射的に肩が小さく跳ねた。

「トイレは?」

囁き声が言った。少しの間、どう答えれば良いものか分からなくて、貴子はじっとしていた。

「行きたくない? 行くんだったら、今なんだけど」

今度は、地声に戻っている。それは間違いなく、中田加恵子の声だった。貴子は小さく頷いた。実際には、もうずい分前から我慢している。このまま耐えられなくなったら、どうすれば良いのだろうかと思っていた。

「連れていくわ。手と足は多少、楽にしてあげられるけど、他は無理。逃げようなんて思わないことよ、いい？」

仕方がなかった。貴子はさらに頷いた。すると、痺れた足に何かが当たり、微かに衣擦《きぬず》れのような音が聞こえてきた。

「歩ける程度には、してあげるから」

足下から加恵子の声がした。同時に、足首に冷たく固い感触が当たり、かち、と小さな音がした。これまでは何で縛られていたのか分からないが、今度は鎖らしいことが、その感触で分かった。さらにもう片方の足にも、同じ感触が当たり、かちりという音がする。

――鎖。南京錠《なんきん》。

これで鉛の玉でもつけられたら、まるで昔の囚人か奴隷《どれい》ではないか。黙って、されるままになっている自分が情けなかった。ロープならともかく、鎖では、容易に切れるはずがない。唇を嚙《か》みたくても、猿ぐつわのお陰で口が合わない。舌打ちさえも出来なかった。

「次は、手、と」

加恵子の声がして、今度は手首に冷たい感触があたった。同時に、かちりという音。だが、鎖の感触とは異なっている。もっと滑らかだ。

「で、次は――」

いったん近付いたと思った加恵子の声がくぐもり、少し遠くなった。じゃらじゃらと、鎖の音がした。そう太い感じではない。貴子はあまり大きくない犬の散歩に使用するような、銀色の鎖を思い浮かべた。

「そうじゃないって。手錠と足の鎖をつなぐんだ。最初に立たせて、ほら」

ふいに男の声がしたかと思ったら、右の二の腕を強く引っ張られた。また全身が総毛立つ。貴子はよろけそうになりながら、引きずり上げられるようにして立ち上がった。なるほど、手首に回されたのは手錠だったか。おそらく、貴子のバッグから見つけたものだろう。自分の持ち物で縛られるなんて。

ようやく畳を踏みしめて立ち上がったところで、確かに、さっきまでびくとも動かなかった両足の間に隙間《すきま》が生まれていることに気づいた。久しぶりに立ったためか、足下がふらついている。少し動いただけで、畳に鎖の当たる音がした。一体、どれくらい足が開くのだろうか。走るのは無理でも、何とか逃げ出せるだろうか。そんなことを考えている時に、手首が下に引っ張られた。手首というより、二つの手首をつないでいる手錠が引っ張られたらしい。そして、微かな鎖の音。それに続いて、また、かちりという音。

「この程度でつないでおけば、姿勢を伸ばせないからな」

男の声がする。加恵子の声が小さく「そうね」と答えた。

「これなら大丈夫だろう。連れていってやれよ」

今度は不意に背中を叩かれた。驚いて前のめりによろけ、咄嗟《とっさ》に片足を前に出して踏ん張ろうとしたが、足はほんのわずかに前に出ただけで宙に浮き、その勢いで貴子はそのまま倒れ込んだ。手を前に出せないお陰で、肩をもろに打った。おまけに頬にも畳の感触が当たる。頭上から「やだ」という声と微かな笑い。何という屈辱。

「起きて。行きたいんでしょう」

また加恵子の声がした。貴子は仕方なく、背を丸めるようにして身体《からだ》を起こした。前屈《まえかが》みの、いかにも無様な格好をしていると思う。今度は二の腕に柔らかい感触が触れた。

「さあ、行くわよ」

加恵子の声が近くに聞こえた。貴子は誘導されるままにそろそろと歩き始めた。足は二十センチ程度しか開かないと思う。おまけに両腕を前に垂らした格好では、どうすることも出来なかった。

敷居を一つ越えた。今度は板の感触が続く。すり足で、足もとを確かめるように歩くうち、すぐ目の前でがらがらと引き戸の開けられる音がした。

「ここがトイレ。洋式だから、手探りでも何とかなるでしょう。外で待ってるけど、変なこと考えても無理よ。ほら、こっちで鎖持ってるんだから」

再び鎖の音がして、手首が引っ張られる。貴子は静かに頷《うなず》きながら、では、手洗いの戸も完全に締められないではないかと思った。

「大丈夫よ。結構、長い鎖だから。離れてあげる」

顔を見ずに声だけ聞いていると、中田加恵子のイメージが大きく変わっていく。今、隣にいるのは、貴子の知っていた加恵子ではなかった。小柄で、いかにも頼りなげな、地味ではかない印象の女が、こんなにも不敵な声を出し、転んだ貴子を嘲《あざけ》るはずがない。

「ほら、早く済ませて」

また背中を押された。だが今度は、柔らかく、控えめな感覚だ。人の身体に触れることに慣れている、他人の肉体の扱いをよく知っている人の触れ方だと、反射的に思った。当たり前だ。加恵子は看護婦だった。これまで何百、何千人という病人の腕を取り、身体を支えてきたのに違いない。

レールが渡してあるらしい敷居を越えると、今度は冷たい石のような感触に変わった。いや、滑らかさからすると、タイル張りなのだろう。両足をその冷たい感触の上にのせ、さらに一、二歩、足を出したところで、背後の引き戸が閉められた。板に挟まった鎖がごとごとといいながら引っ張られる音が続く。

——目が不自由って、こういうこと。

視覚から取り込まれる情報を断たれるということが、いかに苦痛を伴うものであるか、貴子だって想像くらいはしたことがある。だが、こんなにも人を不安にさせ、孤独にさせ、そして追い詰めるとは思わなかった。よちよち歩きでタイルを踏み、前屈みになった手で辺りを探る。膝《ひざ》に何か当たったのと、手が触れたのが同時だった。確かに洋式便器らしいものがある。貴子はそっとベルトを外しながら、これでもまだ、さっきの部屋に転がされたままで粗相せずに済んだことを感謝すべきなのだと自分に言い聞かせていた。ただでさえ、こんな屈辱を味わっているのに、その上、汚物まみれにでもなったら、プライドを支えきれないかも知れなかった。

——普通の民家だろうか。引き戸の手洗いに洋式便器。

さっきまでいた砂壁に襖《ふすま》の、畳敷きの部屋を出ると廊下があって、この手洗いに続く。日本家屋らしいことは分かるが、これだけの情報では、さらに何かを判断することは難しい。

便座に腰掛けながら、手と足との距離さえ縮めて、もっと背を丸めれば、自力で猿ぐつわと目隠しが外せそうなことに気がついた。実際に試してみると、なんとか手を頭の後ろに回すことが出来そうだ。親指が、頭の後ろに出来ている結び目にも触れられた。

——下手なことはしない方がいい。今は、とにかく生き延びること。

思い切って目隠しを外したいと思ったが、やっとの思いで我慢した。冷静に。よく考えて行動しなければならない。だが、ここにいる時くらいは自由でいいはずだ。貴子は、結び目を解く代わりに目隠しの布をずらすことにした。やっとの思いで片方だけ目が出た。ずっと瞼《まぶた》を圧迫されていたせいか、開いてみると、辺りがぼやけて見える。だが、見えないことはなかった。視力が奪われたわけではない。それが、たとえようもなく嬉《うれ》しかった。

辺りはまだ、薄暗い状態だった。だが確かに、手洗いだということくらいは分かる。右側の壁にはトイレットペーパーのホルダーがあって、ほとんど未使用に近いと思われるトイレットペーパーが残っている。そのホルダーカバーには、点々と白っぽい錆《さび》のようなものが浮かんでいる。足もとのタイルも、全体に埃《ほこり》っぽかったし、片隅にはやはり白っぽく変色しているらしいスリッパが押しやられていた。

——古い家？　または、廃屋。

「ちょっと、まだなの？」

その時、外から加恵子の声がした。貴子は「うーん」と呻《うめ》くような声を喉《のど》から絞り出した。

「早くしなさいよ」

どうして、あんな女に命令されなければならないのだ。片方の目だけで、素早く自分の身体を確認する。ずい分、埃がついて汚れているが、衣服に乱れはないようだ。そして手には思った通り、黒いセラミック製の手錠。足首には、さほど丈夫そうでもないが、貴子の力では到底引きちぎれそうにない鎖が回され、南京錠がかけられていた。そして、手錠と足首の鎖の間にも、もう一本の鎖がつながれており、それが手錠を経由して、手洗いの外まで伸びているという状態だった。

「ねえ、ちょっと、まだ？」

明らかに苛立った声が聞こえてきた。貴子は急いでトイレットペーパーに手を伸ばした。かたん、かたん、という音が響く。トイレットペーパーは、全体に湿気を含んでいるようだった。ようやく立ち上がって身支度を整え、最後に、水洗のペダルを探す。そこに手を伸ばしかけたところで、慌《あわ》てて先に目隠しを元に戻した。ペダルを押す。だが、水が流れてこない。空しい手応《てごた》えのペダルを何度か動かしていると、待ちかねていたように背後の引き戸が開けられる音がした。

「無駄よ。水は流れないの。後で私がやっておくわ。とにかく終わったんなら早く出てよ。もうすぐ、彼が起きてきちゃうんだから」

加恵子の声は幾分早口になっていた。口がきければ、礼の一つも言いたいところだったが、いかんせん、それも出来ない。貴子は素直に身体の向きを変え、再びそろそろと歩き始めた。目が記憶したお陰で、さっきほどの不安はない。タイルから板の間を踏み、再び畳の部屋に戻る。

「多少、動き回ることくらいは出来ると思うわ。でも、逃げ出すのは無理。さっきも言ったけど、こっちでも鎖を持ってるんだから」

鎖の存在を分からせるように、耳元でじゃらじゃらと音がした。貴子は、その音の方に顔を向け、猿ぐつわをされたまま、声を出した。呻くことしか出来ないが、とにかく自己主張する方法はこれしかない。

「何よ、何が言いたいの」

言いたいことなら山ほどある。自分のものとも思えない声を何度も絞り出しながら、貴子は最初に話せるようになったら、何と言おうかと考えていた。

「トイレに行かせてあげるだけでも、一苦労なのよ。手こずらせないで」

加恵子の口調には容赦がなかった。ぴしゃりと襖の閉じられる音がして、じゃらじゃらという鎖の音が遠ざかる。そしてまた、ぼそぼそという話し声。貴子は閉められた襖ににじり寄り、そっと耳を澄ました。

――何時頃になったら？

――あいつ次第だな。また、あれ飲んで寝たのかね。

――ああ見えて、気の小さいところ、あるのよ。

――それは、どうかな。

――ねえ、皆で一緒に行く？

――そんなわけに、いかんだろう。最初から、一緒に行動することは極力、避けるようにしようって決めてたんだ。こんなことにならなければ我々だって、ここまで来たりしやしない。

――そんな言い方しなくたって。私たちだって、好きでやったわけじゃないわ。自分たちだけ罪を逃れようっていうの。

――そうは言ってない。だからこそ、こうして来てるじゃないか。

なかなか面白そうな話だった。だが、もう一つ事情が呑《の》み込めない。第一、どうして貴子が身柄を拘束されなければならなかったのかという問題からして、理解できていないのだ。あんな部屋に呼び込まなければ、貴子に死体を見られることを心配する必要など——。

——あるじゃない。

ずっとぼんやりしていた脳味噌《のうみそ》が、そろそろ活動を開始したのかも知れない。同時に、自分の察しの悪さに舌打ちしたい苛立《いらだ》ちがこみ上げてくる。何て間抜けなの！　薄々、気づいていたはずなのに、その機会はあったのに、どうして、はっきりと分からずにいたのだろうか。

彼らが殺害したのは、貴子が捜し求めていた相手に違いないのだ。遅かれ早かれ、貴子はあの死体を発見することになった。元関東相和銀行々員、若松雅弥。あの男の部屋だったならば、すべて合点がいくではないか。家庭を捨てて一人暮らしになった元銀行マンの部屋だとすれば、なるほどとうなずける。生活感の漂わない室内も、机の上のパソコン、本棚に並んでいた書物も。あの時だって、貴子は奇妙な違和感を覚えたはずなのだ。だが、とにかく油断していた。気力も思考力も低下していたし、その上、まさか中田加恵子が自分をこんな目に遭わせようなどとは、想像さえしていなかった。

久しぶりに多少なりとも身体を動かし、余分なものも排泄《はいせつ》したお陰だろうか。細胞が、ようやく活動を開始したのかも知れない。貴子はその場に腰を下ろし、膝を抱えて考えを巡らし始めた。

若松雅弥は三十代の、元関東相和銀行々員。彼を殺害したのは、中田加恵子と愛人の男。貴子は、小柄で丸顔のサラリーマン風の男を捜して、立川競輪場へ行った。そこで、加恵子を一度ならず見かけた——。

胃袋が小さな音をたてて鳴った。緊張のあまり忘れていたが、かなり空腹であることは間違いがないはずだ。何しろ、昨日の昼から何も食べていない。

——無事に抜け出す方法さえ考えれば、このヤマ、一気に解決出来る。

重苦しく沈んでいた気分に、ようやく新たな活力が与えられた気がした。デカを誘拐なんかして、ただで済むと思っているのか。この借りは、必ず倍にして返してやる。ついでに、心配と迷惑をかけているに違いない捜査本部には大きな手土産を持ち、星野には、彼が欲しくてたまらなかった手柄を鼻先に突きつけてやる。あの馬鹿《ばか》。本当に、許さない。

——待つこと。きっとチャンスがある。

襖の向こうに聞き耳を立てながら、貴子は繰り返し自分に言い聞かせていた。今、自分の手首を拘束している手錠を、必ずホシにかけ換えてみせる。そのためには、緊張感を失ってはならない。タフでなければ。見えなくても、話せなくても、自分を信じて、この場を切り抜けることだけを信じて。

――警察官なんだから。

こんなにも強く、自分は刑事なのだと自身に言い聞かせたことはなかった。貴子は膝を抱えた姿勢で畳に座り込み、ひたすら聞き耳を立てていた。

6

ばたん、という音に跳ね起きた。同時に、仮眠をとっていた幅の狭い机から転がり落ちそうになる。滝沢は、咄嗟《とっさ》に机の縁を摑《つか》み、そのまま床に足をついた。何とか転ばずに着地したが、後から腰が砕けたようになる。いつの間にか熟睡していたらしい。頭ははっきりしているつもりだが、身体の方がまるで目覚めていない。気がつけば会議室の窓から、ぼんやりと白んだ朝の空が見えた。

「滝さん、音道刑事が機捜に配属されてから扱った事件、洗ってもらえんか」

会議室に入ってきたのは柴田係長だった。全体に脂《あぶら》じみて、疲れた顔をしている。

「すべての記録の洗い出しと、一緒に事件を扱った者がいれば、その人間からの聴取。先方には連絡を入れておく」

保戸田を始めとする他の刑事たちも、銘々起き上がって、顔を擦《こす》ったり頭を振ったり始めた。滝沢は、喉にいがらっぽさを感じて何度か咳払《せきばら》いをした後、「音道のですか」と係長を見た。

「星野は、何か思い出したんですか」

係長は呻くような声で「あの野郎か」と言い、頭を掻《か》きむしりながら、深々とため息をつく。

「そうでしょう」

「ありゃあ、正真正銘のど阿呆《あほう》だ」

「どうして、あんな奴《やつ》をデカになんかしたのかな。ちょっと睨《にら》んだら、途端にめそめそしやがって、『僕、僕』とか言いやがる。まるっきり女の腐ったのみてえだ」

言った後で係長ははっと顔を上げ、「セクハラか、今の」と、周囲を探るように言った。そんなとき、被疑者に対するときには震え上がられる係長も、単なる中間管理職になる。仲間内に一人でも女がいると、そういうことまで気にしなければならない。だが、幸い平嶋はよそに出ているし、滝沢にしてみれば、そんな表現などごく当たり前のことだった。それに何も、女を悪く言っているのではない。女が「腐った」状態を指しているだけのことだ。

「名前を聞いてるんだよ、奴は」

苛立ったように煙草《たばこ》を取り出し、係長は呟《つぶや》いた。

「名前って」

「星野が電話をかけたときに、音道が一緒にいた相手の名前だ。その前後のことを、こっちの脳味噌がすり切れるくらいにしつこく繰り返して聞いたんだが、『知りません』『忘れました』ばっかりでな。そのうちやっと、音道の口調からすると、どうも野郎も知ってる相手だったような気がすると言い出しやがった」

「じゃあ、星野にだってピンと来るはずじゃないですか」

ふう、と煙草の煙を吐き出して、係長は「とぼけてるんだか、本当に忘れてるんだか」と首を振った。

「とにかく、覚えのない名前だというんだ。同じ捜査本部の誰かじゃない限り、あの二人に共通の知り合いなんているわけがない。その辺りを突いた」

果たして係長は、どう突いたのか。横からか、上からか、それともえぐり出すようにか、興味があった。だが、正面から尋ねる気などさらさらないし、尋ねたところで、自分の取り調べ技術をおいそれと他人に教える刑事など、いるはずがない。

とにかく係長は、コンビを組んでからの星野と音道との行動と会話を、一つ残らず細かく聞き出そうとした様子だった。星野に心当たりがないのだとしたら、聞いている方が判断するより他にないからだ。聞き込みに回った先なら山ほどあるだろうが、そんなときに一度だけ会った人間の名前まで、すべてを覚えていられるはずがない。それに、たった一度、話を聞いた程度の人間とどこかで遭遇したとしても、その後、行動を共にする必要などない。以前から面識もあり、ある程度、言葉を交わしたことのある人間でなければ、「会った」という表現は使っても、「一緒にいる」とは言わないはずだ。

そうやって一人一人のことを思い出させた結果、ある目撃証言をもとに立川競輪場を張り込んだ際、音道が一人の女を見かけたという話が、星野の口から聞かれた。以前、何かの事件の被害者として会ったことがあるという話だったらしい。競輪場には計三日間通うことになったが、そのうちの二日、その女を見かけたと星野は言っていたという。

「看護婦か何かの、三十代後半から四十代の女だそうだ。以前、ひったくり被害に遭って、その時に扱ったのが音道らしい。音道の知り合いで、星野も名前を聞いたっていったら、どうも、その女くらいしかいないんだな」

「で、その女の名前は?」

「それを、あのど阿呆は思い出せないってえんだ。山ってえ字がついたと思うとは言うんだが」

「山——。山田、中山、山本ってとこですか」

「俺も思いつく限りは言ってみたんだがね。『そんなこと、僕に言われたって』と、こうだ。ありゃあ、馬鹿とか阿呆ってえ以前に、ガキなんだな。まるっきりの、お子ちゃまだ」

係長は、煙草の煙を吐き出しながら、うんざりした表情で滝沢を見た。この係長をここまで手こずらせるのだから、星野という野郎、ただの「お子ちゃま」だとしたら、相当なものだ。

「で、それはいつ頃の事件だったんですか」

「それも、曖昧《あいまい》だ。そんなに最近のことじゃないらしい。相手の女の方も、音道を見てしばらくは思い出せない様子だったってえんだから」

「じゃあ、看護婦、ひったくり、山がつく名前って辺りで洗えばいいですか」

放り出したままになっていた上着を引き寄せながら滝沢が言うと、こらえきれずにあくびを洩《も》らしていた係長は、大きく伸びをし、呻《うめ》くように「ああ」と言った。

「とにかく、今は何でもやるしかない。どうだい、少しは眠ったか」

充血した目に涙を浮かべている係長を、わずかに気の毒に思いながら、滝沢は頷《うなず》いた。そして保戸田に目配せをする。一度、どこかで髭《ひげ》をあたらせてやらなければ気の毒だ。いや、もう少し伸びれば、それはそれで嘘《うそ》臭い芸術家みたいな風貌《ふうぼう》になるかも知れない相方は、早速立ち上がっている。

連れだって会議室を出て、長い廊下を途中で曲がり、エレベーターホールに出ようとしたところで、前から来た人間と行き当たった。見れば、あの星野が、昨日の日中とは別人のような、やつれ果てた風貌で幽霊さながらに立っている。黙ってすれ違おう、今さら話すこともないと思ったのに、奴の肩が自分の横を通った瞬間、滝沢は「おい」と言っていた。星野が怯《おび》えたような表情でこちらを見る。ははあ。こいつ、本当に泣きやがった。ただでさえ細い目が余計に腫《は》れ上がって、面長の赤パンダみたいな風貌になっている。

「これで楽になったと思うなよ。今からでも遅くないんだ。どんなことでもいいから、思い出せ。音道と話したことのすべて、どんなことでもだ」

「だって僕——もう、柴田係長に話しました」

「だから、それ以上に思い出せって言ってんだよっ。ガキが職員室に呼ばれたわけじゃ、ねえんだ。人の生命がかかってんだぞ！」

「だって、それは――」

だって、だってとうるさい奴だ。滝沢は思わず星野に身体の正面を向けて、自分よりもずい分長身な男を、顎《あご》の下から見上げた。星野の喉仏《のどぼとけ》が大きく動く。滝沢は、わざと小さく口元をほころばせながら、「なあ」と相手の肩に手を置いた。

「思わないか」

「――何を、ですか」

「いやさ、日本てえ国は豊かだってさ」

すぐ間近から、改めて星野を見上げる。毛むくじゃらの相方に比べて、星野の野郎は徹夜したとも思えないくらいに、髭ひとつ伸びておらず、のっぺりした顔をしていた。そして、腫れ上がった目を落ち着きなく揺らしながら、滝沢を見返してくる。

「おめえみてえなトンチキを、税金で食わしていく余裕があるんだもんなあ」

一際《ひときわ》大きく、星野の喉仏が動いた。滝沢は、彼の肩を突き放して、そのまま歩き始めた。やめちまえ、てめえなんか、という言葉を何とか呑み下そうとした時、背後から「音道だって悪いんだっ」という声が聞こえた。振り返ると、保戸田の肩越しに、両手を握り拳《こぶし》にして震わせている星野が見える。

「──何だって？」

「そうじゃないですか。安易に参考人の家に上がり込んだりするから、こんなことになるんじゃないですか。刑事として──」

近づいていって腕を振り上げようとする前に、横にいた保戸田がさっと動いて、次の瞬間、びしゃりという鈍い音がした。拳を受けた星野の顔が一瞬歪《ゆが》み、よろめいて数歩下がる。髭もじゃの顎を突き出し、まだ殴り足りないというように星野の胸ぐらを摑んでいる相方の肩を、滝沢は「まあまあ」と言うように軽く叩《たた》き、今度は自分が彼の前に足を踏み出した。だが保戸田はその腕を離そうともしない。

「そうさ。音道にも、確かに問題はあったろう。だが、それをてめえが言っちゃいけねえな」

星野は、殴られた頰をそむけたまま、苦しげな息を洩らした。頰が見る間に赤くなっていく。

「傍にいて指導すべき立場にいた者が、勝手に行動しておいて、どうしてそういうことが言えるんだよ。ええ？　第一、今、あいつはどうなってるかも分からないんだぞ。そんなときに、あんたはまだ、そんなことが言えるのか」

滝沢の言葉に合わせるように、保戸田は腕に力を加え、さらに星野の襟首をねじ上げていく。

「あんたさあ、そんなに自分が可愛《かわい》いのか。そんなに責任をとるのがいやなのか」

星野は何も答えない。いや、答えられないのかも知れない。何しろ、今や保戸田が襟首をねじ上げたまま、その拳を奴の顎の下に押しつけているからだ。

「そんな奴は、やめた方がいいや、なあ。俺たちは確かに公務員だがね、サンダル引っかけて、住民票扱ってるような仕事とはわけが違うんだよ。あんた、そっちになった方がよかったんだ」

今度ははっきりと「やめちまえ」と吐き捨てるように言って、滝沢は、再び保戸田の二の腕を軽く叩いた。それを合図のように、保戸田が星野を突き飛ばす。よろめきながら後ずさった星野は廊下の隅に置かれていた消火器を蹴飛《けと》ばした。ゴン、カラン、カラン、という鈍い音が廊下に響いた。こんなことをしている暇はない。一刻を争っているのだ。

「たとえやめなかったとしたって、金輪際、あんな奴と組みたがる奴はいないでしょうね」

エレベーターに乗り込んだ後で、保戸田が星野を殴った拳をさすりながら呟いた。

当たり前だ。いざというときに、お互いの生命を預けられるようでなければ、コンビなど組めるはずがない。星野の噂《うわさ》は瞬《また》く間に広がることだろう。広がらないのなら、この滝沢が広めてやる。

「朝っぱらから、ろくでもねえもの見ちまったな」

滝沢はふん、と鼻を鳴らしながら、手元の時計を見た。午前五時七分。ゴールの見えない時間との競争は今日も続いている。

音道の職場である警視庁第三機動捜査隊の立川分駐所は、立川の警視庁多摩総合庁舎内にある。隣には陸上自衛隊の東部方面航空隊があり、辺りには広大な緑が広がっていて、その中をひたすら真《ま》っ直《す》ぐに通っている道に沿って建てられた建物のうちの一つだ。この辺りは立川広域防災基地と名づけられており、東京が地震などの大災害に見舞われた場合には、東京西部の指令基地となるべく、東京消防庁、海上保安庁なども庁舎を構えている。他にまったく車の通っていない真っ直ぐな道路を猛スピードで走り抜け、脇《わき》から多摩総合庁舎に車を乗り入れて、機捜の分駐所に足を踏み入れた途端、えらくのっぽな男が飛び付くように歩み寄ってきた。

「音道がいなくなったって、どういうことですっ」

まだ名乗ってもいないのに、男は食い入るような表情のまま、のしかかりそうな勢いで口を開いた。滝沢は、思わず自分の方が背を反らす格好になりながら、「あんた、誰」と聞き返した。

「どういうことなんです、音道がいなくなったって！」

だが、男は滝沢の質問には答えずに、さらに目玉をむいてくる。その男を押しのけるようにして、大下と名乗る係長が自己紹介をした。

「つい先ほど、連絡を受けました。それで」

「認知は昨日の昼過ぎ、事件性の認定は、昨夜になってからです」

かいつまんで音道がいなくなった状況を説明する。昨日、阿佐谷で変死体が発見され、現場から音道の指紋が検出されたと言うと、脇に押しのけられていたのっぽが再び何か言おうとして口を開きかけた。すると今度は、妙に目と目の間隔の狭い、貧相な顔立ちの男が、のっぽの腕を引っ張った。

「つまり、音道の失踪《しっそう》は、その殺しとも無関係でない、明らかに、何者かによって拉《ら》致《ち》されているということですか」

「そういうことだと、思います。自宅に戻った形跡もなく、実家やその他の知り合いのところへも連絡は入っていません。携帯電話は応答なし、まるで連絡の取れない状態です」

滝沢が答えている間に、のっぽがまた前に出てきた。

「勤務中だったんでしょう！　相方は、何してたんだ。第一、どうして特捜本部から誰も来ないんですか！　勝手に駆り出しておいて、そんな危険な場所に一人で行かせたっていうことですか！　何、考えていやがるんだっ」

顔が青ざめている。唇まで色を失って、のっぽは、その馬鹿《ばか》長い腕を振り回さんばかりに「畜生、畜生」を連発している。大下係長が「八十田！」と怒鳴りつけたが、それさえも効果をなさず、その男は、今度は係長を睨《にら》みつけた。

「やっぱり俺が行くべきだったんじゃないんですかっ。係長が、おっちゃんを行かせたんですからね！」

大下係長は困惑した表情になり、それから取り繕う表情になって小さく「すみません」と謝った。

「彼が、普段は音道と組んでるものですから。頭に血が上ってて」

なるほど、これが音道の相方か。滝沢は改めて八十田と呼ばれた男を見上げた。

「こっちだって、同じ気持ちなんだ。俺も所轄《しょかつ》にいた当時、あいつとは一緒に仕事してるんだよ」

八十田の表情がわずかに動いた。

「一刻も早く、音道を見つけ出したい。だから、怒るのは後回しにしてくれんか」

「音道がどうにかなってたら、誰が責任とってくれるんです！」

「責任云々《うんぬん》なんてえのは、後で偉い人が考えりゃ、いいことじゃないかい。とにかく今は、音道の救出。それだけだ」

のっぽは、まるで興奮が冷めていない様子だったが、貧相な顔の上司に「ほら」と肩を叩かれて、ようやくうなだれた。

「あんた、名前は」

のっぽは初めて思い出したように、八十田巡査部長であることを名乗った。音道は、なかなか幸せだ。星野はろくでもない野郎だが、日頃はこんな仲間と一緒に仕事をしていたのなら、それなりに快適な刑事生活だってことだろう。あいつは、ここでは十分に受け容《い》れられているということだ。それは、八十田だけでなく、他の連中の表情を見てもよく分かった。

「じゃあ本題に入りますがね」

滝沢は、柴田係長が星野から聞き出した話から、音道が過去に扱った、ひったくり事件の被害者で「山」の字のつく看護婦を捜していることを説明した。どうだい、と言うように八十田を見上げてみる。八十田は、まだ興奮冷めやらぬ様子で肩を上下させていたが、やがて口を尖《とが》らせたまま小さく首を傾《かし》げた。

「僕がここに来てからは――看護婦がひったくり被害に遭ったっていう案件を扱った記憶は――ないと思うんですが」

「ひったくり被害は多いだろう。その全部を、覚えてるかい」

「何歳くらいの被害者ですか」

「三十代の後半から四十代っていうところかな。何年か前の事件だろうから、それより少し割り引いて考えてもらいたいんだが」

八十田はさらに考える表情になった。室内の無線受信機が、ピーピーと鋭く鳴って、一一〇番通報が入ったことを知らせる。「警視庁から各局」という呼びかけも、今は耳障《みみざわ》りに感じられた。

「何年も前のヤマなのに、ホシじゃなくてガイシャの名前まで覚えてるくらいなら、ただ事務的にぽんぽんと片づけただけの事件じゃなかったと思うんです。だとすれば僕も覚えていても不思議じゃないし、その年代の女性は何人か扱っていますが、看護婦は――いなかったと思います」

「あんた、ここにきて何年ですか」

八十田は二年半だと答えた。その間、ほとんどずっと音道と組んできたという。音道がこの分駐所に来てからは、三年あまりが過ぎている。つまり、その間のヤマを洗えば良いということだ。早速、八十田がコンピューターに向かい、過去に扱った事件のファイルを呼び出してキーワードを打ち込む。

「これに入っていなければ、もっと以前のヤマだったことになりますが、おっちゃんが来てからなら、見つかるはずです」

さっきも聞いた呼び名だ。滝沢は「おっちゃん？」と聞き直した。

「ああ、音道のことです」

喋《しゃべ》りながら、のっぽの八十田はパチパチとキーボードを叩いている。便利な世の中になったものだ。以前なら、分厚くて重い資料綴《つづ》りを目の前に積み上げて、端から目を通さなければならなかったものなのに。それにしても、おっちゃんとはな。おっちゃん。可愛い気もセンスもあったものではない。自分なら、もう少し愛嬌《あいきょう》のある呼び名をつけてやるのに、などと考えている間、八十田は何度か「畜生」「ああ、違う」などと苛立《いらだ》った声を上げていたが、ようやく「これかな」と口を開いた。滝沢は保戸田と共に、八十田の両脇からパソコンの画面を見ようと身を乗り出した。

「でも、山という字はつきません。違うのかな」

パソコンの画面には、左上に赤い文字で「未検挙」という表示が浮かび、事件が起きた年月日と事件の発生場所、概要、被害者の住所氏名、被害品目などと共に、一一〇番通報によって事件が認知されたこと、初動捜査にあたった捜査員の氏名などが表示されていた。そこには確かに、音道貴子の名前がある。だが八十田の言う通り、被害者の氏名欄に出ているのは「中田加恵子」という氏名だ。山という字など、どこにもついていない。三十六歳。職業は看護婦。住所は、昭島市郷地町二丁目。年齢と職業は合っている。事件が起きたのは三年と少し前。

「他にも探してみますが――この年代のひったくり被害者っていったら――ああ、いることはいますけど、看護婦じゃないな。飲食店店員。ホステスですね。それから――主婦。でも、この当時で四十八歳です。この三人くらいかな」

「取りあえず、その三人の資料、印刷してもらえますかね」

八十田は即座に頷《うなず》いた。最初に出てきた中田加恵子の資料を眺めて、滝沢は、おそらくこの女だろうと目星をつけた。星野の阿呆《あほう》は、「中」または「田」の字を、単によくある簡単な文字で、名字に多用されるという程度で「山」と記憶違いしたのだ。または、意地の悪い考え方をすれば、わざとか。

――いくら何でも、そこまではな。

その程度は信じてやりたかった。あんな男でも、一応は刑事なのだ。これ以上に奴《やつ》の評価が落ちると、そのまま自分たちまでが貶《おとし》められる気がしてくる。仲間というくくりに入れられることが、とんでもなく情けなく、屈辱的なことのように思われてくる。冗談ではなかった。あのような男一人のために、誇りまで傷つけられるのではたまらない。

「これと同じものを、我々の本部の方にファックスしておいてもらえませんかね」

プリントアウトされた資料を手に、滝沢は八十田を見上げた。星野に比べれば、月とスッポンほどもましに見える音道の相方は、思い詰めたような表情で頷く。

「助けてやって下さい。お願いします」

係長たちも一斉に立ち上がって、こちらに頭を下げる。滝沢は、彼らの一人一人を見て「おっちゃんをね」と答えた。

「全力を、尽くします」

立川分駐所を後にして、すぐに係長に報告を入れる。もっとも可能性が高いと思われる中田加恵子の自宅に向かうつもりだと伝えると、係長の「中田ねえ」という声が返ってきた。

「山の字がつくのは、いなかったかい」

「そちらにファックスした分で全員です。星野の頭だと、中も山も田も、同じなんじゃないですか」

「まあ、ちょっと待て。一応、星野に確かめる」

辺りは、すっかり朝だった。こうして地平線が見えるほど広々とした場所にいると、事件の緊迫性など忘れるほどだ。頭上には淡い水色の空が広がって、流れる空気は土の匂《にお》いを含み、朝露が太陽のきらめきを受けている。スズメだかヒバリだか知らないが、小鳥のさえずりが、いかにも長閑《のどか》に響いてきた。

「コンビニで握り飯でも買うか」

「食べられるときに食べておかないと、駄目ですね」

保戸田は電気カミソリを持ち出して、ちょうど髭《ひげ》をあたり始めたところだった。こういう風景の中に、彼の髭面《ひげづら》はなかなか似合うと思ったのだが、他人の家を訪ねる前にはさっぱりしなければならないことを、本人が一番自覚しているようだった。

7

いつも、どれほど憧《あこが》れていたことだろう。時間に追いまくられることもなく、先の予定も心配せずに、ただゆったりと何もしないで過ごせる日が来ることを。余計なことは考えず、雑音のすべてから解き放たれて、眠りたいだけ眠り、食べたいときに食べて、窓の外には海が見えて――。

壁に寄りかかり、膝《ひざ》を抱きかかえた姿勢のまま、ついぼんやりと、そんなことを考えていた。頬の痺《しび》れはおさまっている。だが、腹部の痛みはまだ消えていなかった。

時計を見られないと、こんなにも時間の感覚が摑めないものだとは思わなかった。感覚としては三十分ほど前のことだと思う。貴子はまったく無抵抗のまま、両頬と腹部を数回ずつ殴られた。闇《やみ》の中に取り残され、突然、どこからか衝撃を受ける恐怖。

「ぶっ殺す」という言葉が、こんなにも生々しく自分の中に突き刺さり、打ちのめすとは思わなかった。だが、単なる脅しでないことは、脳裏に焼きついた血の海の光景が語っている。

「生意気なんだよっ。人質のくせに、便所に行ったたって？　勝手にクソにまみれてりゃ、よかったんだ！」

殴られ、畳の上に倒れたところで、頭上からそんな声が降り注いできた。これまでに聞いたことのない声だった。加恵子が「やめてよ」というのも聞こえたから、おそらくあれが、加恵子の愛人、競輪場で見かけた男の声なのだろうと思う。特に語尾の発音が多少曖昧《あいまい》な、要するに今どきの若者らしい口調だった。

卑怯《ひきょう》だ。理不尽ではないか。痛みと共に怒りが体内を駆け巡った。だが、少しでも抵抗を示せば、さらに痛めつけられることくらいは容易に察しがついた。貴子はひたすらうずくまり、身体《からだ》を縮めていた。痛みと悔しさとで涙が出たが、それは目隠しの布が吸い取った。その後、貴子は引きずり起こされ、「そんなに便所のことが心配なら」と、今度は便器に鎖でつながれた。鎖の長さに多少の余裕があるにはあるが、手洗いの外の廊下にうずくまるのがせいぜいだ。板の感触はひんやりと冷たく、固くて、畳の部屋以上に、自由に動かせない身体には負担だった。

その後、犯人たちはぼそぼそと何か話し合っていたが、今、近くには誰もいないようだった。さっき何人かで連れ立って部屋を出ていったのは分かっている。だが、それが全員だったのか、または見張りが残っているのかが分からない。いくら耳を澄ませても、はっきりとした物音はまるで聞こえて来ず、ただ風の鳴るような音が、微《かす》かに低く響いてくるだけだ。

――どれだけ耐えればいいんだろうか。

自分の精神力が、果たしてどれくらいもつものか、見当がつかなかった。待つこと、耐えることは、日頃の生活の中でもそれなりに鍛えられているつもりではある。だが、自分を保ち続けることを試された記憶はなかった。出来るだけ現実離れしたことでも考えていた方が良いのか、それとも少しでも現状を把握するように努め、脱出の機会を狙《ねら》うべきか。体力を温存するべきか、どんな方法でも試してみるべきか――こんな状態では、脱出も何もあったものではない。

――探してくれてるんだろうか。

何もせず、ただ待つことが、こんなに疲れるなんて。いっそ眠ってしまえた方が楽な気もする。だが、神経が張りつめていて、とても眠れそうにはなかった。それに、万に一つも、眠ったまま殺されてはたまらないと思うと、動悸《どうき》がして呼吸まで荒くなり、恐怖で叫び声さえ上げたくなるのだ。本当に声を出して、また突然に殴られでもしたら、さらにパニックに陥りそうな気がするから、猿ぐつわを食いしばり、ひたすら黙ってはいる。だが、まさしく、これは拷問《ごうもん》だった。

壁に身体をもたせかけ、ただ黙って過ごす。こんな時には、何を考えれば良いのだろうか。家族のこと。昴一のこと。機捜の仲間のこと。心配をかけたくない人たちばかり。一刻も早く逃げ出さなければ、いずれ彼らにも連絡が入るだろう。皆、どんな顔をして事件のことを聞くことだろうか。母は大丈夫か。父は血圧が上がらなければ良いが。妹たちは――駄目だ。こんなことばかり考えては、余計にいてもたってもいられなくなる。

歌でも歌うか、数でも数えようかと考えているとき、どこかでガタン、と音がした。貴子は全身を強張《こわば》らせ、耳を澄ませた。やがて微かに、踵《かかと》を擦るような足音が聞こえた。徐々に近づいてくる。ずい分、長い距離を歩いてくるようだ。この家は、そんなに大きな建物なのだろうか。それとも、あれは建物の外の音なのか。ここに貴子がいることも知らない人間が、ただ近くを通り過ぎようとしているだけなのだろうか。もしもそうなら、必死で助けを呼ばなければならない。これが最初で最後のチャンスかも知れないのだ。

足音が近づくのを、息を殺して待ち続ける。ず、ず、という音から察すると、コンクリートか何かの床らしい。つまり、地面ではないということだ。と、いうことは、やはり同じ建物の中から聞こえる音なのかも知れないと考えているうち、すぐ傍で重そうな扉の開く音がした。さっき、犯人たちが出かけていったときに聞いたのと同じ、金属のドアの音。帰ってきただけか。一つの緊張が去り、新たな緊張が、さらに全身を強張らせる。

「振り向かないでよ」

ふいに背後から加恵子の声がした。同時に、後頭部を触られる。締めつけられていたこめかみの辺りが急に楽になって、圧迫されていた瞼《まぶた》に光が当たった。

「いい、まだ振り向かないで」

　次には首の後ろの結び目が解かれる。すっかり湿った布が口から離れるのと同時に、唇の端に、ヒリヒリとした痛みを感じた。痺れた頰に痒《かゆ》みが走る。久しぶりに閉じられた口に、自分の唾液《だえき》の温かさが広がった。干《ひ》からびかけていた舌が、海綿のように柔らかさを取り戻す。

「いいわ」

　落ち着いた声がして、気配が貴子の横から前に移った。貴子は鈍い痛みを感じる目を、徐々に、半ば怯《おび》えながらゆっくりと開いた。光。色彩。まぶしさに瞬《まばた》きを繰り返す。涙が滲《にじ》んで、やがて目の焦点が合ってくると、まるで馴染《なじ》みのない、古ぼけた室内が見えてきた。部屋の奥から陽が射《さ》し込んでいる。その陽を背に受けて、加恵子が立っていた。

「食べ物、買ってきたわ。飲まず食わずじゃ、あんまりだから」

　コンビニエンスストアーの袋から、数個の菓子パンと牛乳を取り出しながら、加恵子は言った。だが彼女は、貴子を見ようとしない。艶《つや》のない髪。化粧気のない顔。地味な服装。どこから見ても冴《さ》えない中年女だ。こんなちっぽけな女の一体どこに、殺人に関わり、人を拉致《らち》するような黒々としたエネルギーが備わっているのかと思う。

それも、人の好意を逆手にとって。貴子は、黙って加恵子の様子を観察していた。言いたいことは山ほどある。だが、目隠しを外されたというだけで、自分の中に新たな情報が溢《あふ》れかえって、少しでもそれらを整理する時間が必要だった。

「今――何時」

「時計、見ればいいじゃない。見えるんだから」

加恵子に言われて、貴子は初めて自分の手元を見た。確かに腕時計は外されていない。午前七時四十分過ぎ。陽が射し込んでいることを考えれば、朝であることは間違いがない。すると丸一晩、こうしていたことになる。

思わずため息が出た。ついでに、手錠でつながれた両手で顔をさする。ずっと布が押し当てられていたせいで、こめかみも頬も、凸凹《でこぼこ》していた。その上、転んだり殴られたりしたせいで、腫《は》れてもいるようだ。額には脂《あぶら》が浮き、目脂《めやに》もついている。もしかすると、口の端にも痣《あざ》が出来ているかも知れなかった。

改めて、自分の姿を観察する。がんじがらめの、家畜以下の格好。この春に買ったばかりの紺色のパンツスーツは、埃《ほこり》がついてあちこちが白っぽくなっている。ストッキングはつま先が伝線していた。

「食べれば。でも、言っておくけど、それで今日一日、もたせてもらうから」

加恵子の声が頭上から降ってくる。なぜ、なぜ、という思いが、かえって貴子の口を重くしている。それに、とにかく空腹だった。足下に置かれた食べ物ににじり寄り、貴子は、手錠をかけられたままの手で、パンの一つを取り、袋を破いてかじりついた。

「ゆっくり食べた方がいいわよ。急に食べると、胃が痛くなるから」

誘拐犯人のくせに、妙に親切なことを言うものだ。その辺りが、やはり看護婦なのだろうかと思う。貴子は意識的にゆっくりと顎《あご》を動かし、何度もよく咀嚼《そしゃく》して、パンを食べた。猿ぐつわを嚙《か》まされていたせいか、顎がだるかったし、口の端も痛む。味など、ほとんど分からない。とにかく、これは、餌《えさ》なのだ。鎖につながれた自分が、今、餌を与えられている。それでも食べないわけにはいかなかった。出来るだけゆっくり食べるつもりだが、貴子は瞬《また》く間に一つ目のパンを食べ終えて、すぐに二つ目に手を伸ばした。

「無理もないわね。丸一日以上、眠ってたんだから」

袋を破いているときに、加恵子が言った。貴子は手錠でつながれた両手でパンを持ったまま、加恵子を見上げた。

「丸、一日？」

加恵子は奥の部屋との境の柱に寄りかかり、小さく頷く。

「今日は、何曜日？」

「月曜」

「——月曜？　日曜日じゃなくて？」

まだ整理のつかない頭が、さらに混乱する。てっきり日曜の朝なのだと思っていた。今日中にも、きっと誰かが自分を捜し出してくれるはずだと。それなのに、丸一日以上が過ぎているという。貴子は信じられない思いで加恵子を見た。すると彼女は、コンビニの袋から数種類の新聞を差し出した。

「日付、見てみて。月曜日に間違いないでしょう」

確かに、その通りだった。月曜日の派手な見出しが躍る新聞の片隅には、日付と共に曜日が刷り込まれている。赤や黄色の派手な見出しが躍る新聞も、すべて同じ日付になっていた。六月八日。月曜日。貴子が阿佐谷に行ったのは土曜日だ。明日こそ休めると思って、それだけを楽しみにして、何とか乗り切ろうとしていた。

——私の日曜日は、どこに行ったの。

時間の感覚が分からなくなりそうだった。そんなに長い間、眠っていたということなのだろうか。だが、貴子の感覚では、確かにほんの数時間しか眠っていないと思う。

「——何を飲ませたの」

加恵子の顔を見据えて、貴子は呟《つぶや》くように言った。加恵子は一瞬、頬を小さく引きつらせ、それから極めて冷静な表情のまま「ハルシオン」と答えた。ハルシオンなら貴子も知っている。変死者の持ち物に混ざっていたことがあるし、一時期は高い値で売買されているという噂《うわさ》も聞いた。睡眠薬だということは分かっているが、まさか、そんなものを自分が飲まされたとは思わなかった。

「あんなにすぐに、効いてくるもの？」

「〇・二五ミリグラムを二錠、細かく砕いて溶かしこんだからね。よっぽど喉《のど》が渇いてたみたいね。あんなに一気に飲めば、丸ごと二錠、飲んだのと同じだし、気がつかなかっただろうけど、あのオレンジジュースにはウォッカも入ってた。だから、すぐに効いたのよ」

そんなものを飲まされたのか。貴子は自分の迂闊《うかつ》さに改めて舌打ちしたい気分になり、同時に、加恵子の周到さに驚いていた。

「でも、ハルシオンは効き目はすぐに現れるけど、切れるのも早いからね。超短時間型の睡眠導入剤だから。あとは注射で眠ってもらったわ、ロヒプノールっていうんだけどね。あなた、薬が切れかかる度に、何回か気がついたわよ」

まるで記憶がなかった。自分でも知らないうちに注射まで打たれていたというのだろうか。手錠をかけられているから、確かめることが出来ない。

——人の身体を。勝手に。

こんな不愉快な、そして不安な感覚は初めてだった。自分のことでありながら、まるで記憶になく、その上、曜日の感覚までずれている。やはり、理由が分からない。なぜ、こんなことをされなければならなかったのか。

「食べないの？　お腹、空《す》いてるんでしょう」

澄ました顔で、加恵子は顎をしゃくるようにする。貴子はそんな女を、黙って見つめた。

「——何よ」

加恵子は不敵に貴子の視線を受け止めて、わざとらしく腕組みをする。考えてみれば、それほどよく知っているわけでもないのだ。何年か前に、ほんの数回、会っただけの女だった。だが、それでも貴子の中には、ある程度のイメージというものが出来上がっていた。控えめで我慢強く、よく働いて、確かに薄幸な印象は受けたが、決して道を踏み外したりしない、ひたすら地道に生きていく、そういうタイプの人なのだと思っていた。

「あなたが、まさか、こんなことをするなんて思ってなかった」

貴子は苦々しい思いで呟いた。加恵子が、ふん、と小さく鼻を鳴らす。開き直ったような、ふてくされた表情は、似合わないと思った。それでも、これは現実だ。

「少し考えれば、分かることでしょう？　こんなことをして、ただで済むと思ってるの」

「さあね」

「さあね、じゃないわ。あなた、自分のしてることが分かってる？　若松さんは、あの男が殺したんでしょう？　あなたは、殺人の片棒を担《かつ》いだことになるのよ。その上、こんなことまでして」

うんざりした表情で、加恵子はそっぽを向いた。破りかけのパンの袋を持ったまま、貴子は、わずかに膝《ひざ》を曲げて腰の位置をずらした。背筋を伸ばして身を乗り出す。

「今からでも遅くないから、考え直して、ねえ。こんなことに関わって、自分の人生を台無しにしないで。私をここから出してくれたら、後のことは任せてくれればいいわ。私は必ず、あなたを守るし、これから先のことでも、出来るだけのことはする。約束するわ。だから、ねえ、鎖を外して。それが無理だっていうんなら、警察に電話してくれるだけでもいい。今、他の人たちはいないんでしょう？　チャンスじゃないの。どうして、あんな連中と関わらなきゃならないの。あなたは捨ててきたっていうけど、二人の子どもはどうするつもり？　たとえ離婚して、夫とは他人になれたって、子どもとは——」

「うるさいわねっ！」

たまりかねたように加恵子が怒鳴った。それでも貴子は黙らなかった。

「あなた、子どものことをどう考えてるの。気にならない？　可愛《かわい》くないの？　今からでも遅くないから、考え直して。これ以上、馬鹿《ばか》なことをしないで欲しいのよ」

「うるさいって言ってるでしょうっ！　また口をふさがれたいのっ。目隠しされて、惨《みじ》めに転がされていたいわけ？」

加恵子は苛立《いらだ》ったようにヒステリックな声を上げ、実際に、貴子の目から解《ほど》いた布をポケットから取り出した。貴子は思わず怯《ひる》んで口を噤《つぐ》んだ。目隠しをされる恐怖、猿ぐつわの苦痛を、もう二度と味わいたくない。

「あんたに、何が分かるっていうのよ。善人面《づら》して、そうやって人を説得できるつもりでいるわけ？　大体、あんたが悪いんじゃないの。あんたが私たちにつきまとったりしなければ、こんなことにはならなかったのよ！」

つきまとう？　加恵子たちは、そう思っているのだろうか。いつから？　競輪場の時から。つまり、加恵子たちはあの時から、既に自分たちがマークされていると思い込んでいたということか。下手な質問の仕方はまずいと思った。貴子は加恵子の様子を窺《うかが》いながら、懸命に考えを巡らせた。

——御子貝春男の家から、身元確認の出来ていない男女二人連れが目撃されている。つまり、それが加恵子と愛人、または仲間のうちの誰かだったということなのだろうか。すると、加恵子は若松殺害に関わったばかりでなく、あの四人の殺害にも加わっていたということになる。あの現場を、あの有り様を見たことになる。改めて恐怖と怒りがこみ上げてきた。だとすると、貴子一人を殺すくらい、今さら、どうということもないと考えている可能性がある。そんな相手に、自分はいとも簡単に近づいてしまったということだ。

「——つきまとわれるようなことを、するからじゃないの」

こちらの恐怖を気取られまいと、貴子は出来るだけ低く落ち着いた声で言った。加恵子は、苛立った表情のまま舌打ちをし、荒々しく息を吐き出している。

「ばれないとでも、思ってたわけ？　あれだけのことをしでかしておいて。今だって、あなたがたはマークされてる。ここが見つかるのは時間の問題なのよ。分からない？」

「やめてよっ！　そういう自信満々な態度が、癇《かん》に障《さわ》るのよっ」

加恵子の声は、貴子とは対照的に上擦り、感情的になっていた。彼女は自分の苛立ちを持て余すように、手にしていたいくつもの新聞を壁に叩《たた》きつけ、何度も息を吐き出して、唇を嚙む。

「そうよ――最初からね、あんたのそういうところが、大っ嫌いだった」

「最初って――あの、ひったくりに遭ったとき？」

「そうよ！」

「あのとき、私が何をしたっていうの。そりゃあ、もしかすると不手際《ふてぎわ》はあったかも知れないけど、私なりに一生懸命――」

「そういう、正義の味方みたいなところが、大っ嫌いだったのっ。あんた、一体、何様のつもりなのよ！」

競輪場で、声などかけなければ良かったのだと思った。だが、貴子なりに彼女のことが心のどこかで引っかかっていた。盗まれたバッグを見つけられなかったことも、申し訳なく思っていた。だからこそ、さほど時間をかけずに、名前から顔まで思い出したのではないか。懐《なつ》かしさにとらわれた自分が馬鹿だったということなのだろうか。嫌われていたとも知らず、こんなことになるとも思わずに。

「あんたみたいな女に、私のことなんか、分かるわけがない。適当にお為《ため》ごかし言ったって、無駄よ。私には、この先、未来なんか待ってやしない。ちゃんと、分かってるんだから」

「そんな言い方、しないでよ。未来がないなんて、どうして言えるの」

加恵子は口の端に冷笑を浮かべ、小さな瞳《ひとみ》に明らかな憎悪《ぞうお》の炎を宿らせながら、貴子を見据えてきた。

「あるって言えるの？　言えるわけ？　これだけのことをしておいて、明るい未来が開けてるって？　いくら馬鹿だって、それくらいのことは考えられるのよ」

「――きちんと償えば、そうすれば、やり直すチャンスはあるじゃない」

「償う？　とんでもないわ！　私はもう、十分過ぎるくらいに耐えてきた。耐えて、耐えて、それだけの人生だったのよ。言ったでしょう？　もう、ほとほと疲れ果てたって。私はね、これまで生きてきて、ただの一度だって、未来なんて夢見たことはなかった。自分が何をしているかくらい、分かってる。でも、これは、私の復讐《ふくしゅう》なの。世の中の全部に対するね」

暗い瞳に、憎悪とも絶望ともつかないものを宿らせ、ひたすらこちらを睨《にら》みつけてくる加恵子を見上げているうち、貴子の中には、重苦しい無力感だけが広がっていった。優位に立っているのは、明らかに加恵子の方だった。

8

男は酒臭い息を吐き、いかにも眩《まぶ》しそうに顔をしかめながら、朝陽の中に立つ滝沢たちを見た。

「何です、こんな朝っぱらから」

スウェットパンツにTシャツという出で立《た》ちで、狭い玄関に片足だけを踏み出し、片手でドアを押さえている男は、顔立ちそのものは端正だが、全体から伝わる雰囲気が何とも気弱そうで、卑屈な印象を与える。

「中田加恵子さん、いらっしゃいますか」

保戸田がまず口を開いた。男はそれでもまだ顔をくしゃくしゃとさせているばかりで返事をしない。

「お宅、御主人ですか」

「加恵子はいません」

「いつ、お帰りになります」

「知りませんね」

「夜勤か何かですか」

「だから、知りませんて。加恵子は出ていったんです」

滝沢は保戸田と素早く視線を交わし、改めて男を見た。嘘《うそ》をついているようには見えない。

「ちょっと、伺いたいことがあるんですがね。少しお時間、もらえませんかね」

今度は滝沢が口を開いた。男はわずかに口を尖《とが》らせて困惑した表情を見せていたが、家の中は片づいていないから困ると言った。

「じゃあ、少し、出られますか」

「もうすぐ、子どもたちを起こさなきゃならないんです。学校があるんで」

舌打ちしたくなる。今は一刻を争うときなのだ。だが、酒のせいもあってか、どこかぼんやりしている様子の男を必要以上に脅かすことも躊躇《ためら》われた。

「子どもさん、少し早く起こしてもらうわけに、いかんですかね。ちょっと急ぐんですよ」

初めて、男の表情が不安げに揺れた。

「加恵子の奴《やつ》が、何か――」

「それは分かりませんがね。とにかく、そうしてもらえませんか。子どもさんにも、あんまり聞かせたくない話が出るかも知らんでしょう」

子どもの頃は、それなりに可愛げのある顔立ちだったに違いない。男ははっきりと困惑を隠せない顔つきになって、滝沢と保戸田の顔を見比べていたが、「ちょっと待っててください」と言い残してドアを閉めた。滝沢たちは、建物から少し離れた場所に止めてある車の前まで戻って、男を待つことにした。

こんな朝陽の中でも、爽《さわ》やかさのかけらも感じられない、いかにも古ぼけたアパートだった。大きさだけは十分だが、それだけに、みすぼらしさもまた目立つ。音道も、このアパートを訪ねたことがあるのかと、ふと思う。

十分ほど待ったところで、男が出てきた。服装は相変わらずで素足にサンダルを引っかけ、辺りを見回してから、猫背気味に歩いて来る。どこか話せそうなところがあるかと尋ねると、男はすぐ傍に児童公園があると答える。そろそろ出勤する人の姿が、ちらほらと見受けられる時間だった。

「お子さんは、起きましたか。何年生です、今」

「上が中二です。まあ、起こしてさえやれば、後のことは大概、自分たちで出来ますけどね」

小さな児童公園だった。猫よりも小さな犬を連れて散歩をしていた老人が、訝《いぶか》しげな表情でこちらを見て通る。滝沢たちは、紫色の花を咲かせ始めている紫陽花《あじさい》の傍に置かれたベンチに並んで腰掛けた。保戸田は腰を下ろさずに、向かいから滝沢たちを眺める格好で立っている。

「御主人は、仕事の方は。まだ大丈夫なんですか、ゆっくりしてて」

「あたしはタクシーの運転手で、今さっき、帰ってきたところでしたから」

保戸田が「それで晩酌を」と言うと、男の顔に決まりの悪そうな笑みが浮かぶ。以前はサラリーマンだったこともあるのだが、どうも仕事運が悪く、いくつかの仕事を転々とした挙げ句、結局はタクシーに落ち着いたのだという。中田史朗、四十三歳。中学二年生の長女と小学五年生の長男との三人暮らし。

「女房がいた頃は、あれの父親も同居してたんですが、何しろ寝たきりだったもんで、もう、どうしようもなくて、老人ホームに入ってもらいました」

「奥さんは、いつ頃、出ていったんです」

「去年の暮れです」

諦《あきら》めているのか、覚悟をしてきたせいか、中田の表情は静かなままだった。当時は、中田は何度目かの失職中で、生活のすべては加恵子の肩にかかっていたという。

「看護婦だそうですね。その給料で家族五人が食べていたと」

「その他にも、ちょこちょことパートみたいなこと、してました。コンビニのレジとか、レンタカー屋の受付とか」

まあ、あたしに甲斐性《かいしょう》がないんだからしょうがないんですが、と、そこでもまた、中田は笑った。自分を嘲笑《あざわら》うような、暗く卑屈な笑み。滝沢は、またもや自分の女房のことを思い出していた。贅沢《ぜいたく》はさせられなかったと思う。だがそれは、警察官と一緒になると決めたときから分かっていたことだ。それでも、生活に困ることなどなかったはずだし、本人が自分の意思で、子どもも少しは手を離れたから、時間が勿体《もったい》ないと言い出してパートを始めた。後から考えれば、そのパート勤めが悪かったのだ。それまで何年も家に閉じこもっていた女が、久しぶりに外の世界に出て、女として扱われて、すっかりのぼせ上がったとしか、滝沢には思えない。その結果――。

「奥さん、男は」

中田の顔がぴくりと動いた。ベンチに腰掛けたままの姿勢で前屈《まえかが》みになり、膝の上で両手を組んで、彼はうなだれるように頷《うなず》いた。ご同輩、かい。嫌になっちまう。行く先、行く先で、似たような境遇の奴に会わなければならない。その度に、滝沢は相手の姿に自分を見るのだ。

「じゃあ今は、その男といるんですかね」

「知りません。連絡一つ、してくるわけでもないんだから」

「お子さんには」

それは分からない、と中田は答えた。滝沢の勘では、中田加恵子は、子どもとは連絡を取り合っているはずだという気がする。いや、こういうのは勘とは言わない。経験が語っているだけのことだ。

中田加恵子が走った相手というのは、パート先のレンタカー屋で知り合った男だという。三十そこそこの、所帯やつれした女などとても相手にするとは思えないような、遊び人風の男だったそうだ。最初の頃は、見た目は軽薄そうだが、なかなか親切で良く働く若者がいるなどと、加恵子も家で話していたらしい。もともと嫉妬《しっと》深い上に心配性の中田は、いくら金のためとはいえ、加恵子がスナックなどで働くことだけは反対していた。だが、その男は歳《とし》も若い上に、髪を染めている、ピアスをしているなどと聞いていたから、まさか加恵子の相手になるような男ではないと安心していた。それが、やがて加恵子は後輩に代わって夜勤に出なければならないとか、明け番のはずなのに、そのままパートに出るなどと言うようになり、二晩も三晩も、家を空けるようになってきた。そしてある日、中田が「この頃おかしいんじゃないか」と問いつめたところ、急に「出ていく」と言い出したのだそうだ。好きな人が出来た。もう、この家にはいたくない。だから出ていきますと。

「あんた、止めなかったんですか」

「止めたに決まってるじゃないですか。子どもだっているんだし、病気の父親まで抱えて、そんな勝手な話があるもんかって。だけど、駄目でした。あの女の、どこにあんな激しさがあったのかと思うくらい、あいつは大声で、『もう、嫌なのよ』とか言ってね」

加恵子はその日のうちに、荷物をまとめて出ていったのだそうだ。翌日、中田は加恵子の勤務先に電話をしてみたが、その時点では非番だと言われ、翌日には風邪で休んでいると言われ、さらにその翌日には、辞めたと言われた。同時にパート先からも姿を消しており、それきり加恵子の行方は分かっていないという。

「あれが、何かしたんでしょうか」

疲れ果てたという表情で、中田はようやく背を伸ばしてこちらを見た。滝沢は「いや」と小さく首を振り、「まだ分かりません」と続けた。すると中田は急に、こちらに身を乗り出してきた。

「でも、探してるんでしょう」

「まあ、そうですが」

「見つかったら、伝えてもらえませんか。待ってるからって」

今にも泣き出しそうな顔で、すがりつくように言われて、滝沢は思わずたじろぎそうになった。こんな貧乏神のような亭主のもとから逃げ出したい女の気持ちだって、分からんじゃないという気がする。勝手に道行きしてくれている分には、滝沢たちの出る幕ではないのだ。だが、とにかく他に手がかりの見つかっていない現状では、もう少し探し続ける必要がありそうだ。

「頼みますよ、刑事さん。水に流すからって、許すからって、伝えてください」

「見つかったら、伝えますがね。何しろ、私たちは別の件で動いてるもんで、その中で、奥さんの名前が出たもんですからね。ほら、前に奥さんがひったくりに遭ったことがあったでしょう」

今度は口をぽかんと開け、半ば弛緩《しかん》したような表情になって、中田は「ああ」と頷いた。

「もう三、四年も前のことですけど——それじゃあ、あの時の犯人が捕まったとか?」

「いや——まあ、その辺をね、今、捜査中でして。大体、ああいうことで味をしめてね、次にはもう少しデカいことをやってやろうなんていう奴が、結構いるんですわ。

そうやって、いつの間にか一人前のワルになるような、ね」

中田は、虚《うつ》ろな目を宙に漂わせ、気のなさそうな声で「そうですか」と言っただけだった。Tシャツの襟元はだぶついているし、肩の肉もそげ落ちている。もう少し、しっかりしろよ、女房に見限られたのは、何もあんただけじゃないんだからと言う代わりに、滝沢は煙草《たばこ》を取り出し、自分も一本くわえて、相手にもすすめた。中田は、おずおずと手を上げて中途半端《はんぱ》に拝むような真似《まね》をした後、「何度、やめても駄目でして」と言いながら、滝沢のライターの火を受けた。朝の空気に煙が溶ける。小さな水飲み場に、スズメが水を飲みに来ていた。

「お子さんたちも、不自由でしょうな」

「まあ――もう、慣れたんじゃないですか。もともと、ほとんど家にいなかったんですから」

「そうはいっても、母親だ――動揺させるのも可哀想《かわいそう》ですから、私らが来たことは、話さんでおいて欲しいんですがね」

「――その方が、いいんですかね」

ただでさえ多感な年頃なのだから、心配もするだろうし、母親への不信感も増すに違いない。今後、母親が帰ってきた場合に、親子の間の溝にならないとも限らないのだから、余計な情報は与えない方が良いと言うと、中田は相変わらずはっきりしない表情のまま、「そんなもんでしょうか」と呟《つぶや》いた。

「それから、ご心配なら、家出人捜索願でも出しておかれたらどうですか。万が一の場合は、連絡が取りやすいでしょうから」

少しでも慰めになればと思って言ったつもりだったが、中田は相変わらず「はあ」などと言うばかりで、とりたてて反応は示さなかった。魂が半分抜けているような男だ。

「いや、お疲れのところ、すみませんでした。これから、お休みになるんでしょう」

「まあ——子どもたちが出かけたら」

「タクシーも大変でしょう」

「まあ——この景気ですからね。かといって他に仕事があるわけでもないし、女房が戻らない以上は、あたしが働かないわけにも、いきませんし」

話せば話すほど、こちらの気力までが失《う》せていきそうだった。早朝から時間を取らせた詫《わ》びを言って、滝沢はベンチから立ち上がった。まだ煙草を吸いながら、中田は立ち上がることもせず、ただ小さく頭を下げただけだった。

「子どもは連絡先、知ってるんじゃないですかね。親父《おやじ》には内緒で連絡取り合ってるってこと、ないですか」

歩き始めると、すぐに保戸田が小声で話しかけてきた。

「だからって、ガキに聞くか？　それはまずいだろう。もしもガキが、母親に俺らのことを知らせたら、元も子もなくなるかも知れん。それよりは、レンタカー屋だな」

足早に公園を出るとき、背中に貼《は》りつくような視線を感じた。振り返ると、中田がまた小さく頭を下げる。こちらも会釈《えしゃく》を返しつつ、ついため息が出た。ぼろアパートの前まで戻って、そのまま前を通過しようとしたときに、中田の部屋のドアが開いた。あ金髪にミニスカートの制服を着た少女が、片手に薄っぺらい鞄《かばん》を提げて出てくる。あれが、母親に出ていかれた娘か。まあ、朝からちゃんと登校しようというだけ、まだましだ。それにしても、自分の子どもがあんな風にならなかったことを、感謝すべきかも知れなかった。

車に戻った段階で、本部に連絡を入れる。柴田係長は、機捜の立川分駐所からファックスで送られたリストのうち、残る二人は居所も確認され、特に変わった様子はないようだったと言った。すると、やはり中田加恵子の線をたぐるより他になさそうだ。

「中田加恵子の居所または、相手の男の氏名その他が分かったら、すぐに報告してくれ。今日から人数を増やすからな」

「加恵子が勤務していた病院の方は、どうします」

「そっちにも何人かやるよ」

「了解しました」

保戸田が車を出そうという時になって、スウェットパンツのポケットに両手を突っ込んで、中田がのろのろと帰ってきた。いかにも憂鬱《ゆううつ》そうに、頼りない風情《ふぜい》で歩く男は、ちらりと滝沢たちの車の方を見て、また小さく顎《あご》をしゃくるように挨拶《あいさつ》を寄越す。保戸田が挨拶代わりに小さくクラクションを鳴らし、そのまま車を発進させた。いくつもの扉が並ぶアパートには、その扉の数だけの家庭がひしめき合っている。その中でさらに、いくつもの人生が交錯しているのかと思うと、吐き気がしそうだ。

――ため息と憂鬱の詰め合わせセットか。

喜びも幸せも、あるにはあるだろう。だが、今の滝沢には、それを感じ取ることは出来なかった。何よりも今、自宅のドアに手をかけている中田の姿が、建物のすべてを象徴しているように見えた。

中田加恵子がパートで勤めていたというレンタカー屋は、JR昭島駅にほど近い江戸街道沿いにあった。だが、受付にいた男は先月から働き始めたばかりのアルバイトで、中田加恵子のことも知らなければ、相手の男のことも知らない様子だった。ある程度のことを知っている主任と呼ばれる人間は、十時近くにならなければ出勤しないという。滝沢は、まだ学生のような店員に、その主任とやらに連絡を取れないかと尋ねてみた。見た目は頼りない学生風だが、アルバイト店員は、それなら自宅に電話してみますと即座に答えた。

「そうしてくれるかい。助かるよ」

久しぶりに生気溢《あふ》れる人間に会ったような気がした。

「駄目だ、出ないな。携帯を鳴らしてみましょうか」

「自宅は、どこなのかね」

「神奈川なんですけど――ああ、携帯も出ません。留守番電話になってます」

アルバイトの男は、まるで自分の問題のように、いかにも残念そうに言った。保戸田が、その主任とやらの住所と電話番号を教えて欲しいと申し出た。「はいっ」と極めて清々《すがすが》しい返事をする青年を、滝沢は好ましい思いで眺めた。こういう連中ばかりだと、世の中はずい分、風通しが良くなる。だが、こんな奴《やつ》だって、ひょんなことから簡単に一線を越える可能性があるのだ。だから、人間は分からない。

生活に疲れた女が、年下の男に夢中になって、家庭も捨て、子どもも捨てて、その先にどんな現実が待ち受けているか。地道に新しい幸せとやらを紡《つむ》いでくれていれば良いとは思う。だが、その一方では、中田加恵子が音道の件に絡《から》んでいて欲しいという思いもあった。そうでなければ、滝沢たちはまた新たな手がかりを探さなければならない。時間がなかった。今、こうしている間にも、音道には死が迫ってきている。生きていれば、の話だ。それを考えると、顔も知らない主任とやらにまで、腹が立ってならなかった。

9

目の前で汚物が渦を巻き、便器の中に吸い込まれていく。涙の滲《にじ》んだ目でそれを眺めて初めて、貴子は流れる水が赤っぽく濁っていることを知った。まるで断水の直後のような色だ。

――古い家だからだろうか。

頭の片隅では、それくらいのことを考える余裕はまだある。だが、それにしても胃が痛くてならなかった。身体《からだ》を折り曲げ、うずくまるような姿勢のままで手洗いから出ると、貴子はそのまま廊下に横になってしまった。寒気がする。せめて、畳の上に横になりたいと思うのだが、これ以上には鎖が伸びないのだ。

「だから、慌《あわ》てて食べたら駄目だって言ったじゃないの」

頭上から加恵子の声がした。さっきまでは奥の部屋で、一人で何かしていたらしいが、さすがに貴子の異変に気づいたらしい。

「急に食べたから、胃袋がびっくりしたのよ」

「──それだけでも、ないと思うわ」

横たわったままの姿勢で、貴子は絞り出すような声で答えた。胃袋を鷲掴《わしづか》みにされているようだ。その上で、捻《ねじ》り上げられているように痛む。これだけのストレスと緊張、恐怖とが、胃を直撃したのに違いなかった。目をきつくつぶり、服の上から胃の辺りを押さえたまま、貴子は余計に惨《みじ》めな気分になっていた。こんなはずではなかったと思う。

──何が。

もう少しタフなつもりだった。加恵子を説得出来ると思っていた。自分が何かの事件に巻き込まれることなどないと思っていた。日曜日には昴一に会えるはずだった。この服は、少なくとも二、三年は着るつもりだった。

──何もかも。

小さな舌打ちに続き、ため息が聞こえる。だが、この痛みを何とかしない限りは、加恵子のことなど考えている余裕はなかった。

「どんな風に痛いの」

「——雑巾《ぞうきん》みたいに、絞られてる感じ」

「うまいこと言うわね」

胃袋だけのことではない。貴子自身が、まるでぼろ雑巾にでもなったような気分だ。

「お願い、薬、買ってきてくれない？」

「何、言ってんのよ。あんた、人質なのよ。どうして人質のために、私が薬なんか買いに行かなきゃならないの」

加恵子の声には、明らかに軽蔑《けいべつ》が含まれている。看護婦じゃないの。病人を見殺しにするつもりなのと、頭の中では様々な言葉が浮かぶのだが、全部を口にする気力がなかった。貴子はもう一度、絞り出すように「お願いだから」と言った。

「そんなに、痛むの」

「——かなりね」

少しの間、沈黙が流れた。この痛みが自然に治まることなどあり得ないと思う。放っておけば胃に穴が開くか、または、もっと別のことになるような気がする。もう一度、哀願しなければならないだろうかと思って、口を開きかけた矢先、「しょうがないわね」という声が聞こえた。

「その代わり、あんたの財布から払うわよ」

「――勿論《もちろん》よ。私のバッグ、持ってるんでしょう？」

「あるわ。そこから手錠も出したんだから」

加恵子の足音がいったん遠ざかり、また戻ってくる。どうやら奥の部屋に、あらゆるものが置いてあるらしかった。貴子は目を薄く開けて、加恵子の方を見た。彼女は確かに貴子のバッグを持ち、今、その中に手を入れている。

「これね。いい、中、見るわよ」

「――財布ごと、持ってっていいから」

加恵子は一瞬、試すような目でこちらを見ていたが、あっさりと「そう」と頷《うなず》き、二つ折りの貴子の財布を開いた。貴子は再び目をつぶり、中身を思い出していた。クレジットカードとキャッシュカードが一枚ずつ、テレフォンカードが二、三枚に、母から渡されている神社のお札が一枚。

「何、これしか持ってないの」

現金を確かめたらしい加恵子が、小馬鹿《こばか》にしたような声で言った。これしか、と言われても、一万七、八千円は入っていたはずだ。だが加恵子は、「たったの三千円」と言った。既に、誰かに抜き取られたのかも知れないと思った。貴子は胃を押さえたまま、「そうだったかしら」と唸《うな》った。

「じゃあ――デビットカードの使える店で」

「デビットカード？　そんなもの使えるような店なんかきっとないわよ。この辺りで」

この辺り？　一体、ここはどこなのだろうかと思った。そうだ。それさえ貴子には分かっていない。

「それなら、銀行から下ろしてくれて構わないわ。どっちにしても、暗証番号、教えるから」

「そんなもの教えて、いいわけ？」

「仕方がないわ」

「有り金全部、下ろすかも知れないわよ」

「どうせ、大して入ってやしないわ」

「背に腹は代えられないってことね――あんた、どこまで人を馬鹿にするわけ！」

突然、加恵子が大きな声を出した。それだけで貴子は、今にも殴られそうな恐怖に襲われ、さらに身体を丸めた。

「私が知らないとでも思ってるの？　銀行でお金なんか下ろしたら、防犯カメラに写るじゃないっ」

「──大丈夫よ」

「何が大丈夫なのよ！」

「私がこんな目に遭ってるなんて、まだ誰も、気がついてない」

やっとの思いで薄目を開け、加恵子を仰ぎ見る。加恵子は眉根《まゆね》を寄せ、いかにも疑わしげな顔でこちらを見下ろしている。

「昨日と今日、私は非番だったの」

「──非番？」

「今夜からの勤務だったのよ。だから、まだ誰も、気づいていないわ。嘘《うそ》だと思うなら、電話して確かめて」

「だって──でも、家族は？」

貴子は無理に小さく笑って、「一人よ」と答えた。加恵子の表情が微《かす》かに動いた。驚き。安堵《あんど》。少しばかりの優越感。

「実家には両親も妹もいるけど、一人暮らし」

「じゃあ、誰もあんたを心配してないの」

「多分ね──それに、新聞、読んだんでしょう？　事件のこと、出てた？」

「──若松のことはね」

「私のことは」

加恵子は、ようやく静かな表情になって「出てないわ」と答えた。

「まあ、当たり前なんだけど。指紋だって完全に拭《ふ》き取ったし、掃除機もかけてきたしね。あんたがいた痕跡《こんせき》なんて、何も残ってないはずなんだから」

そこまで周到にやったのか。だが、こうも胃が痛くては怒っている余裕もない。貴子はさらに胃を押さえて、大きく息を吐き出した。

「そんなに痛いわけ」

貴子は小さく頷いた。埃《ほこり》を被《かぶ》った廊下を、頭で掃除しているようなものだ。

「だから――警察が動き出すとしたって、明日以降っていうこと。分かったでしょう。ねえ、頼むわ。お願い」

我ながら情けない声だった。加恵子は「まったく」と呟《つぶや》いていたが、貴子が自分のキャッシュカードの暗証番号を呟くと、それを何度か復唱した。そして、貴子をまたぐようにして、出口に向かう。目の前を、加恵子の靴が通過する。加恵子は土足のままだった。薄茶色のウォーキングシューズを眺めながら、貴子は、一体ここは誰の家なのだろうかと考えていた。少しでも大切に扱うつもりがあるのなら、土足で上がることはないだろうに。

「とんだ厄介者だったかも知れないわね。あんたのお陰で、私一人、足止めを食らうことになったし」

「――他の人たちは」

「夜まで戻らない。暗くなってからじゃなきゃ。それより、あんた、それまでに治ってもらわなきゃ、お互いのためにならないのよ。あの人、いっそ始末しようなんて言いかねないんだし、私だって、薬を買ってきたことなんかがバレたら、それこそひどい目に遭うんだから」

「あなた、詳しいんだから、効く薬を選んできて――悪いけど、あと、お水も」

加恵子は忌々《いまいま》しげな表情でふん、と鼻を鳴らすと、部屋を出ていった。扉の音が響く。踵《かかと》をするような独特の足音が遠ざかっていく。午前十時四十五分。果たして加恵子は、何分くらいで戻ってくるだろうか。

――お金を使いなさい。銀行から下ろしなさい。

貴子の嘘を容易に信じてくれたことだけが今の命綱だ。もしも、本格的に捜査が始まっていれば、そう間を置かずに、貴子の預金口座は確認されるに違いない。ここが大きな街ならば、探すのも大変かも知れないが、それでも防犯カメラに残る加恵子の姿は、必ず、何らかの手がかりになる。

――お願い。気がついて。

ひたすら祈るような気持ちで、貴子は目をつぶり、辺りの気配を窺《うかが》っていた。時折、目を開けて、時間の経過の遅いことに苛立《いらだ》つ。十一時。加恵子は戻らない。十一時十五分。何に手間取っているのか。銀行か、薬局か。近くに商店街のない場所なのか。十一時半。遅すぎる。

――神さま。お願い。お昼までには彼女を帰ってこさせて下さい。見殺しになんか、されたくない。

勝手なときだけ浮かぶ祈り。一体、どこの神さまに祈っているのかも分からなかった。十一時四十分。早く、お願い――。

昴一。彼はどうしているだろう。いつも心配していると言っていた。危険なことだけはするなとも。こんなことになっていると知ったら、彼は激怒することだろう。そして、刑事などやめろと言い出すかも知れない。

――あなたに、そんなこと言う権利、ないじゃない。

言い返す自分の姿が目に浮かぶ。そんな風に言い切れるときが来るだろうか。そうね、あなたがそう言うのならと、素直に答えるかも知れない。または、やめてどうするの、とでも聞くだろうか。あなたが面倒見てくれるとでもいうの。私に椅子《いす》職人の女房になれって——こんな心配は真っ平だからと、彼が去っていく可能性だって考えられなくはない。

いずれにせよ、ここから無事に出られたとしても、もうこれまで通りの生活は取り戻せないのに違いない。大なり小なり、きっと何らかの変化がある。ここに、こうして転がっていることが現実であるように、それは、きっと確かなことだ。

せめて眠れたら楽なのにと思ったが、痛みがひどすぎて眠ることも出来なかった。悪寒《おかん》が走る。何かがこみ上げてもくるようで、貴子はもう一度起き上がって、手洗いに行った。だが、吐くものはもう何も残っていない。ただ空の吐き気だけが襲ってきて、その都度、胃が絞り上げられるようだ。

当初、水の流れなかった手洗いは、何をどうしたのか、今は水が流せるようになった。だが、その水は、今も相変わらず薄茶色に濁っている。さらに、ずっと水がたまっていたらしい便器の内側には、赤錆《あかさび》のような線がこびりついていた。ずい分、長く使っていなかった形跡。この静寂、この造り。一体、ここはどこなのだろうか。どんな建物なのだろう。風の音さえ聞こえてこないなんて。

手洗いから出て、貴子は身体を屈《かが》めたまま、可能な限り廊下を歩いてみた。手洗いの向こうには、玄関がある。黒い鉄製の扉に石張りの三和土《たたき》。腰の高さの下駄箱。だが、扉がない。ただの靴棚といったところだ。その脇《わき》には衝立《ついたて》風の壁があって、丸い覗《のぞ》き窓のようなものが開けられており、細竹の格子《こうし》が飾り風に入っている。壁は濃い緑色の、やはり砂壁だ。玄関から砂壁の家。粋《いき》な造りとは釣り合わない扉――。

――旅館？

それともホテルか何かか。遠くから、加恵子のものに違いない靴音が聞こえてきた。長い廊下。大きな建物なのだ。貴子は急いで元の場所に戻り、再び横になって身体《からだ》を丸めた。十一時五十七分。神さまを、もう少しの間は信じてみようかと思った。

10

時間の流れが速すぎる。滝沢は腕時計に目を落とし、舌打ちをした。まったく東京の道路は、どうしてこういつもいつも混んでいるのだろう。渋滞。事故。工事。こちとら赤色灯を点《つ》け、サイレンを鳴らしていても、徐行に毛が生えた程度にしか進めやしない。あまりに混んでいて、容易に車線を空けることもままならないのだ。既に午後二時を回っていた。

中田加恵子がつき合っていたと思われる男の名前は、レンタカー屋の主任から聞き出すことが出来ていた。携帯電話を鳴らしまくり、九時過ぎになってようやく連絡が取れたのだ。井口という主任は、子どもが急に発熱して救急病院へ連れていっていたという。

「それなら堤くんのことじゃないですかね。あの二人がつき合ってたかどうかは知りませんけど、中田さんと同じ時期にいたアルバイトで、仰《おっしゃ》るようなタイプっていうと」

まだ相模原にいるという井口を訪ねる時間も惜しく、とにかく電話で簡単に事情を説明したところ、そんな答えが返ってきた。そして井口は、従業員の履歴書ならば、辞めた者も含めて事務所に保管してあるとも言った。滝沢たちの様子を熱心に見守っていたアルバイト店員は、こちらが「ああ、履歴書がね」と言っただけで、驚くばかりの機敏さで、奥の事務室からファイルを探し出してきた。

堤健輔《ちょうふけんすけ》。三十二歳。本籍地・滋賀県大津市。現住所・福生《ふっさ》市牛浜。商業高校中退。貼付されている白黒の顔写真は、確かに長い髪を染めているらしい、耳にピアスをしたものだった。顔立ちそのものは、悪くはない。むしろ、どちらかというと女性的な、甘いマスクといって良いだろう。早朝から酒を飲んでいた、あの中田加恵子の亭主とも、どこか共通しているようにも思う。どうやら中田加恵子という女は細面の優男《やさおとこ》風が好みらしい。だが滝沢は、その甘い顔立ちをした男の、目つきが気にかかった。証明用の写真というものは、概して、さほどよく撮れるものではないが、それにしても、どろりとして不気味な目をしている。口元の辺りにも、この男の鼻持ちならないプライドと、本人が抱えている苛立ちのようなものが滲《にじ》んでいる気がした。

「中田さんのも、ありますけど」

張り切った表情のアルバイト店員は、同時に中田加恵子の履歴書も探し出してくれた。なかなか気の利《き》く奴《やつ》だ。二枚の履歴書に加えて、彼らが勤めていた同じ時期に働いていたあと一人の履歴書を借り受け、滝沢たちは、それらを携えて署へ戻った。履歴書に残っている指紋を照合するためもあったが、捜査方針の確認を行うからと、本部から戻ってくるように指示があったからだ。

「今日から『占い師殺人事件』の捜査本部と合同で捜査に当たる。音道刑事の失踪《しっそう》が、一連の事件と無関係ではないと思われることと、迅速な情報の授受の必要性、人員の確保が目的だ」

午前十時、刑事部長の簡単な挨拶《あいさつ》から、初めての合同捜査会議は始まった。講堂には百五十人以上の捜査員が集められ、熱気と緊張感に満ちていた。

これまでの事件と捜査概要を印刷したものが、滝沢たちに回される。同時に滝沢たちが収集した資料も、音道を欠いた捜査本部の全員に配布された。資料に目を通し始めたとき、殺しの方を担当している守島キャップの高い声が講堂内に響いた。

「なお、資料にもある通り、若松雅弥の自宅からは、本人所有の散弾銃一丁、エアライフル一丁が紛失していることが分かっている。若松の死因は散弾銃による射殺とみられるが、ホシは、若松が競技用のものとして正規に所持していた銃を使用し、そのまま持ち去ったものと考えられる。同時に実弾も、保管庫から消えている」

異様な緊張感がさざ波のように広がった。ホシは飛び道具まで持っているのか。滝沢は思わず、殺しを担当するグループの隅っこに、ひっそりと座っている星野を睨《にら》みつけた。ほら、よく見ておけって言ったろう。こういうことだ。てめえが何をしでかしたか、これから、どういうことになるか。

星野には、滝沢たちが持ち帰った履歴書から、中田加恵子の顔写真を真っ先に確認させていた。その時、星野は「多分」この女に間違いないと思うと答えた。相変わらず頼りないことだと苛立つ滝沢たちに、だが奴は、あわせて見せた堤健輔の写真に関しては、意外なことに「確かに」競輪場で見かけたと言った。

「間違いありません。垢抜《あかぬ》けた感じの男で、何で見るからに年上の、それも、あんなに地味で野暮ったい女と歩いてるのかなと思いましたから」

星野は、必死の表情で言った。滝沢たちは、それが嘘だったら、今度こそただではおかないという表情で、本来なら仲間と呼ぶべき相手を睨みつけていたのだと思う。

「本当です」「信じて下さい」と繰り返す星野は、今にも泣き出しそうな顔をしていた。奴の記憶に誤りがなければ、中田加恵子は今も堤健輔とつながっているということだ。しかも二人揃《そろ》って競輪場にいたという。つまり、堤も今回の件に関わっている可能性が高い、いや、堤が首謀者かも知れないということだ。

「犯人検挙は勿論《もちろん》のことだが、最優先すべきは、一刻も早い音道刑事の発見と救出、これ以外にはない。音道の無事を信じて、何が何でも、この不祥事を最小限に食い止めるんだ、いいな！」

雛壇《ひなだん》に居並ぶお偉方の中から、刑事部長までが、いつになく厳しい表情で声を張り上げる。音道を心配しているのは間違いないと思う。だが、音道に万が一のことがあれば、そこに並んでいる首のすべてがすげ替わる可能性もあるのだ。皮肉な見方をすれば、彼らが真剣にならざるを得ないのは至極、当然のことだった。それでも、お偉方が何と言おうと、犯人が銃まで持っていると聞かされた今、音道は既に殺されているかも知れないという不安を大きくしていない捜査員はいない。その息苦しい想像は、蒸し暑い講堂全体に広がって、否応《いやおう》なく緊張を高めた。こんな時に、もしも興奮した刑事の一人が、名指しで星野を罵倒《ばとう》でも始めれば、この場は収拾がつかない騒ぎになることだろう。

だが、騒いでいる時間がないことは、誰もが自覚していた。周囲の冷ややかな視線にさらされて、星野が身を固くしているらしいことは、遠目にも分かる。捜査から外してしまうより、こうして加わり続けることの方が、奴にとっては苦痛に違いない。そう考えると、上もなかなか考えているものだと思う。

「音道の実家、自宅、いずれにも本人あるいは犯人からの連絡は入っていない。羽場昂一氏のところへも同様だ。だが、今後も捜査員を常駐させる。音道の携帯電話には呼びかけを続けている。さらに今日は音道の身辺、交遊関係の洗い出し、身元不明死体の確認に、土曜日の夜から今日までに、病院などに運び込まれた可能性の確認を行う。また、引き続き阿佐谷の現場近辺の地取り捜査、目撃者の発見、必要な場合は警察犬の要請。それらについては合同捜査班が引き受ける。特殊班については、中田加恵子と堤健輔の所在確認に重点を置く」

音道は、ほぼ百パーセントに近い確率で、若松雅弥殺害現場から、殺害犯に拉致《らち》されたと考えられる。だが、他の可能性がゼロだという証拠はない。捜査は出来るだけ広い範囲に、くまなく網を掛けるのが鉄則だ。それだけに、捜査員たちに与えられた任務は広範囲にわたった。

午前十時四十分、ある組は加恵子が勤務していた病院へ、ある組は堤が履歴書に記載していた以前のアルバイト先へと散っていった。滝沢と保戸田とは、まず履歴書に記載されていた堤健輔の住所を訪ねた。その結果、彼は既に今年の年明け早々、そのアパートを引き払っていたことが分かった。

「やっぱりってとこか」

これが、仲間の拉致事件などと絡《から》んでさえいなければ、さあ、面白くなってきやがったと手をすり合わせたくなるところなのだが、今度ばかりは、そんなことを言っている場合ではない。一組の刑事は市役所に急行する。滝沢たちは他のグループと手分けして、隣近所、アパートの大家、不動産屋などに、一斉に聞き込みをかけた。

まず、同じアパートの住人から、堤は一年ほど前までは二十歳前後の若い娘と同棲《どうせい》していたはずなのだが、転居するしばらく前からは、他の女性が出入りするようになっていたとの情報が得られた。写真を見せて確認を取ったところ、中田加恵子に間違いないという。

「挨拶もしたことないですから、よく知らないですけど、最後の方は一緒に住んでたんじゃないのかな。ゴミなんか、その女の人が出してましたから」

さらに、すぐ隣の部屋の住人からは別の証言も得られた。堤と加恵子との間には喧《けん》嘩《か》が絶えず、夜中に殴られているらしい物音を何度となく聞いたというのだ。

「女の人の声は、あんまり聞こえませんでしたけど、男の方が一方的に怒鳴って、暴れてるっていう感じでした。もう、ひどい音だから、何ていう部屋に越してきちゃったんだろうと思ってたら、そのうち向こうがいなくなってくれたんで、助かりましたよ、本当」

さらに近くのコンビニエンスストアーにも二人のことを記憶している店員がいた。時には別々に、時には二人揃って、彼らは何度となくそのコンビニで買い物をしていたらしい。

「一緒に来るときっていったら、いつも夜中でしたけどね。女の人の方の仕事が終わって、彼氏が迎えに行ってやってって感じかな」

長い髪を後ろで一つに束ねたスタイルの店員は言った。

「なぜ、そんな風に思ったんですかね」

滝沢の質問に、彼は当然といった表情で、服装と雰囲気で、すぐにそれと分かったのだと言った。加恵子の方は、日中に見かけるときとは別人のように化粧も濃く、服装も派手で、ウィッグを使用していたという。

「ウィッグ？」

「カツラですよ、カツラ」

隣から保戸田が小声で教えてくれた。コンビニの店員は小さく頷《うなず》き、「て、いうより、つけ毛かな」と訂正を入れた。

「まるっきり別人みたいになるんで、最初は分からなかったくらいです。何ていうか、普段は冴《さ》えない中年のおばさんなのに、化粧して格好つけると、それなりにいい女に見えてね」

「それ、いつも何時頃でしたかね」

「その日によってまちまちだったけど、僕が見かけたのは、大体いつも二時近く、じゃないかなあ」

とうに電車のない時刻だ。すると二人は車を利用していたことになる。タクシーか、または自分の車があったのか。

「車で来てましたよ。いつも、そこの駐車スペースには停めないで、路駐のまま、店に入ってきたんですから」

店員が窓の外を指さすのにつられて、滝沢たちも思わず首を巡らせた。車を使用していた。日常的となったら、レンタカーとは考えにくい。店員が言う車の特徴を、保戸田が書き留めた。シルバーのセダン。国産車。それだけでは、雲を摑《つか》むような話だ。

「いくら車があっても、そう遠くで働いてるとは思えんしな。とりあえず、その時間まで開けてる店を割り出すこったな」

「この時間じゃ、まだちょっと難しいですね」

コンビニエンスストアーを出て、滝沢と保戸田とは、そんな言葉を交わしながら、自分たちの車に戻った。本部に報告を入れる。

〈了解。じゃあ車の線を調べてくれ。不動産屋、勤めてたレンタカー会社、その他〉

吉村管理官の重々しい声が滝沢の報告に応《こた》えた。その一方で、滝沢たちには新しい情報がもたらされた。堤は原付、普通免許の他に、中型の自動二輪の免許も取得していることがすでに判明している。また、本籍地である大津の地元警察を通して親元を当たってもらったところ、堤は履歴書には記載していなかったが、高校を中退してしばらくしてから上京、最初は美容師の専門学校に行っていたということだった。だが、資格は取得していない。最後に帰郷したのは六年ほど前に母親が病死した時で、当時は、仲間とバンドを組んでいると言っていたという。

「それから、堤には補導歴がある。シンナーで二回、バイクの暴走で一回だ」

暴走野郎がシンナーを覚えて、高校は中退。専門学校も中途半端《はんぱ》で、次にはバンド。提健輔という男の輪郭が、徐々に浮き彫りになっていく。だが、浮き草のような生き方をしてきた印象を受ける男ほど、居所を摑むのは困難だ。

不動産屋は堤が月極駐車場を借りていたことを認めたが、所有する車のナンバーまでは知らないと言った。レンタカー会社まで戻ると、もう出勤していた主任の井口が緊張した面もちで応対に出た。「先ほどはすみません」などと言いながら、彼は堤が通勤に使っていた車種をよく記憶していた。白のホンダ、インテグラ・クーペだという。

「中古だって言ってましたね。ナンバーまでは、ちょっと覚えてないんですが、確か、品川ナンバーだったんじゃないかな」

黒縁の眼鏡をかけた、空とぼけた雰囲気の井口は、車には前部バンパーを始め数カ所に傷がついており、車体の左側が一カ所凹《へこ》んでいたことも記憶していた。さすがにレンタカー屋だけのことはある。コンビニの店員の記憶とはまるで違う車だが、こちらの方が信頼できそうだ。

〈了解。すぐに確認を取ります〉

再び本部に報告すると、今度はデスク要員が応えた。そして、堤は少なくとも二年前までは、バンド仲間と共に下北沢に住んでいたらしいという報告が、他の捜査員から入ったことを告げた。滝沢と保戸田は、今度は下北沢に向かった。

「その仲間ってえのも、女かも知れねえな」

「だとしたら、今も女だけ住んでるって可能性は低いですよね」

「だが、行ってみなけりゃあ、しょうがねえ」

どこからでも良い、どんな方向からでも構わないから、とにかく見つかって欲しいという、ほとんど祈りにも近い思いを抱きながら、滝沢は渋滞に苛立《いらだ》ち、煙草《たばこ》が切れたことに苛立ち、今日の蒸し暑さに苛立った。

下北沢に着いたのは三時過ぎだった。他の捜査員たちと手分けをして、人混みをかき分け、可能な限り聞き込みを続けたが、結局、下北沢では取り立てて収穫は得られなかった。時間ばかりがいたずらに過ぎる。気がつけば、陽は西に傾き始めていた。

――五時半か。

すっかり夏の服装で、漂うように街を歩く若者を眺めるうち、背中に重苦しい無力感がのしかかってきた。腹の中は煮えたぎっている。焦《あせ》ってもいるし、苛立ってもいるのだ。だが、夏のような陽射《ひざ》しは確実に体力を奪い、同時に、滝沢たちの直面している現実が、陽炎《かげろう》のように揺らいで消えていきそうな気分になる。

「牛丼《ぎゅうどん》でも食うか」

考えてみれば、朝早くにコンビニの握り飯を頬張った以外、何も食べていなかった。保戸田も額に汗を滲《にじ》ませながら、素直に頷く。滝沢は保戸田と共に、下北沢駅にほど近い牛丼のチェーン店に入った。

「その場で殺してないっていうことは、きっと今も生かしてると思うんですよね。何を考えてるんだか知らないけど、何かに利用するつもりなのか」

「それは、そうとは思うが、利用するって、何にだ？　デカなんか人質にとって出来ることって、何がある」

「——逃走用の手段を要求するとか」

「政治思想犯じゃねえんだぞ」

「本当に狙《ねら》ってる奴は別にいて、そいつを差し出せ、とか」

「だったら、もう連絡してきていいはずだ。丸二日近く、たってる。どうして何も言ってこねえんだ」

「——扱いに、困ってるんですかね」

カウンターだけの牛丼屋は空《す》いていた。オレンジ色の髪の毛を制帽の下からはみ出させているアルバイト店員が傍にいないのを確かめ、競うように大盛りの丼をかき込みながら、滝沢と保戸田とは、小声で言葉を交わしていた。

「音道はまず間違いなく、ホシの面を見てるわけだしな」

滝沢は割り箸《ばし》の先を口にくわえ、視線を宙にさまよわせた。

「もしも、このヤマに本当に中田加恵子が関わっているとすると、だ」

彼女は以前から音道とは顔見知りだった。その音道と競輪場で会ったとき、音道にはそんなつもりはなかったとしても、加恵子の方は、自分が追われていると思い込んだ可能性がある。

「音道が若松雅弥に会うために阿佐谷まで行った時も、加恵子は自分がマークされていて、そのせいで音道が阿佐谷にいると思って、先手を打って出たのかも知れん。いずれにせよ、まあライフルをぶっ放すくらいは女にも出来たとしても——」

女の身で、現職の刑事を拉致するなどということは、と言いかけたとき、胸のポケットで携帯電話が震えた。

「若松の車が発見された。世田谷区上用賀、馬事公苑《ばじこうえん》そばの駐車場だ」

店から出て小さな電話機を耳に押し当てると、吉村管理官の声が聞こえてきた。奥歯に残っている米粒と肉の繊維を舌でせせりながら、滝沢は急いで牛丼屋を覗《のぞ》き込んで、まだ茶を飲んでいる保戸田を手招きした。

「現場に急行してくれ。こっちからも鑑識と殺しの班が行ってる」

「了解しましたっ」

店を飛び出してきた保戸田と共に、滝沢は、牛丼が丸ごと詰まった感じの胃袋を重く感じながら歩き始めた。せめて茶くらい飲みたかった。それにしても、まさかトランクの中に音道の死体なんてことがないように、その代わり、ホシにつながる何らかの手がかりが残ってくれているように、祈るのはそればかりだった。

11

首筋を風が撫《な》でて通った。重苦しい眠りから覚めかけ、無意識のうちに汗ばんでいる首筋を手で触れようとして、貴子は、その手が未《いま》だに拘束されたままであることに気づいた。現状は何も変わっていない。目を開けると、片隅に蜘蛛《くも》の巣がかかっている天井が細長く見える。細く流れ込む風が、とうに打ち棄《す》てられた蜘蛛の巣を頼りなく揺らしていた。

せめて、手足を思い切り伸ばしたい。今の姿勢では、腕を伸ばすには足を縮めなければならず、足を伸ばすには前屈《まえかが》みにならなければならなかった。可能な限り背筋を伸ばして、思わず大きく深呼吸をする。有り難いことに、胃の痛みだけは引いたようだ。加恵子の買ってきた薬が効いた。午後六時十五分。本当なら、まだ東京のどこかを——ことと次第によっては、もう少し別の街を歩き回っている頃だ。

「――ねえ」

静寂に向かって呼びかけてみる。返事はない。だが、さっきまではこんな風は吹き込んではこなかった。加恵子は奥の部屋にいるはずだ。

「ねえ！」

今度は、もう少し大きな声を出した。微《かす》かに人の動く気配がする。それから、細く開けられていた戸口が大きく開いた。薄闇《うすやみ》に慣れていた目が、夕暮れ時の明るささえ眩《まぶ》しく感じる。

「何よ」

加恵子の不機嫌そうな声が返ってきた。貴子は肘《ひじ》を床について身体《からだ》を起こし、手洗い脇《わき》の壁に寄りかかった。

「助かったわ。痛みが引いた」

引き戸の脇に寄りかかるようにして、加恵子は片手を腰にあてた格好でこちらを見ている。その顔を見て、彼女も眠っていたことに気づいた。髪も乱れているし、目つきもぼんやりしている。

「そんなことを言うために、呼んだわけ」

「――一応ね。何か、食べても大丈夫かしら」

「食べたきゃ、勝手に食べればいいじゃないの」

「だって、また痛み出したら、迷惑をかけるし」

加恵子は両手で顔をこすり、深々とため息をついてから、「ゆっくりね」と、いかにもうんざりした口調で言う。貴子は小さく頷き、脇に置かれたままのコンビニエンスストアーの袋に手を伸ばした。おにぎりが二つと、ペットボトルの麦茶。本当はヨーグルトか何かが食べたかった。または温かいカップスープか。貴子がおにぎりの包みを破き始めると、加恵子はまた奥の部屋へ消えてしまう。時々、ぱら、ぱら、と紙をめくるような音が聞こえてきた。退屈しのぎに何かの雑誌でも読んでいるのだろうか。貴子の方は、意識的にゆっくりと、何度も顎《あご》を動かした。とにかく、体力を消耗させないこと。いざとなったら、すぐに動き出せるつもりでいること。

「ねえ」

少しの静寂の後で、また声をかけてみる。

「何だったら」

加恵子は、今度は姿も見せなかった。ただ奥の部屋から面倒臭そうな声を返してくるだけだ。

「他の人たちは、まだ戻ってこないの」

「どうだって、いいじゃない」

「あなた、ずっと一人で私を見張ってなきゃならないの？」

数秒の沈黙の後、「そんなこと、ないわよ」という答えが聞こえる。

「暗くなれば、戻ってくるわ」

「どこに行ったの」

「どこだって、いいでしょうっ」

がさがさと音がして、また加恵子の姿が、今度は畳に尻《しり》をついたままで現れた。貴子は膝《ひざ》を抱えるような姿勢で廊下に座り、両手に食べかけのおにぎりを持ったままの格好で、久しぶりに自分と同じ高さにある相手の顔に視線を投げかけた。今の貴子に出来ることは、何とかして彼女を懐柔することだけだ。そのためには、苛々されようと怒鳴られようと、とにかく話しかけて接点を見出《みいだ》すしかない。

「ずい分、長く帰ってこないのね。何してるんだろう」

「あんた、自分の立場が分かってるの？　何、なれなれしく話しかけてきてんのよ」

「満更、知らない仲でもないじゃないの」

「図々《ずうずう》しい」

加恵子は、ふん、と鼻を鳴らして身体を捻《ひね》った。だが、今度は部屋の中には消えず、すぐ傍に寄りかかっているらしい。肩から腕にかけてと、投げ出された足が見えている。貴子はおにぎりを頬張り、それをゆっくり咀嚼《そしゃく》しながら、次の言葉を考えた。暗くなれば。暗くなるまでは、容易に帰れないということか。なぜ。目立つから。

「電話もかかってこないわねえ」

徐々に色彩を失っていく薄暗い空間に視線をさまよわせながら、貴子は少しの間、加恵子の返答を待ち、何も言ってこないので、また話しかけた。

「明かりはないの？　そろそろ暗くなってきたじゃない」

徹底的に無視を決め込むつもりか。

「ラジオか何かは？」

黙秘する相手を喋《しゃべ》らせる方法。世間話。相手が好みそうな他愛もない、または自分とは無関係の巷《ちまた》の話題――。ああ、嫌になる。この頃の忙しさも手伝って、貴子自身が世間のことに疎《うと》くなっているのだ。女性週刊誌の見出しになるような芸能人のゴシップ一つ、思い浮かんでこない。このところ人々の口に上るような事件の話。刺激が強すぎる。政治、選挙、社会問題――相手が乗ってくるとも思えない。

「それにしても、ハルシオンてすごいのね。睡眠薬なんて飲んだの初めてだからかも知れないけど、あんなにすぐに効いてくるものだとは思わなかったわ。本当に、あっという間だったと思わない? そんなもの飲まされてるなんて思いもしなかったから、私、どうにかなっちゃったのかと思ったのよ。だって、急に頭はぐらぐらしてくるし、手足は重くなってくるし、眠いっていうのとは違う——」

「うるさいって言ってるのっ」

いかにも苛立った声が返ってくる。だが、彼女はもう振り向きもしなかった。

「黙ってないと、また口をふさぐわよっ」

「まだ食べてる最中よ。ゆっくり食べろって言われたから」

「だったら黙って食べなさいよ」

「ねえ——彼のこと、何て呼んでるの」

「うるさいったら。そんなに喋りたいんなら、一人で喋れば」

加恵子はすっと立ち上がり、雑誌などを抱えて廊下に出てきた。苛立った顔。だが、口調の荒々しさに反して、やはりどこかに頼りない雰囲気がある。精一杯に虚勢を張っているものの、その向こうには、以前の加恵子と変わらない、気弱で陰気な彼女が見え隠れしていると思う。

「どこに行くの? 一人にしたら、まずいんじゃないの。大声でも出して騒がれたら、どうする?」

別に、こんな女は怖くも何ともない。この数年の間に、彼女の中でどういう変化が起こったのかは知らないが、性格そのものまで容易に変わるはずがない。それに、口では何だかんだと言いながら、ちゃんと貴子のために胃の薬を買いに行ってくれた。基本的には、そんな女なのだ。

「騒ぎたかったら、勝手に騒ぎなさいよ」

その加恵子が、口元を引きつらせるように笑みを浮かべて、わざとらしいほどに自信たっぷりに言う。

「あんたの声なんか、簡単に外に聞こえたりしやしないわ。いい？　人のこと甘く見てると、大変なことになるからね。私が、あんたは手に余るって言えば、あの人は簡単に『じゃあ』って言って、あんたを殺すわ」

薄闇の中で、加恵子の笑みは、泣き顔のようにも見えなくはなかった。目は笑っていない。怯《おび》えているような、すべてを諦《あきら》めているような瞳《ひとみ》をしている。いざとなったら、とても加恵子に止める力などないのだろう。

「――それくらい、平気な人なんだから」

「――五人殺すも、六人殺すも？」

加恵子の身体がびくん、と小さく震えた。無理に浮かべた笑みはとうに消えて、目が一瞬、宙をさまよう。

「――そんな相手のところに、一人で乗り込んでくるのが悪いのよ」

「あなたを、何とかしたかったからよ」

加恵子は無表情のまま、再び貴子の上に視線を戻してきた。貴子はわずかに身を乗り出し、真《ま》っ直《す》ぐに彼女を見上げた。

「あなたのことを、何とかしたかったの。だからよ」

やがて加恵子の顔に、驚愕《きょうがく》とも困惑ともつかない表情が浮かび、急に落ち着きをなくしたように視線をさまよわせる。動揺している。チャンスだ。

「だって、あなたが自分から望んで、あんなことするはずがないもの。あなた、そんな人じゃないもの。ねえ、中田さん、そうでしょう？」

咄嗟《とっさ》の嘘《うそ》が、相手の中に染《し》み込んでいくのを、貴子は息をひそめて見つめていた。加恵子は絶望的な表情になり、急に肩を落としてため息をついた。口元から「もう、手遅れだわ」という呟《つぶや》きが洩《も》れて、次第に濃くなっていく闇に溶けた。

「そんなことないったら。言ったでしょう、手遅れなんていうこと、ないって。考えてみてよ、あなたは母親なのよ、ねえ！」

だが加恵子は何も言わずに貴子の前を通り過ぎ、そのまま部屋を出ていってしまった。貴子は閉じられたドアを見つめていた。独特の足音が、徐々に遠ざかったかと思うと、別のドアの音が聞こえる。隣の部屋だろうか。この建物はすべて、使いたい放題ということか。

――一人で考えて。今の言葉を、嚙《か》みしめて。

一人で取り残されると、貴子は可能な限り鎖を伸ばして、加恵子がいた奥の部屋の方へ移動した。身体の向きを反転させて上体を倒し、首を巡らす。胃が引きつるように痛んだが、それは胃痛のせいではなく、昨夜、男に殴られたせいだと思い出した。とにかく、その姿勢が、少しでも奥の部屋を覗くことの出来る、最適の格好だった。

十二畳ほどの和室だった。開け放たれた障子は、ところどころが破れている。その向こうに少し空間があるようだ。本来なら、椅子《いす》とテーブルの三点セットや鏡台などが置かれる広縁だろう。そして、素通しのガラス窓。中途半端《はんぱ》に開かれたカーテンはすっかり陽に焼けて、ところどころから破れ落ち始めていた。やはり、間違いなく旅館の造りだ。窓の外に何か見えないかと思ったが、離れた場所に寝転んでいるせいもあって、夕暮れ時の空しか見ることは出来ない。空は、深い灰色に薄紫を足したような、穏やかで静かな色だった。都会で、こんな夕暮れを見ることがあるだろうか。今日はよほど天気が良かったのか。

室内には加恵子が散らかしたらしいコンビニの袋や新聞などが、そのままになっている。細く開けられた窓から柔らかな風が吹き込んで、それらのものを時折、揺らしていた。

——また、夜が来る。

丸二日が経《た》とうとしている。仲間は、探してくれているのだろうか。せめて、何らかの手がかりを摑《つか》んでくれているだろうか。加恵子が、貴子のカードを使用したことに気づいてくれたか。

しばらくの間、ただぼんやりと窓の外が漆黒の闇になっていく様子を眺めていたが、辺りが本当に暗くなってしまうと、貴子は姿勢をもとの位置に戻し、手探りでもう一つのおにぎりを食べた。

——夕暮れの空。漆黒の闇。

静寂の中に、海苔《のり》を嚙む音だけがパリッと響く。さっきも思ったことが繰り返される。都会で、こんなに暗い夜空を見ることが出来るだろうか。窓は開いている。騒音の一つくらい聞こえてきたって良いはずだ。だが、相変わらず辺りには静寂が満ちていた。よくよく耳を澄ませてみれば、遠く微かに、何かのうなりのような、ただ空気が流れるだけのような音が聞こえなくはないのだが、それがエンジンの音なのか、または風の鳴る音なのかも判然としない。

――どこなんだろう。

何しろ、丸一日以上も意識を失っていたという。それだけの時間をかければ、相当な距離を移動できる。一体、自分はどこまで連れてこられてしまったのだろうかと、貴子は改めて不安になった。人里離れた土地の、すっかり廃《すた》れた観光地か何かなのだろうか。もしも、こんな場所に取り残されたら、たとえ直接、手を下されることがなくても、そのまま飢えて死ぬかも知れない。それどころか死体さえ発見されずに年月が過ぎてしまう場合だって、考えられなくはないのだ。

落ち着いている場合ではないかも知れなかった。だが、どうすることも出来ないではないか。力任せに引いてみても、手錠も鎖も、容易に切れそうにはなかったし、自分をつないでいる便器を取り外せるとも思えない。

――どうすれば、いい。どうすれば。

闇《やみ》が、さらに不安を煽《あお》っているのだ。貴子は何度も深呼吸を繰り返し、自分の肉体の在処《ありか》を確かめるように、膝を抱えてうずくまった。まだ、たったの二日ではないか。五体満足なまま、こうして呼吸出来ているではないか。やがて、必ず朝が来る。いや、その前に、助けが来ないとも限らない。

母たちに、知られていなければ良い。今頃は呑気《のんき》に夕食の支度でもしていてくれれば良いと思う。相変わらずまめに連絡を寄越さない貴子のことでも肴《さかな》にして、日常の会話だけしていて欲しい。だが、昂一は、そういうわけにはいかないだろう。日曜日には会えると思っていたのだし、彼は貴子からの連絡を待っていたはずだ。彼のことだ。下手をすると捜査本部にでも乗り込んでいるかも知れない。

——ごめんね、皆。

こうして闇の中でうずくまっていると、ふと幼い頃のことを思い出す。姉妹で喧嘩《けんか》をして、長女の貴子だけが叱《しか》られて、拗《す》ねて、腹を立てて、こんな風に暗い部屋で膝を抱えていたことがある。両親も妹たちも大嫌いだと思った。もう二度と、口などきくものかと誓ったりしていた。だが、時間が過ぎて、空腹を感じるようになると、だんだん心細くなってくる。そんな頃、決まって妹のうちのどちらかが、貴子を迎えに来た。末っ子の智子は「お姉ちゃん」という声に、不安と甘えを一杯に滲《にじ》ませて、真ん中の行子の方は、いかにも言いにくそうに「お母さんが、謝れって言うから」などと言って。それでも頑固な行子は、結局は膨れ面《つら》のまま、「ご飯だってば」としか言わないのだ。そして、また喧嘩になる。

今にして思えば、どうしてあんなに簡単に喧嘩をして、本気で腹を立てて、そして、あんなに簡単に仲直りが出来たのか不思議なほどだ。結局、いつでも貴子は妹の手を取り、まぶしさに顔をしかめながら家族の集まる食卓に加わった。そして、ものの五分か十分も、たつかたたないうちに、もう声を出して笑っていたと思う。

——今、泣いたカラスがもう笑った。

母は決まって、呆《あき》れたようにそう言った。そんなときの母は、まだ少し怖く、でも少し優しかった。

いつの間にか遠くまで来たものだ。泣いて笑って、ただ転げ回っていた頃から、何が変わったとも思えないのに、いつの間にか姉妹喧嘩も減って、やがて食卓に家族全員が揃《そろ》うことも少なくなり、自分の人生が、家族の誰とも異なることを知って、気がつけば後戻りできないところまで来た。そう、後戻りできないのは、何もあの中田加恵子に限ったことではない。

たとえば夜の闇だって、どれほどの数を抜けてきたことだろうか。仕事中のことを考えても、張り込みで緊張の極みにいたこともあれば、寒さに耐えかねて足踏みしていたこともあった。一筋のライトだけを頼りに、霧の立ちこめる山道をオートバイで走り抜けたこともあったし、親に叱られるのを覚悟しながら、必死で言い訳を考えて歩いた闇も、恐怖心を振り払うために、わざと鼻歌を歌いながら通過した闇もあった。

こうしていると、それらの一つ一つが思い出されてくる。切なさに涙ぐみそうになったことも、新しい季節の匂《にお》いを感じて、胸をざわめかせたこともあった。ことに十代や二十代の、まだ警察官になる前のことを思い出して、貴子は、ついしみじみとした気分に浸っていた。こんな風にゆっくりと、自分の過去を振り返ったことなど、なかったような気がする。

――いつか、今夜のこの闇のことも、そんな風に思い出すときが来るんだろうか。

そのためには、とにかく生き延びることだ。このまま闇に呑《の》み込まれている場合ではない。時折、現実に戻っては、大丈夫、きっと助かると自分に言い聞かせ、再び思い出の世界に戻って、貴子は時を過ごした。

どれくらい時間が過ぎたかも分からなくなった頃、どこかでごとん、と音がした。人の歩く音。一人？　二人以上。男たちが帰ってきたのかも知れない。軽く背筋を伸ばし、首や肩を回して、貴子は神経を研ぎすませた。

やがて靴音が近づいてきて、ドアが開かれる。ライターの小さな火がかざされた。

「いた、いた。ちゃんと生きてるよ」

ライターを持った男が言う。貴子はわずかに顔を背けながら、その男を見上げた。四十代の後半から五十歳の少し手前といったところか。細面で長身。ほんの少しの白髪。眼鏡のレンズにはライターの火が映っているから、目つきまでは分からない。その横からこちらを見ているのは、もう少し若いようだ。四十歳前後。髪を後ろに撫《な》でつけている。もしかすると、一つに結わえているのかも知れなかった。

「彼女は」

男が再び口を開く。貴子は黙っていた。すると男は貴子を無視して土足のままで廊下まで上がり込み、奥に向かって「おうい」と声をかける。貴子の目の前を、意外なほど手入れの行き届いた革靴が通過した。ごと、ごと、と廊下を踏む音が周囲の空気まで震わす。

「どこ行った」

奥の部屋に加恵子がいないことを確かめると、男は再び話しかけてきた。御子貝春男が持っていた架空名義の口座から金を引き出しにきた男の人相は、白髪に金縁眼鏡ということだった。顔には左耳の下から首まで続く大きな痣《あざ》があったともいう。もう一人の男は、大きな黒子《ほくろ》が特徴で、口ひげを蓄えていた。だが、年齢と体型は、この二人と合っているような気がする。

「聞いてるんだよ。どこに行ったか」

男がわずかに前屈《まえかが》みになった。貴子は、やはり黙ってその男の顔を見上げていた。

肉体労働者の雰囲気ではない。肌は日焼けしていないし、物腰も柔らかい。

「ずっと、いなかったわけじゃないんだろう？」

今度は若い方の男が話しかけてきた。全体につるりとした、額の秀《ひい》でた顔をしている。相変わらず貴子が何も応《こた》えずにいると、その男は苛立《いらだ》ったように舌打ちをした。

「刑事さんよ、聞かれたことには答えた方がいいよ。俺らだって、女に乱暴は、したくないんだ」

そういえば、まだ目が覚めて間もない頃、この二人のうちのどちらかに頬を張られたことを思い出した。自分の身を守ること。今、何よりも優先すべきなのは、意地を張ることではない。

「なあ、どこ行った」

「——出ていったわ」

「どこに」

「そんなことを、私に言っていくはずがないじゃない」

年長の男の方が小さく鼻で笑い、「確かに」と呟いた。ライターの炎が小さく揺れる。変装？　髪の色くらい、容易に変えられる。髭《ひげ》、痣、黒子だって、つけるなり塗るなりすれば簡単だ。だが、見た者にはその強烈な印象だけが残ることだろう。

「なあ、不思議なことがあるんだがね、刑事さん。一つ、教えてもらえんかな」

ジッポーのライターをかざす手には、大きな指輪がはめられている。それをしばらく眺めてから、貴子はまた男の方を見た。

「どの新聞読んでも、テレビでもラジオでも、あんたのことがまるで出てないんだ。どういうことなんだと思うね」

「知らない」

「若松の件については、そりゃあでっかく出てるんだよな。元エリート銀行マンが自宅で射殺されたってね、結構な騒ぎだ。試しに今日も、あの辺まで行ってみたんだが、マンションの前には黄色いテープが張られてるしさ、お巡りの野郎どもがうようよしていやがった。テレビ局なんかも来ちゃってさ」

黙っていれば、それなりに教養のある男にも見えなくはない。だが、今の口調から察すると、どこか崩れた印象もある。そうまともな生き方だけをしてきたという感じも受けなかった。当たり前だ。まともに生きてきた男が、こんなことをするものか。

「私も一つ、聞きたいことがあるわ」

貴子は男を見据えたままで言った。

「次は、どこを狙《ねら》ってるの。また関東相銀？」

二人の男は一瞬、互いに顔を見合わせている。やっぱり。モンタージュなど作っても、無駄なはずだ。痣や口ひげばかりが印象に残ってしまっている。ああ、どこかにこの二人の指紋が残っていてくれないものだろうか。何とか、この二人が関わっていることを知らせる手だてはないものか。

「知りたいか」

少し間を置いて、男が試すような口調で答えた。息がかかるほどに顔を近づけてくる。貴子は思わず顔を背けた。今、たった今、誰かが乗り込んできてくれさえすれば、一網打尽に出来るのに！

「質問は、それだけかい、刑事さん」

「——変装は、誰のアイデア」

男は食い入るような目つきでこちらを睨《にら》みつけていたが、次の瞬間、鼓膜を震わすような声で笑い出した。皺《しわ》が陰影を作る。上の犬歯が一本、抜けている。顎《あご》の下のたるんだ皮膚が震えて見えた。

「そこまで気づいてて、どうして、こんなことになっちゃったのかねえ」

男は、おかしくてたまらないという様子で言った。次の瞬間、貴子は左の頬に強烈な衝撃を感じ、その勢いで後ろの壁に頭をぶつけた。頬骨の辺りが割れるように痛む。

痺《しび》れるような衝撃は、顎にも、首の骨にも伝わり、脳味噌《のうみそ》まで震えるようだ。息が止まるかと思った衝撃を何とか乗り越えようとする間に、また笑い声が響いた。

「正義の味方のつもりか？　そんな様《ざま》で」

ようやく目を開けると、相手は表情を一変させて、貴子の前にその顔を突き出してきた。顎の先を、つまむように押さえられる。そのまま、今度は後頭部を壁に押し当てられた。

「さっきの質問に答えてもらおうか。どうして、あんたのことがニュースに出ない。極秘捜査か？　サツは、どこまで俺たちのことを嗅《か》ぎつけてる」

「――知らない」

さらに強く、顎を押さえられた。唇が開く。頭の後ろで砂壁がざらざらと嫌な音をたてた。不意に、足の先に痛みを感じた。もう一人の男が、貴子の足を踏んでいるのだ。指の付け根の関節の辺りを、固い靴の裏で踏みつけながら、若い方の男が「知らないはず、ないだろう」と言った。

「ほら、言えよ。これ以上、痛い思いしたくないだろうが」

「――私は、今日まで非番だったから、まだ気がついてないのかも知れないのよ」

それでも力は緩められない。痛みに顔が歪《ゆが》んだ。

「本当よ。中田さん、言ってたわ。若松の家の指紋は徹底的に拭《ふ》き取ってきたし、掃除機もかけてきたって。私がいた痕跡《こんせき》は、何一つ残ってないはずだからって」

やっとの思いでそう言うと、ようやく顎も足の先も楽になった。貴子は震える息を吐き出し、きつく目をつぶった。どうしたら、自分の身を守れるのだろう。手も足も出ない状態で。

「こりゃあ、いいや。まだ、気づかれてないって？　とんでもねえや」

「そんな言い訳を、簡単に信じられると思うか」

男たちが交互に言う。頭を働かせるのよ。相手だって怖がってる。自分のことは怖くなくても、警察のことは怖いに決まってるんだから。

「――あなたたち、脅迫電話でもかけた？」

顔が熱を持って、じんじんと痛んだ。後頭部と足の先にも、撫《な》でさすりたいような痛みが残っている。顎に残る指の感触は、洗い落としたいほど不快だった。それらに耐えながら、貴子は男たちを見上げた。年長の男は、すっと無表情に戻って、「いいや」と答える。

「じゃあ、分かりようがない。もっとも、今頃はもう、おかしいと思い始めてるはずだけど」

「今頃？」

「――今夜から、勤務だったから。警察官が無断欠勤するなんて、あり得ない、あってはならないことだから」

男たちは、また互いに顔を見合わせている。貴子の言葉の真偽をはかりかねているようだ。

「何なら、今ここから電話しましょうか」

「あんた、馬鹿《ばか》か。逆探されて、終わりじゃねえか」

「短時間なら逆探知は無理だし、第一、携帯電話は逆探知が出来ないのよ」

男は眉間《みけん》に皺を寄せ、何か考える顔になる。

「私がかけてみてもいいわ。連絡が遅くなりましたが、今日は休みますって」

男の表情がわずかに動く。かけるなら、今しかない。明日になれば、貴子が無断欠勤していることで警察も動き出す。そんなことを計算しているのに違いなかった。だがこれは、貴子にとっても賭《か》けだった。貴子が拉致《らち》されていることを、本当に気づいて動き出してくれていなければ、何もかもが逆効果になる。何、言ってるの。二日も過ぎてる。気がついていないはずがないじゃないの。信じるのよ。

「――言いたくなかったけど、さっきの質問に答えるわ」

鼓動が速くなっている。貴子は小さく深呼吸をして、男たちを見た。ライターの炎が揺れる。

「あなた方のことに気がついていたのは、私しかいない」

密《ひそ》かに生唾《なまつば》を飲み下しながら、貴子は言った。目の前の男の眉《まゆ》が微《かす》かに動いた。

「分かるでしょう？　手柄が欲しかったのよ。一人でホシを挙げて、うちの男たちの鼻を明かしてやりたかったの。あの占い師の家から関東相銀のことを探り出したのも私。冷蔵庫の容器からね。あそこの粗品が使われていたから。若松のことを探り当てたのも、私一人。立川支店の木下っていう次長から聞いたわ。とにかく、どうしても見返してやりたい奴《やつ》がいたから、何もかも、私一人で動いてた」

ほう、というように男たちの表情がまた動く。頭の片隅に星野の顔が思い浮かんだ。すると、自分の話していることが満更、嘘《うそ》でもないような気になってくる。あの馬鹿のお陰で、こんなことになった。その怒りを、何とか利用するしかない。

「刑事にだって、女と見れば、寝る相手くらいにしか思ってない連中はごまんといるわ。それに、手柄を挙げてる連中は皆、仲間に情報なんか渡さない。だから私も、それを見習っただけ」

「やっぱ、ドラマで見るのと同じなのかね」

若い方の男が言った。何のドラマの話か知らないが、貴子は小さく鼻を鳴らして見せた。

「失敗は人に押しつけて、手柄だけ横取りされたんじゃ、たまらないもの。だから、私はいつも、そうしてるの。きっと、鼻つまみ者だと思うわ。休むって言えば、それだけで喜ぶような奴がたくさんいるんじゃない」

若い方の男は、興味津々《しんしん》といった表情で貴子の話を聞いている。その顔は、純粋にさえ見えた。根っからの悪人ではないのかも知れない。どういう巡り合わせからか、こういうことになったのだろう。崩すとしたら、この男からが良いかも知れない。

「——私の携帯電話があったでしょう。あれなら、どう。万に一つも番号が分かったって、私の電話なら疑いの余地もないわ」

男が手元の時計を覗《のぞ》き込んだ。同時に貴子も、自分の時計に目を落とした。午後九時四十五分。

「仕事は、何時からの予定だった」

「九時」

こんな嘘は、部外者には見抜けるはずがない。貴子は、いかにもまことしやかに、自分の勤務態勢まで話して聞かせた。おいしいところは男たちが持っていく。貴子の場合は、女だからということもあって、夜中、電話番や資料整理をさせられるはずだったと説明すると、男たちはようやく少し信じたようだった。

「だったら、今夜中の方がいいよ。サツが動き出すのなんて、遅い方がいいに決まってんだから」

若い男の方が囁《ささや》いた。年長の男は、まだ考える顔をしている。貴子は、こみ上げてくる苛立ちを懸命にこらえながら、彼らを見比べていた。

12

深夜二時半、ようやく捜査会議が始まった。

何しろ、ほとんどの連中がこの二十時間近く、一睡もしないで都内を走り回っていた。こんな時刻からの捜査会議も異例のことなら、刑事たちの消耗も計り知れないものがある。三十分ほど前に、銘々この部屋まで戻ってきたときの雰囲気と来たら、誰もが絶望感と焦燥感を引きずり、それに空腹や寝不足も手伝って、ひたすら刺々《とげとげ》しく険悪なものだった。

今日の収穫が報告、整理され始める。まず、何よりも大きな報告があった。音道から電話があったというのだ。捜査本部に、「音道ですが」という電話が入ったのは、十時近くのことだという。内容は一方的で、ただ体調がすぐれないので、二、三日、休ませて欲しいというものだった。こちらの問いかけに対してはほとんど応《こた》えなかったが、唯一《ゆいいつ》、拉致されているのかという問いに対しては「そうです」と言ったという。電話は一分足らずで切れたが、音道の声に間違いないと思われた。よかった。生きている。その報告を聞いただけで、捜査本部には安堵《あんど》のため息が広がった。ほとんど残っていないはずの活力が引きずり出された。

馬事公苑近くの駐車場で発見された若松雅弥の車から検出された指紋については、音道のものも、さらに堤健輔、中田加恵子のものも含まれていない。現在、他の指紋の鑑定が進められている。毛髪等についても同様。犯人たちが車を乗り換えた可能性が考えられるが、堤健輔は所有していた車を四月中旬には売却していたことが判明していた。新しく車を買い換えているかも知れないことから、都内のレンタカー業者および中古車販売業者を虱潰《しらみつぶ》しに当たっているが、今日のところは、堤または中田が車を買った形跡や借り受けた記録は発見されていない。

中田加恵子については、半年ほど前から四月下旬頃まで、米軍横田基地の第二ゲートに近いスナックでホステスをしていたことが判明した。

「そこのママの話によりますと、加恵子は最初の頃は化粧も地味で、とてもホステスに向いているようには見えなかったそうですが、ある時、ママが『髪型くらい変えてみたら』と言ったところ、翌日から別人のような格好で現れるようになったといいます。もともと酒は弱いものの勤務態度も真面目《まじめ》で、客あしらいも上手だったことから、特に化粧や髪型が変わってからは、なかなかの人気者だったとのことですね。自分のことについてはほとんど話したがらなかったようですが、毎晩、勤めが終わる頃になると年下の男が店の傍まで迎えに来ており、ママが変身の理由について尋ねたところ、彼氏がやってくれていると、嬉《うれ》しそうに言っていたそうです。辞める理由については特に何も言わず、突然のことで、給料の残りについても、未《いま》だに取りにきていないと言っていました。さらに加恵子は、近い将来、海外で暮らすつもりなのだと言っていたということです」

報告を聞きながら、滝沢は自分の刑事手帳に、「化粧」「男」「海外」などという言葉を書き込んでいった。もう大昔のような気がするが、中田の亭主に会いに行ってから、まだ丸一日もたっていない。おそらく加恵子という女は、あの亭主と暮らしていた頃には経験できなかったすべてを体験したいと思っているのだろう。そんな気がする。

一方、堤健輔に関しても、昔、美容学校で一緒だったという人間を捜し出した捜査員がいた。彼の報告は中田加恵子の変身ぶりを裏づけるものでもあった。堤はその専門学校はきちんと修了してはおらず、結局は美容師の資格も取得していないはずだが、一時期メイクアップ・アーティストとやらを目指していたという話が出てきたからだ。

「今でこそ化粧をしてバンドを組んでいる男なども珍しくはなくなりましたが、当時はそう多くはなかったようです。堤は、美容師を目指していたくらいですから、もともと化粧や人の髪の毛をいじるのは嫌いじゃなかったんでしょう。そんなアルバイトもしていたと言いますし、自分たちもいつか化粧をしてデビューするのだと言っていたそうです」

だが、専門学校に通っていた当時から、堤は真面目とは言い難く、むしろ女を引っかけて遊ぶことばかりを考えているようなところがあったという。人当たりは柔らかく、性格も優しいところがある一方、気まぐれで、何事も長続きせず、プライドが非常に高いという話もあった。滝沢たちがレンタカー屋から借り受けた履歴書に記載されていたこれまでのアルバイト先からも、ほぼ同様の話が聞かれた。同性には特別に親しい友人はおらず、いずれの場合も、勤め始めた当初は愛想も良く真面目なのに、何かの拍子にぷいと辞めている。

二人の輪郭については、徐々に摑《つか》めつつあるということだった。だが問題の居所については、調べは進んでいなかった。福生から消えた二人の足取りが皆目、分からないままなのだ。大方、ラブホテルでも泊まり歩いているのか、ウィークリーマンションのような場所に入っているか。畜生、どうすりゃいいんだ。音道が必死で耐えているっていうときに、自分たちにはこれしか出来ないのだろうか。

「若松雅弥ですが、目撃者に当たったところ、競輪場で儲《もう》け話を持ちかけていたのが若松であることが確認されました」

「若松の自宅に残されていたパソコンのフロッピーから、関東相和銀行が抱えている架空名義口座のリストが出てきています。全支店のものではありませんが、これまでに若松が勤務していた立川支店の他、大田区の蒲田《かまた》駅前支店、豊島区の椎名町《しいなまち》支店、足立区の竹の塚支店、千葉県の松戸支店です。これらの支店に対しては、身元確認が出来ない人間が架空名義口座を解約、または引き出しにきた場合は、速やかに一報するように手配が取れています」

「若松は関東相銀在職中からギャンブルの他に個人投資の失敗などでも借金を抱えており、その穴埋めに、顧客の口座から金を流用したことが発覚して、依願退職という形を取らされたようです。当時の借金については、家を売るなどして大方は返し終えているはずだと、別れた妻が証言していますが、調べてみたところ、その後も再び借金が増えて、今年四月の段階では、あわせて七社から計二千三百万あまりにまで膨らんでいました。ところが四月末の段階で、これらの借金はすべて清算されています」

それが、殺された男の正体らしい。つまり、占い師の夫婦が隠し持っていた金の一部が、間違いなく若松に流れたということだ。主犯格、または首謀者というところだったのだろう。殺しは仲間割れの結果か。それだけの金が動けば、欲に目がくらむ奴だって出てくる。

「改めて関東相銀立川支店に聞き込んだところ、架空名義の金を引き出しに来た二人の男のうち一人が、絵に詳しい様子だったというんです。応接間の壁にかけられている絵を見て、その絵描きの名前を言い当てていたとかいう話なんですが」

それくらいのことは、少し詳しい奴なら、素人《しろうと》にだって出来るだろうと思った。どれもこれも、直接、ずばりと来る手応えがない。だから、どうだというのだ。では、どうすれば良いのだ。それが指し示されるような話が、どこからも出てこなかった。ああ、いかん。思考力の限界だ。もう疲れて、何も考えたくなかった。

その時、入り口のドアが控えめにノックされて、警察官の一人が顔を覗かせた。前の方にいる守島係長をそっと手招きしている。滝沢は、その様子をぼんやりと見守っていた。起きていなきゃならんと思う、こうしている間にも、音道が危ないのだと思う。それでも、少し力を抜くと、すぐに気が遠くなりそうだった。

数分後、守島係長が戻ってきて、前の方に集まっているお偉方と何かひそひそとやりはじめた。

「よし、今日のところは、デスク要員を残して、これで解散にする。明朝は七時から会議を続行する。そう、たっぷりとはいかんが、それまで休んでくれ。熱い風呂《ふろ》に浸かって、食うものを食って、明日に備えて欲しい。仮眠室で足りなかったら、上の道場でも休めるようになってるそうだ。飲むのは、寝つきを良くする程度にしておいてくれよ。お疲れさん」

何となく中途半端《はんぱ》な終わり方だった。だが、そんなことに文句を言う者はいない。誰もが重い身体《からだ》を引きずるようにして、やっとの思いで席を立つ。滝沢も、保戸田と目顔で頷《うなず》きあい、のろのろと本部を後にした。さすがに、こたえる。何年か前だったら、二日や三日の徹夜くらい、気合いで乗り切れたと思うのだが、もう駄目だ。阿呆《あほう》のように顎《あご》が上がって、あっぷあっぷしそうだった。

滝沢は、とにかく食料や飲み物の用意されている部屋まで行き、缶ビールをその場で流し込むと、のろのろと道場へ向かった。

「滝沢さん、風呂どうします」

「どうせ今ぁ混んでんだろう。俺は、朝にするよ」

やっとの思いで最上階の道場までたどり着き、辺りもはばからずに下着だけになって、滝沢は布団《ふとん》に倒れ込んだ。いけねえ、靴下くらいは脱ぎたいと思ったのに、綿のように疲れた身体は、思考も行動も停止状態で、次の瞬間にはもう何も分からなくなっていた。

翌朝早めに起きて熱い風呂を使い、下着も替えてさっぱりした滝沢は、所轄《しょかつ》署員が差し入れておいてくれたに違いない握り飯と熱い味噌汁《みそしる》をすすり、さらに、これも本部事件の時には決まって差し入れられる滋養強壮剤を二本飲んで、捜査会議に臨んだ。

「昨晩のうちに分かったことを整理する。まず、若松の自家用車内から検出された毛髪の中から、音道刑事の毛髪と一致するものが発見された」

守島係長の声が響いた。刑事たちの背筋がわずかに伸びる。

「さらに、同車内から検出された指紋の照合を急いだところ、トランクの裏、コンソールボックスの裏などから、若松本人の指紋以外のものが数個、発見されており、その中から、この人物の指紋が照合された」

本部正面に掛けられたスクリーンに、一人の人物の顔写真が映し出された。細面の、貧乏くさい顔立ち。どうせ署に引っ張られたときに撮られたものに違いないから、潑《はっ》刺《らつ》としているはずもないのだが、朝っぱらから見るには、そう愉快とも思えない顔だ。

「井川一徳。昭和四十五年と六十二年に、詐欺《さぎ》容疑で逮捕されている。いずれも有罪判決を受けているが、一度目は執行猶予《ゆうよ》つき、二度目も半年で出ている。自称ブローカーということになっているが、要するにいわゆる風呂敷画商と呼ばれる仕事らしい。現在は五十二歳だから、この写真よりは老《ふ》けていることだろう」

捜査員の一部から、小さなざわめきが起きた。滝沢はぼんやりと、そのざわめきの方向を眺めた。どうして騒ぐのかが分からない。第一、風呂敷画商などという言葉は、これまで聞いたことがなかった。

とにかく今日の捜査活動には、その井川一徳の所在を確認すると共に、若松との接点を探ることが新たに加えられた。それ以外は、昨日と大きく変わる点はない。とにかく堤か中田のいずれかの所在を割り出すまでは、どうすることも出来そうにない。都内のラブホテル、ウィークリーマンションなどを虱潰しに当たっていく一方で、逃走に使用した車両の発見を急ぐことも変わらない。どちらにしても、気の遠くなるような作業だ。

午前七時四十分、滝沢たちは捜査本部を飛び出した。昨日とは打って変わって、今日はどんよりと低い雲が垂れ込めている。風はほとんど吹いておらず、湿度の高い空気がまとわりついてくるようだ。

「今日中に、何とかならねえもんかな」

助手席におさまり、車が走り始めると、滝沢は煙草《たばこ》をくわえながら呟《つぶや》いた。

「あいつの度胸と根性を信じたいよ」

「組んでて、楽しかったんじゃないですか」

ふん、と笑いそうになって、喉《のど》に痰《たん》が絡《から》まる。滝沢は信号待ちの合間に車のドアを開け、車道に痰を吐いた。音道が隣にいたら、とてもではないが、こんなことは出来なかったろう。あいつは文句は言わない代わりに、顔を強張《こわば》らせて、わざとこっちを見ないようにするに決まってる。

「気詰まりだったさ。何せ、お嬢ちゃんだから。こっちが何言ったって、にこりともしやしねえ。一体、親はどういう育て方したのかって思ったね」

だが、その親も、今頃は生きた心地がしていないだろう。我が子が行方不明になったと知れば、親にとって子どもの年齢など関係ない。ランドセルを背負った子どもだったろうと、嫁にいきそびれている娘だろうと。

「あんな風だから、いき遅れるんだな」

思いとは裏腹の憎まれ口が出た。すると保戸田は、「あれ」と言う。

「音道刑事は、バツイチらしいですよ」

滝沢は目をむいてハンドルを握る相方を見た。保戸田の方も、意外そうな表情でちらちらとこちらを見る。

「誰か、言ってました。それで星野が、バツイチ同士、仲良くしようとか何とか言って口説いたんだって。ああ、昨夜、風呂で聞いたんだ。前の旦那《だんな》は、うちのカイシャの人間らしいですけどね」

知らなかった。あいつにも、そんな過去があったのか。すると、自分が組んでいた当時は、どうだったのだろうか。なるほどなあと、滝沢は一人で納得していた。それなら、何となく分からないではない。自分が女嫌いになったように、あいつだって、おいそれと愛想を振りまく気になどなれないのかも知れない。だが、今は新しい男がいるというのだから、滝沢よりも恵まれている。それを考えると、面白くなかった。

「まあ、今度のこれに懲《こ》りて、おとなしく家庭にでも入った方が、あいつのためかもな。それで、子どもでも産んでさ――」

もしも無事だったら、と続けそうになって、慌《あわ》ててその言葉を呑《の》み込んだ。馬鹿《ばか》野郎、信じるんだ。

車道の脇《わき》を通学途中らしい制服の子どもが歩いていくのが目に止まった。半袖《はんそで》のブラウスから出ている二の腕がまぶしく見える。娘はちゃんと起きて学校に行っているだろうか。もう高校生なのだし、慣れているとは思うが、そうは言っても、やはり気になる。母親がいないのだから、不自由なのは仕方がないにしても——。

「おい、方向変えてくれ」

手元の時計を素早く見て、滝沢は保戸田の太股《ふともも》を軽く叩《たた》いた。

「昭島だ」

「昭島？」

「中田の亭主のアパート。子どもだ、子ども」

保戸田は、ちょうどさしかかった角で素早くハンドルを切る。

「でも、子どもには知られない方がいいんじゃないんですか」

「そりゃあ、デカが来たなんてことはな。ああ、どっかその辺で一旦《いったん》、停まってくれや。後ろに、派手なシャツかなんか、積んであったかな」

「派手なシャツですか——アロハシャツみたいな奴《やつ》なら」

「サングラスもあったよな」

保戸田は、「ああ」というように頷いた。仲間同士なら、よく分かっている。滝沢たちが派手なシャツや背広を着て、サングラスをかけた姿は、お互いの目で見てもチンピラかヤクザだ。路地に入って車を停め、トランクを覗《のぞ》き込んで、赤と黄色をふんだんに使ったアロハシャツと、グレーと黒の太い縦縞《たてじま》のポロシャツを見つけ出すと、滝沢たちは素早くその服に着替えた。

「俺ら、借金取りだからな」

「いくらくらいにします」

「ガキが驚くくらいの額でいいんだから、三百万てとこかな。まあ、そんなこと聞かれやしねえって。ただ怖いだけだろうよ」

簡単に申し合わせをして、サングラスをかける。保戸田の顔からつぶらな瞳《ひとみ》が消えると、なかなか凄《すご》みのある若衆が出来上がった。滝沢も「立派なもんです」と言われて、再び車に乗り込んだ。ヤクザが赤色灯を点《つ》けて、サイレンを鳴らして車を走らせるわけにもいかない。そんなものは無用で、だが、とにかく通学時間に間に合うように、保戸田は人が変わったようにアクセルを踏み込んだ。母親なら、連絡先くらいは教えてあるはずだ。亭主には黙っていても、せめて子どもには。ホテルやマンションを当たる手間を考えたら、今は、その可能性に賭《か》けるしかなかった。

13

「もしもし、私。どこにいるの？　連絡して下さい」

「もしもし、加恵子ですけど。連絡して下さい」

「もしもし、心配してるんですけど。こっちは身動き出来ないんだから、とにかく電話だけでもして」

　朝から聞いている声といえば、それだけだった。今日は天気が悪いようだ。奥の部屋にも陽は射《さ》し込んでは来ず、のぞき見れば、窓の外にはどんよりとした灰色の空だけが広がっている。午前九時二十分。昨晩、加恵子の愛人は、とうとう帰ってこなかった。あとの二人の男は、やはり明るくなる前に出ていった。

　昨日と同じように加恵子が買ってきたコンビニエンスストアーのおにぎりを食べ、念のために胃の薬も飲んで、貴子の気持ちは幾分、落ち着いていた。

「彼氏、まだつかまらないの？」

　返答がなくても、勝手に話しかけている。

「電源、切ってるんじゃないかしらね」

　今日こそ助けが来てくれるかも知れない。ここから解放されるのも時間の問題だ。そう信じることで、萎《な》えかけていた気持ちは、何とか活力を取り戻す。それに、男たちがいない間は、少なくとも肉体的に危害を加えられるおそれは大幅に減る。加恵子一人なら話しかけるチャンスもあり、懐柔する希望も残っている。

「ねえ」

さっきから、何度となく呼んでいる。だが加恵子は、愛人のことがよほど気がかりなのか、それとも男たちから何か言い渡されたのか、貴子のことは徹底的に無視するつもりらしかった。昨日のように「うるさい」などと怒ることもなければ、他の部屋へ行ってしまうこともない。とにかく奥の部屋に引っ込んで、三十分に一回程度、愛人に呼びかけている。その声が聞こえてくる以外は、穏やかと言えば、言えなくもない時が流れていた。

――私の電話にも、似たようなメッセージが残ってるかも知れない。

職場の人たちから。家族から。昴一から。それを聞いてみたいと思う。いや、聞かない方が良いのだろうか。かえって動揺するかも知れない。何しろ、こんな状況に置かれたことがない。自分自身が、何か起こる度にどういう反応を示すことになるのか、まるで予測がつかなかった。

たとえば昨夜のように殴られても、猛然と怒りがこみ上げてくるのは、ずい分と時間がたってからで、咄嗟《とっさ》に覚えるのは怒りよりも恐怖なのだ。それなりの場数も踏んでいるつもりだし、人が人を殴るところくらい、珍しくもないと思っていたのだが、自分が殴られるとなると話は別だった。身動きできない、抵抗できない状態で、ただ殴られなければならない恐ろしさを、貴子は生まれて初めて経験した。あれが続いたら、自分が刑事であることなど忘れ果てて、「やめて」と叫んでしまうかも知れない。犯人たちに哀願し、泣きながら命乞《いのちご》いしないとも限らない。第一、昨日の胃痛にしたってそうではないか。まさか、あんなに痛い思いをするとは思わなかった。

――試される。人間の出来が。

皮肉な思いにとらわれる。果たして自分がどの程度の人間なのか、どんな誇りと、どんな職業意識を持っているか。真実を知って愕然《がくぜん》とするのは自分自身なのかも知れない。

出来ることなら、そんな状況にまで追い詰められたくはなかった。貴子は深々とため息をつき、時には首を回したり、座り位置を移動させたりしながら、無為に時を過ごさなければならない自分を徐々に持て余し始めていた。何か、出来ることはないのだろうか。ただ座っているだけなんて、あまりにも能がなさすぎる。

「もしもし、何度も悪いんだけど、連絡して下さい。ねえ、お願いだから。心配してるんだから」

しばらくすると、また加恵子の声が聞こえてきた。こっちの方が苛々《いらいら》してくる。後から伝言を聞いて、似たようなものがこんなに連続して入っていたら、たまったものではないだろう。面倒臭い女。

「あんまりしつこいと、嫌われるわよ」

無視されるのは覚悟で話しかけた。

「きっと、何かで忙しくしてるんでしょう。あなたを放っておくことなんて、できないに決まってるんだから」少しは信じて待てばいいのよ。

「どうして、そんなことが言えるのよ」

ようやく加恵子が膨れ面《つら》を突き出してきた。貴子は「べつに」というように視線を逸《そ》らしてみせた。ひとつ、ふたつ、と呼吸を繰り返してから、ちらりと加恵子を見る。彼女は相変わらずの固い表情でこちらを見ていた。

「じゃあ、どうして電話がつながらないの」

餌《えさ》に食いついた。後は注意深く糸を巻くことだ。

「さあ、知らない」

「知らないのに、放っておけないなんて、どうして言えるわけ」

「決まってるじゃないの。共犯者だからでしょう」

加恵子の口元がわずかに動いた。貴子は当然というように、「あなたに裏切られたら、元も子もないものね」と言った後で、「ああ」と、初めて何かに気づいたような顔をして見せた。

「逆も、あるのか――全部あなたのせいにして、自分だけ逃げるっていう手も」

加恵子は、今度は唇を噛《か》んで無理に目を見開き、肩まで上下させている。動揺している。もっと揺さぶらなければ。もっと不安にさせるのだ。

「だって、現に、昨夜も帰ってこなかったわけだし、こうして何回、電話かけても、出ないわけでしょう？　ひょっとしたらとは、思うわよね」

「――だから、心配してるんじゃないの」

「つまり、それほど信じてないわけね」

「信じてるわよ、勿論《もちろん》。でも、何かあったのかも知れないと思うから――」

「それで心配してるの？　事故にでも遭ったんじゃないかって？　そうかしら。悪いけど、さっきから留守電に入れてるメッセージ聞いてると、何となく、そういう感じじゃないけど」

わざと、相手を試すように言ってみた。加恵子はどこか決まりの悪そうな、膨れ面のような顔になって黙っている。

「中田さん、あなた実際、どれくらいあの人のこと、知ってるの？」

「知ってるわよ、そりゃあ。一緒に住んでるんだから」

「一緒に住めば分かるっていうものでもないんじゃない。だったら、あなた、御主人にどれくらい理解されてた？　あなたの方は、どうだったと思うの。結婚して、何年も一緒にいたのに」

「——あんな人と、健輔は別だわ。全然」

あの男は健輔というのか。初めて名前が分かった。貴子が「そうかしら」と言えば、加恵子は間髪いれずに「そうよ」と答える。

「あの人より、ずっと頼りがいがあるし、私を愛してくれてるし、誠実だし。いつも私を見ていてくれて、いつも私を必要としてくれてる。そうよ、そういう人なの。そりゃあ、まだ若いから、子どもっぽいところはあるけど、でも、健輔は、こんな私を世界で最高の女だって言ってくれるし、私が作ったものは何でも喜んで食べてくれるし、これまでに私が知らなかった世界をたくさん見せてくれて、きっと幸せにするって言ってくれて——主人なんかとは、全然、違う」

言い訳がましく、ぶつぶつと喋《しゃべ》る姿は、やはり貴子の知っている加恵子に違いなかった。それにしても、まるで二十歳《はたち》の小娘のような台詞《せりふ》ではないか。とてもではないが、四十路《よそじ》を越えようという女の言い方とは思えない。貴子は、加恵子の新しい一面を見た気分になっていた。彼女が総じて幼稚だとは思わない。それだけ健輔という男に夢中になっているということなのだろう。または、恋愛そのものが久しぶりだからか、初めてに近い経験だからなのだろうか――。

「あの子は、私を大切にするって言ってくれてるんだから」

あの子。してくれる。引きずられているのは加恵子に違いない。それだけ、彼女は健輔に夢中なのだ。すべてを捨てて走った相手に、何が何でもしがみつこうとしている感がある。必要以上に相手を有り難がり、わざと、他のものは何も見えないようにしている印象さえ受ける。

――利用されてるだけなんじゃないの。

第一、誠実で頼りがいのある男が、大切にしたい女を、こんなことに巻き込むものか。たとえ犯罪者だからといっても、愛する人まで巻き込む者ばかりではない。貴子は、「大丈夫なの」と口にしかけて、急いでその言葉を呑み込んだ。友人ではない。こちらから心を添わせている場合ではなかった。第一、相手は、貴子など嫌いだと言い放った犯罪者ではないか。人を殺し、ものを盗み、その上、こうして貴子まで拉致《らち》している。加恵子の気持ちを汲《く》んでやるのはポーズだけ。動揺させるために、こうして話しているだけだ。

「これが、大切にされてるっていうことなわけね。人殺しの手伝いをさせられて、こうして一人で人質の見張りもさせられて。まるで連絡も寄越さないでね」

加恵子の表情がますます歪《ゆが》んだ。口元を震わせて、彼女はまるで、すべての原因が貴子にあるというように睨《にら》みつけてくる。そして、彼女はつかつかと貴子に歩み寄り、次の瞬間には、貴子は頰を叩かれていた。

「口のきき方に気をつけなさいよね。あんた、人質なんだから。私が一人で見張ってるからって甘く見て、いい気になんないでよっ」

鏡を見ていないから分からないが、昨日、殴られたところには痣《あざ》が出来ているのではないかと思う。少し触れただけで痛むところを、よくも叩いてくれた。貴子は加恵子を睨み返した。

「いい気になってるのは、あなたの方でしょう」

「何がよ」

「抵抗できない相手にだけ、こうやって暴力を振るうわけ。ただの小心な卑怯者《ひきようもの》っていうことを証明してるようなものじゃないの。そんなあなたを、最高の女だなんて言う男の気が知れないわね。どうせ、そんな程度の男なんだろうけど」

「よく知りもしないのに、あの子を悪く言わないでよ！」

「知ってるわよ。人殺しの、泥棒の、誘拐犯じゃないのっ！」

加恵子は目を見開いたまま、貴子の前に仁王立ちになっている。そんな顔をするくらいなら、どうして罪を犯すのだ。悪いと分かっていて、なぜ人の生命まで奪えるのだと、貴子はさらに加恵子を睨み上げた。人の生命の重みをいちばん感じる職場にいたくせに、たくさんの誕生と死を、身近に感じてきたくせに。この女は、病人を扱ったのと同じ、その手で殺人の手助けをして、いや、ことによると直接、手を下したのかも知れない。

「こんなことして、最後まで逃げ延びられるとでも思ってるわけ？　それとも、私を盾にでもして、飛行機でも要求する？　だったら、さっさと警察へでもどこへでも電話しなさいよ。世界中のどこへでも、逃げてみなさいよ」

「好きなこと、言ってれば。どうせ、あんたなんかに、私の気持ちは分からないんだ」

ふん、と鼻を鳴らして、加恵子はまた奥の部屋へ引っ込んでしまった。ああ、失敗。何とか接点を見つけなければと思ったのに。芝居だけでも、彼女を理解できるふりをしなければならなかったのに。

叩かれた頬が再び疼《うず》いている。貴子は膝《ひざ》を抱えた格好で、手錠をつけられたままの手を自分の頬に添えた。肌が荒れている。荒れているなどというものではない。厚い皮膜一枚、増えたようだ。その上、熱を持っている。顔の手入れになど無頓着《むとんちゃく》な方だが、思わずため息が出た。

ゆるゆると時間が流れた。加恵子は一度だけ貴子の前を通って部屋を出ていったが、五分もしないうちに帰ってきた。そしてまた、健輔という男に電話をかけ、メッセージを入れた。

「もしもし、しつこいようだけど、心配だから。何かあったの？　とにかく電話して、お願い」

哀れっぽい、媚《こ》びを含んだ声。懸命に苛立ちを抑えようとしている響き。彼女もまた、ある意味では追いつめられているのだと気がついた。

人質の自分から謝るのもおかしなものだ。

だが、何とかして、再び会話の糸口を見つけ出さなければならない。昨日、貴子は加恵子に言った。あなたを何とかしたいと思ったからこそ、危険を顧みずに近づいたのだと。自分はあくまでも加恵子の身を案じ、加恵子を助けたいと思い、人生をやり直させたいと思っていることにしなければならない――実際、そう思っていないというわけでもないのだから。だが、そうは言っても怒りの方が勝っていることは確かだ。憎いと思う。生涯、許せないだろうと思う。何ということをしてくれたのだと思う。自分自身に対してよりも、貴子が大切にしたい、守りたい人たちを傷つけたに違いないことが、どうしても許せない。

――あの人に対して思ったのと同じ。

別れた夫に対しても、貴子は同じ気持ちを抱いた。誰かを憎むのは、これで二度目だ。だが、こんな感情を抱くのは、好きではない。憎んでいる自分に気づけば、さらに傷つき、惨《みじ》めになり、疲れていく。貴子は憎しみから生まれるエネルギーは、破滅にしか向かわないと信じている。そのエネルギーから犯罪に手を染めた人たちのことも、山のように見てきている。だから自分は、誰かを嫌うことはあっても憎んだり恨んだりはしたくないと思ってきた。だが、それも程度問題だ。貴子は夫の裏切りを知ったとき、彼を憎んだ。自分の内にも、こんな感情が芽生えることに狼狽《ろうばい》しながら、彼を許せないと思った。今回の思いは、あの時とは比較にならない。歯嚙みし、地団駄を踏み、相手を罵《ののし》る程度では済まされない。自分とまったく同じ思いをさせてやりたい。手足を縛り、腹を蹴《け》り、あの薄汚れた便器に顔でも突っ込んでやらなければ、気が済まないと思う。

――でも、今それを出したらまずい。

頭では分かっている。だが、自分がそれほど上手に芝居出来るとも思えなかった。苛立ち、焦《あせ》り、疲れていくのが自分でも分かる。早く、助けが来てくれれば良いのだ。

それが何よりの解決策なのに。

手錠をかけられたままの自分の手を見つめる。汚れのついた指。少し伸び始めた爪《つめ》。我ながら、父によく似ていると思う。軽く指を開いたところなど、本当にそっくりだ。生命線。長ければ長命だという。貴子の生命線は、手首近くまで、すんなりと伸びていた。それなら、今日明日にも殺されるなんていうことはないんだろうか。

ふいに、奥の部屋で携帯電話が鳴った。「もしもしっ」という飛びつくような加恵子の声を、貴子は目の前に手をかざしたまま聞いた。午後零時三十五分。

「――何だ。何」

あからさまに落胆した声に変わる。どうやら健輔からではなかったらしい。

「ええ?――いつ?――なんで、あんたのところになんか来るわけ。そういう人が――ええ? 心配いらないったら。お母さん、ちゃんとやってるから。――大丈夫。そんなもの、ないったら――そうかも知れないけど、あんたたちは『関係ありません』って言ってれば、いいのよ」

加恵子の子どもが電話をしてきたらしい。奇妙に不安定な気分になる。捨てたはずの子どもからの電話。捨てられたはずの母親への連絡。貴子は、わずかにひそめられた加恵子の声に耳を澄ませた。

「だから、心配いらないっていってるでしょう？　あんたたちにも、お父さんにも、迷惑はかけないって――その話、お父さんにしたの？――ああ、そう。ちゃんと学校、行ってるのね。それで、直也は？――ふうん、そう。だから、何かの間違いよ。何ていう会社だって言ってた？　どんな人たち――ああ、そう、そりゃ悪いことしたわね。ごめんね」

殺人犯が、些細《ささい》なことで子どもに詫《わ》びている。馬鹿馬鹿《ばかばか》しさに鼻で笑いたくなってくる。あんたが謝るべきこと、謝るべき相手は、もっと他にいるでしょうと、つい口を挟みたくなる。

「ええ？　この番号、教えちゃったの？　嫌ぁね、余計なことして。何で――ああ、分かった分かった。分かった。分かったってば。教えちゃったもの、しょうがないじゃないよ――でも、もうやめてよね。今度、誰かに聞かれたら、その人の連絡先を聞いておいて。そしたら後で、こっちから連絡しますからって。いい？」

何という情愛のない会話なのだろう。子どもが心配して電話を寄越しているというのに。余計に腹が立ってくる。あんたのような母親を持った子どもが可哀想《かわいそう》だ。その子の将来だって、明るいとは言い難い。たとえ、加恵子が百万分の一の確率で逃げ果《おお》せたとしても。

「分かんないってば——帰らない。何回も言ってるでしょう、お父さんとは、もう暮らせないって——そう。もう、長くなるから、切るわよ」

果たして、どれくらい会っていないのだろうか。子どもは自分たちを捨てていった母親に、どんな思いで電話を寄越したのだろう。しばらくの静寂の後、「まったく」という小さな呟《つぶや》きが聞こえてきた。貴子はしばらく考えを巡らせ、出来るだけさり気なく「子どもから？」と声をかけた。

「何か、困ったことでもあったんじゃないの？」

無言。

「会いに行ってあげた方が、良くない？」

無視。

「いざというときのために、電話番号を教えてあるんでしょう？　よっぽどのことがあって、電話してきたんじゃないの？」

それでも、返事は返ってこなかった。さすがに諦《あきら》めて、またすることもなくぼんやりしていると、しばらくしてから「まったく」と、どことなく投げやりな、疲れた声が聞こえた。

「何で、あっちになんか行ったりするのかしら。感じの悪い」——

今度は貴子が返事をしない番だった。ひたすら耳を澄ませて相手の様子を探る。

「返したはずじゃないの、全部。それが、何で今頃になって、取り立てなんかが来るのかしら」

借金の取り立てか。もしかすると、子どもは怖い思いをしたのかも知れない。それで、母親に電話を寄越したのだろう。

「あの人、ちゃんとやってくれてないのかしら。やったって言ったのに」

「ああ、嫌になっちゃうな。もう」

「電話なんて、かかってきやしないじゃない」

明らかに声が苛立《いらだ》っている。貴子が返事をせずにいると、やがて加恵子は、また健輔の電話にメッセージを入れ始めた。

「子どものところに、サラ金の取り立てが行ったらしいんだけど、あなた、返してくれてなかったの？　とにかく連絡してっ」

かつてない荒っぽい口調だった。貴子は黙って耳を澄ませていた。子どもの話を聞かされる年下の愛人というのは、どんな気持ちがするものなのだろうと、ふと思った。

（下巻につづく）

鎖《くさり》（上）

新潮文庫　の - 9 - 21

平成十五年十二月一日発行
平成二十年一月二十五日九刷

著者　乃《の》南《なみ》アサ

発行者　佐藤隆信

発行所　株式会社新潮社

郵便番号　一六二―八七一一
東京都新宿区矢来町七一
電話　編集部（〇三）三二六六―五四四〇
　　　読者係（〇三）三二六六―五一一一
http://www.shinchosha.co.jp

価格はカバーに表示してあります。

乱丁・落丁本は、ご面倒ですが小社読者係宛ご送付ください。送料小社負担にてお取替えいたします。

印刷・二光印刷株式会社　製本・株式会社大進堂

ISBN978-4-10-142531-3 C0193